アンチソーシャルメディア

Anti-Social Media

How Facebook Disconnects Us and Undermines Democracy

Facebookはいかにして「人をつなぐ」メディアから「分断する」メディアになったか

バージニア大学 教授 シヴァ・ヴァイディアナサン

松本 裕訳

ANTI-SOCIAL MEDIA
How Facebook Disconnects Us and Undermines Democracy
by Siva Vaidhyanathan

はじめに　フェイスブックの問題とは何か？

遠く離れた友人の近況、ビジネスの最新情報、自分が応援している有名人の動向、そして自分の近況の発信……。フェイスブックは、それなしには生活が成り立たないほど、私たちの生活に入りこんだメディアとなった。

そしてだからこそ、ソーシャルメディアのマイナス面から目を逸らし、ポジティブな側面ばかり語られてきた。しかし、本当にそれでよいのだろうか？

これからお話しするのは、思いあがった善意、宣教師精神、コンピュータコードが人類のあらゆる問題に対する万能の解だとみなすイデオロギーの物語である。そして、ソーシャルメディアがいかにして世界中の民主主義と知的文化の劣化を招いたかという告発でもある。

マーク・ザッカーバーグの「善意」

２０１７年6月27日の午後、フェイスブックの共同創業者兼ＣＥＯ（最高経営責任者）であるマーク・ザッカーバーグは、自身のフェイスブックページに「今朝をもって、フェイスブックのコミュニティは正式に20億人になりました！」と短いメッセージを投稿した。

「私たちは世界をつなぐ取り組みをこれからも進めていきます。さあ、世界のつながりをより密にしていきましょう。ともにこの旅路を歩めることを光栄に思います[*1]」

当初からザッカーバーグを駆り立て突き動かしてきたのが、この**「世界のつながりをより密にする」**という考え方だ。彼のスピーチ、投資家への手紙、フェイスブック上のエッセイ、ジャーナリストとのインタビュー、２０１７年前半にひっそりとおこなっていた全米行脚でも、このテーマが貫かれている。

彼は、自分の会社が世界中の人々をひとつにできるし、ひとつにすべきだと信じている。そして、人々をつなげるそのプロセスがもたらす結果や、その恩恵は大きいとも確信している。[*2]

「この10年間、フェイスブックは友人や家族をつなげることに注力してきました」

ザッカーバーグが２０１７年はじめにしたフェイスブックページへの投稿は、このようにはじまっていた。その後掲載されていた多項目にわたるマニフェストには、次のような内容がつづいていた。

「これを土台として、次に私たちはコミュニティの社会インフラを築くことに集中します。私たちの安全な暮らしを守り、私たちに情報をもたらすコミュニティ、市民が参画し、多様性を受け入れるコミュニティになるために」

これは、ザッカーバーグにとって、そしてフェイスブックにとって、ひとつの大きな方針転換だったといえよう。２０１６年、イギリスのＥＵ（欧州連合）離脱の是非を問う国民投票やアメリカ大統領選でのドナルド・トランプの勝利に影響を与えたプロパガンダがフェイスブック上で展開され拡散されたという事実を、ザッカーバーグが受け入れたのだ。

それだけではない。動画配信機能のフェイスブックライブは自殺や殺人の様子が実況中継されたことでかなりの批判を浴び、同社は無責任だと叩かれてもいた。そこでザッカーバーグは技術の向上と、もっとも一般的な言葉で問題を説明することを約束し、可能なかぎり非難の矛先を逸らそうとした。[*3]

「数年ごとの選挙だけでなく、日常の大事な課題にかかわりつづけられるようにみなさんを手助けすることこそが、投票以上のまたとない機会です」とザッカーバーグは２０１７年のマニフェストに書いている。

「選挙によって選ばれたリーダーと一般市民が直接対話をし、説明責任を果たす場を提供することができます」


それから、なんとも驚くべき実例をいくつかあげながら、フェイスブックが民主的プロセスをいかに後押ししているか述べている。

「インドのモディ首相は、市民から直接フィードバックが得られるため、大臣らにフェイスブック上で会議の内容や情報を共有するように指示しました」

「ケニアでは、村の代表者をはじめ、村全体がワッツアップ（同社のメッセージアプリ）のグループに登録しています。インドからインドネシア、ヨーロッパ、アメリカにいたるまで最近の世界中の選挙運動を見ると、フェイスブック上のフォロワーがもっとも多くてもっとも活発な候補者がたいてい勝利しています。１９６０年代にテレビが市民の主要通信媒体となったように、21世紀においてソーシャルメディアがその役割を担っています[*4]」。

民主主義の衰退とフェイスブックの信念

世界中で権威主義が台頭する一方で、民主主義が驚くほど衰退している。2017年までにインド、インドネシア、ケニア、ポーランド、ハンガリー、アメリカで暴力をともなう民族的・宗教的ナショナリズム、権威主義的な指導者の出現、重要課題に関する公の議論を阻害するような一種の意図的な騒ぎが起きてきた。これらの事例にフェイスブックが大きな役割を果たし、それによって専門家や専門機関への不信感が高まったと研究者や観察者は指摘する。

だがどういうわけか、ザッカーバーグ本人はそんなことはお構いなしだった。2017年11月、フェイスブックやインスタグラム上の1億2600万のアメリカ人向けターゲット広告を通じて、アメリカ大統領選にロシアがどの程度関与したのかを同社の役員が調査・報告せざるを得ない状況になって、彼はやっと口を閉ざし、フェイスブックが世界最強の政治的プラットフォームになると得意げに話すことはなくなった。

それでも、同社はさらなるサービスを提供し、フェイスブックへの信頼を勝ちえることで、政治文化を改善すると提案した。そして、いまよりもっとうまくやると約束しただけだった。[*5]

実際ザッカーバーグは、多くの望まない事態を招いた最大の要因についてマニフェストでこう説明している。「これらの間違いは、私たちがコミュニティとイデオロギー面で対立しているから起きたのではなく、オペレーション上の規模の問題に起因しています」

フェイスブックは統治するには大きくなりすぎた。私たちは会社の成功の被害者にほかならない、というわけだ。[*6]

フェイスブックの成功と転落

これまでフェイスブックの物語は好意的に語られることが多かった。だが、正念場を迎えたいま、つっこんだ批判的な分析を受けるべきだろう。

もとはといえば、フェイスブックは、ハーバード大学の学生仲間のちょっとした遊び心から生まれたソーシャルサイトだった。それは個々の生活にわずかな愉しみをもたらしはするものの、しだいに民主主義に挑む力へと姿を変えた。

これからお話しするのは、**思いあがった善意、宣教師精神、コンピュータコードが人類のあらゆる問題に対する万能の解だとみなすイデオロギーの物語**である。そして、ソーシャルメディアがいかにして世界中の民主主義と知的文化の劣化を招いたかという告発でもある。

シリコンバレーは、データに基づく意思決定と論理的思考(ロジカルシンキング)への幅広い文化的傾倒から生まれた。その文化は明らかに国際的で多様性に対して寛容だし、市場志向も労働力もグローバルだ。シリコンバレーは宣教師的な気質が強く、つながる力と、暮らしをよくするための知識の普及を説く。

ではなぜ、シリコンバレー随一の成功物語に支えられた企業が、このように急進的で、ナショナリスト的かつ反啓蒙主義的な運動を導き、民間組織や国際人に歯向かうようになったのか？　これほど賢明な企業がどうしてドナルド・トランプやマリーヌ・ル・ペン、ナレンドラ・モディ、ロドリゴ・ドゥテルテ、ＩＳＩＳ（イスラム国）といったナショナリストの台頭に加担したのか？　彼らの使命はどのように道を踏みはずしたのだろう？

フェイスブックは、シリコンバレーのイデオロギーが生んだ理想的な企業である。フェイスブック以外に、言葉、考え、画像、計画を「共有する（シェア）」完全につながった世界という夢を体現できる企業も、こうしたアイデアを首尾よく富と影響力に転換した企業もない。だが、熟議と民主主義という基本原則の矛盾に満ちた崩壊にこれほど貢献した企業もほかにない。

ザッカーバーグの決意がもたらしたもの

第二期オバマ政権がはじまる1年ほど前、エジプトのホスニ・ムバラク大統領の退陣から1

年後の2012年2月2日、ザッカーバーグは株主宛てに驚くような手紙を発表した。

「多くを共有する人は――たとえ親しい友人や家族とだけでも――よりオープンな文化を生み、他人の人生や考え方についてよりよく理解できるはずです。これによって非常に多くの強いつながりを生みだし、人々が多様な考え方に触れられるようになると信じています。こうしたつながりを構築する手助けをすることで、情報の共有や消費の方法を書き換えたいと私たちは思っています」

この手紙は、160億ドルで新規株式公開（IPO）をおこなう数週間前に発行され、当時まだ創業8年目の会社のゴールに関するザッカーバーグの並々ならぬ決意の表れだった。そして、フェイスブックは金儲けばかりの会社にはならない、**「世界をよりオープンにして人々のつながりを強める」**というグローバルな社会的使命を帯びた会社だ、と彼は株主への手紙で宣言した。[*7]

ところが現実には、それとは逆のことが起きている。手紙から4年後、明らかにフェイスブックは人々を結びつけるのと同じくらい分断を深めている。かつてないほど多くの人々がより多くの情報を共有するという理想主義的なビジョンは、国家やグローバル文化をよくしてもいなければ、相互理解を深めてもいないし、民主主義運動を後押ししてもいない。

現状は矛盾ばかりだ。世界をよりよくすることに経営陣が注力するあまり、フェイスブックは数多くの弊害を生んできた。ザッカーバーグがあからさまな成長と利益しか見ていなければ、そして思いあがりのせいで周りが見えなくなっていなければ、もう少し謙虚な気持ちで、簡単に乗っとられてしまう制御不能のグローバルシステムに向き合えていたかもしれない。

この手に負えない状況を招いたのは、同社の経営陣やシリコンバレーのリーダーたちが自分たちの全能さと博愛精神を過信しすぎたせいだった。経営陣が自らの誠実さと能力に絶対的な信頼をおき、世界について最善かつもっとも有益な情報を共有して議論するという人々の力をむやみに信じたせいで、設計上のとんでもない決定がいくつも下された。こうした態度を改めないかぎり、設計上の問題に取り組むことなど望むべくもない。

フェイスブックの3つの滑稽な設計

フェイスブックの巧みな設計により、私たちは、画面上、生活上、頭の中までもが支配されていってしまう。これには、多くの危険性があることを知っておいたほうがいいだろう。

❶誤解を招く情報が、たやすく拡散してしまう
❷感情に強く訴えかけるコンテンツが蔓延する
❸フィルターバブル

❶ 誤解を招く情報が、たやすく拡散してしまう

まず、**虚偽もしくは誤解を招く情報がフェイスブック上でいともたやすく拡散してしまう**点だ。大統領選挙後の「フェイクニュース」騒動に関する記事からも見てとれる。だが実際のところ、これは情報「汚染」のひとつにすぎない。

ニュースフィードに流れる各種コンテンツはひと目で判別できないものが多く、小さな画面で斜め読みをしていればなおさら難しい。ユーチューブの動画からワシントン・ポスト紙の記事、さらにはスーパーマーケットの広告までがすべて同じところに、同じ書体の同じ書式でどんどん流れてくる。ユーザーがコンテンツの出どころや形式を見分けるのは簡単ではない。ワシントン・ポスト紙による十数件のブログのひとつとして書かれた意見記事と、新聞の一面に掲載可能な裏づけのあるニュース記事とを区別するなど不可能だ。

2016年のアメリカ大統領選後は、主要候補者に関するでたらめな画像や文書がフェイスブック上でいかに蔓延したかの分析や報告に明け暮れた。というのも、記事の出典を特定・評価するためにあるはずの機能がフェイスブックにはなかったからだ。これは需要側の問題だけにとどまらない。プロパガンダの拡散を企む者はとっくの昔にそのコードを破っている。

❷ 感情に強く訴えかけるコンテンツが蔓延する

2つめは、**喜びや憤りに関係なく感情に強く訴えかけるコンテンツが蔓延する**点だ。かわい

い子犬や赤ちゃん、気のきいたまとめ記事、生活に関するクイズ、ヘイトスピーチは、ものすごい速さで拡散する。強い反応を生むものが広がるように設計されているのだ。

心を乱すばかげたことや気を引くプロパガンダでフェイスブックを汚染するのはいともたやすい。とにかく極端で対立したメッセージと画像を選ぶ。過激主義は肯定的な反応や否定的な反応、つまり「エンゲージメント」を生む。

フェイスブックは、クリック、「いいね！」、シェア、コメントの数でこのエンゲージメント率を測っているが、こうした設計上の特徴――知識と討論の質で考えるならむしろ「欠陥」というべきか――はもっとも扇動的な内容をもっともすばやく拡散させる。世界にまつわる地味で冷静な記事など見向きもされない。フェイスブックが私たちの世界観や社会の輪を支配することになれば、私たちは誰しも過激ででたらめなことをまき散らす人間になりかねないのだ。[*8]

❸ フィルターバブル

3つめの問題は、おなじみの現象**「フィルターバブル」**だ。これは起業家で作家のイーライ・パリサーによる造語だ。彼の説明によれば、グーグルとフェイスブックは、ユーザーの多くの望みを教えることの見返りに、ユーザーの視野をしだいに狭め、信念を強化する「エコーチェンバー」を生みだす可能性がある。

フェイスブックは、文脈からリベラルか保守かの傾向を探しているのではない。定期的に特定のサイトや友人やウェブサイトに「いいね！」やハートの絵文字をつけたり、頻繁にシェアしたり、特定のサイトについてコメントしたりする行動から、ユーザーの興味と関心を見極めているのだ。そして、ユーザーの望む事柄ばかりを与え、そうでない事柄は減らしていく。

このとき、予測スコアリングを使って各アイテム（友人の投稿や広告として購入されたコンテンツ）を峻別する。だんだんとユーザーの好みが明確になるので、興味の湧かないものばかりでユーザーを煩わせずにすむようになる。よく見るサイトや友人の投稿は政治的に一貫しているものばかりだから、ユーザーはますます視野狭窄に陥っていく。友人のニュースフィードを読むことが世界や時事について知るなじみの方法になりつつあるいま、所属グループ以外の情報に触れる機会は減りつづけ、結果として異論や反論に無頓着になるのだ。

フィルターバブルの危険性

だが、ここで注意すべきことがある。フィルターバブルは閉ざされているわけでも、ニュースフィードがユーザーの関心事だけで埋まるわけでもないことだ。ときに、驚きがバブルに風穴を開けることもある。またフィルターバブルは、政治だけに限られたものでもないし、欧米でおなじみの政治的な右派・左派に分けるものでもない。

ユーザーの関心のある日常的な事柄に応じてバブルはつくられる。フィルターバブルが与える影響は人それぞれ。だからこそ、研究したり評価したりするのがとても難しいのだ。

こうしたバブルをつくらないように、新しい影響力や多様な「友達」（以降、フェイスブック上の関係を「友達」と表す）を求める人も多い。ところがフェイスブックは、心地よさに走りがちで、共通の習慣に見返りを与えることで、似た考えの持ち主と集うよう仕向けるのだ。[*9]

プロパガンダとフィルターバブルの両現象が組み合わさったとき、有害な混合物が生まれる。フェイスブックユーザーは周知の事実をシェアできなくなってしまうのだ。ファクトチェック団体の〈Snopes.com〉はアメリカ大統領選で出回った「ローマ教皇フランシスコがトランプ支持を表明」というニュースを嘘だと暴いたが、この記事は見るべきユーザーのもとには絶対に届かない。私たちの多くはニセ記事を読むより先に、記事が嘘だという主張のほうを目にする場合が多いのにもかかわらず。

考えの異なるユーザー同士の議論はしばしば情報の真偽をめぐって言い争いに発展するので、フェイスブック上で冷静な対話を望むことなど不可能に近い。フィルターバブルは異質な人間や意見の食い違う人間との距離を生み、扇動的でプロパガンダ的なコンテンツ寄りの姿勢が不信感を生む。こうやってフェイスブックは、多様なグループによる冷静で情報に基づく生産的な会話を阻んでしまうのだ。

フェイスブックの問題とは何か

フェイスブックの構造と機能は、動機づけにはうってつけだ。大義のために人を動かしたり、寄付を募ったり、特定の候補者に投票するよう呼びかけたり、商品を売ったりしたいなら、これ以上に使えるメディア技術はない。だが、熟議にはまったく向かない。

民主共和国にとって欠かせないもの、それは**動機**と**熟議**である。知識、メッセージ、行動を調和させる献身的な国民も、公共の場で注目と支援を得ようと争う対抗勢力も不可欠な存在だ。健全な民主共和国であれば、対立が生じた場合に意見の異なる人々が議論し、交渉し、相手を説得するための場が必要になる。その際、共通の事実、合意のとれた状況、きっちりと定義された問題、幅広い反応、選択肢のある解決策が基盤になければならない。

たとえ相手を尊敬できないにしても、熟議の過程をたがいに尊重しあえるだけの規範はいる。討論や対立で敗れた側は、組織や伝統における基本的信頼を失うことなく、その場から退き、次の熟議に向けて事実やアイデア、支援者を募るのだ。

2000年代に入ってからの数十年間で、グローバルメディアのエコシステム（生態系）内でもっとも重要でもっとも浸透したフェイスブックだが、熟議習慣を根づかせる役目はまるで果たせていない。
そもそも投稿やその下につづくコメントスレッドという構造が、冷静にじっくり考えることを許さない。直近のコメントだけに反応するように、議論の参加者が全コメントを検討できないように、設計されている。返答を急かされるので、コメントは不躾なものばかりになる。

この問題の影響は、はるかに大きく広範囲におよんでいる。フェイスブックは、ほかのメディア企業、産業、機関に破壊的な影響力をふるって、健全な公の熟議を支える能力を弱め、民主共和国が頼りにするニュースや情報の発信元をゆがめている。
しかも、信頼性のある一流の情報源から広告収入を急速に奪ってもいる。広告予算の小さい企業なら、エンゲージメント率を測れない広告は避け、グーグルやフェイスブックといった対象を絞った責任ある広告システムに金を払うだろう。

ターゲティング広告の打ち方と注目の集め方では、フェイスブックの右に出る者はいない。そのため広告会社は、フェイスブックの「口コミ力」をあてにして大規模な宣伝を打つほどだ。大手報道機関も、記者をクビにしたりフリーランスのライターへの支払いを渋る一方で、編集上の方針や戦略を変えてまでフェイスブックのアルゴリズムに従う。編集者や出版社は、時間をかけてフェイスブックで話題を呼びそうなコンテンツを考える。以前と比べてわずかばかりの儲けでも守ろうと、そして聴衆を引きとめようと、自分たちを死の淵に追いやった張本人に迎合しなければならない。

フェイスブックは出版社に提携を呼びかけ、同社のサーバーを通してコンテンツを配信し、その収益を折半しようと持ちかけるが、この程度では出版社の収益減少に歯止めはかからない。にもかかわらず、コンテンツはユーザーに響くようなものをつくれと求められる。つまりフェイスブックは、私たちに力を与えうる組織を餓死させながら、私たちの飽くなき欲望を満たしているのだ。

２０１６年後半に入ると、フェイスブック経営陣は藁をもつかむ思いで実験や介入をおこない、プロパガンダや誤報、虚報の拡散に歯止めをかけようとした。さらに、情報源や記事の信頼性を証明する方法も提案した。アメリカとドイツでは、選挙関連広告を掲載できる広告主を絞ろうとしたり、システムを改善・強化して有害なコンテンツをふるいにかけたりと必死だった。その後、サービスの印象をよくしてユーザー同士の善意を育もうと、ニュース配信を抑えて「友達」の投稿を増やしたりもした。

ザッカーバーグは２０１７年のマニフェストでこう書いている。

「フェイスブックの役割は、人々の対立や孤立をテクノロジーとソーシャルメディアの力で和らげ、最大限のポジティブな影響を人々に与えることです。フェイスブックはまだ発展途上であり、私たちは学習と改善をつづけていきます」

内部改革に加えて、外部ではアメリカ議会や規制当局が動きだし、ソーシャルメディア上の政治関連広告にテレビと同水準の透明性を求めはじめた。だが、こうした取り組みはうわべだけで、根本原因に斬りこむものは皆無だった。単純な真実、「フェイスブックの抱える問題はフェイスブックそのものだ」ということには、誰ひとりとして斬りこまなかった。[*10]

フェイスブックのグローバルシステムの基盤にあるのは、世界22億の人々をつなぎ、すべてのユーザーに手当たり次第コンテンツを投稿させ、論争を呼びそうなコンテンツを優遇するアルゴリズムを構築し、大規模な監視と個人情報による綿密なターゲティング広告に基づく、セルフサービス型広告システムだ。そのため、核心を改革しなければ意味がない。

重要で依存性の高いサービスを提供しつづけるフェイスブックには、肩を並べるライバルが世界におらず、その圧倒的優位性からひとりでに転落することもない。フェイスブックはあまりに大きく、強力で、威圧的で、うまく機能するため、通り一遍の改革では成果が得られない。これらの増幅した問題はすべて、フェイスブックが本来の目的どおりに機能したからこそ起きているのだ。[*11]

騒動のあいだ、うわべの改革や修正では問題を解決できないという事実をザッカーバーグは無視しつづけた。22億もの人がさまざまな目的のために習慣的に好き勝手に利用するようになったサービスで、ユーザーみんなにお行儀よくふるまってもらいたいと思っても無理だろう。

フェイスブックは規模が大きすぎるうえに、利用者が多様すぎる。加えて、発明史上もっとも強力で効率のいい、安価な広告サービスから利益を得ている。そんな彼らにしてみれば、害が大きく不愉快で破壊的なプロパガンダだけを排除することはできない。

真実と信頼の崩壊――「もうひとつの真実」がまかり通る詭弁の時代

「フェイクニュース」と呼ぼうが、「プロパガンダ」「虚報」「ニセ情報」と呼ぼうが、言っていることは同じ。専門知識への大衆の信頼と、理性的な熟議や討論が危険なほど損なわれつづけている。

真実を追究し、信頼を築く基準や手法を強化しようという風潮が生まれたのは、2016年のアメリカ大統領選でトランプがフェイスブックを巧みに利用したことと、ロシアと手を組んだ勢力が民主主義への信用と信頼を失墜させる目的でニセ情報をさまざまなフェイスブックグループにまき散らしたことに人々が気づいたときだ。

だがこの嵐はしばらく前に発生し、ウクライナやインド、ミャンマー、フィリピン、カンボジアなどの世界各地で大暴れしていた。嵐を大きく育てたのは、ソーシャルメディア――なかでもフェイスブック――のつながる力だった。

脳裏に浮かぶ「ビッグ・ブラザーに支配される世界」

第45代アメリカ大統領の就任式から数日後、作家ジョージ・オーウェルのディストピア小説『一九八四年』(早川書房)が異例の売れ行きだとの知らせが入った。69年前のイギリスの小説に、突然関心が集まったのはなぜか?

大統領記者会見の演台に立つショーン・スパイサー報道官が、2017年1月20日の大統領就任式に集まった群衆について、驚くようなおおぼらを吹いた。ホワイトハウス付きのベテラン記者たちによる懐疑的でやや突拍子もない質問を受けたスパイサーは、群衆の規模に関する数字、ジャーナリストが撮影した画像や映像、式典にいた数千人のみならず、テレビでワシントンのナショナル・モールのすかすかな空間を見ていた数百万人の目撃証言をすべて一蹴した。大義名分のために狡猾につかれる嘘を見破るのがうまい皮肉屋の記者たちは、あっけにとられた。大統領の信頼を保つことを任務としている者が、国民に直接話しかける場で、なぜこんなつまらないことで堂々と嘘をつくのか、まったく理解できなかったのだ。

数日後、トランプの側近のひとりであるケリーアン・コンウェイ顧問は、NBCのニュース番組でスパイサー報道官を擁護した。司会者のチャック・トッドがホワイトハウスの図太さに憤慨して、「事実は明らかであり、群集は過去2度の就任式よりも明らかに少なかった」と主張すると、コンウェイはスパイサーが嘘を吐いたわけではなく、ただ「もうひとつの事実（オルタナティブ・ファクト）」を述べたにすぎないと返した。

とっさに思いついた言葉だったようだが、この言葉を使って詭弁を弄することにたちまち慣れたようだった。これに対して、「もうひとつの事実とは事実ではない。虚偽だ」とトッドは反論した。[*12]

このとき、多くのアメリカ人の脳裏をよぎったのがジョージ・オーウェルだった。彼が描いたのは、専制者とその側近たちが、不条理は合理的であり偽りが真実になると主張する全体主義国家だった。国家の力は強大で、真実に挑めるのは力だけという主張に市民は黙って服従するほかない世界——。アメリカ国民の反応はもっともだった。人々は波乱と不安の時代を理解しようと、『一九八四年』のような不変でなじみのある小説に手を伸ばしたのだ。

こうしてホワイトハウスの関係者、ひいては大統領までもが、公的な場を弄する手段を手に入れた。トランプは証明可能な、あるいは証明済みの事実を真っ向から否定するようになった。世界規模のメディアシステムにばかげた言葉を流すと、熱狂的な喝采か激しい拒絶かのどちらかで応えろと要求した。雑音を垂れ流しては、さらなる反響と反応を煽った。すべての雑音と反応が彼の自尊心を満たす。

このように荒唐無稽で、根拠がなく、予想外の発言で私たちの思考や視野を奪うトランプのやり口は、速さが売りのメディアエコシステムを巧みに利用したものだ。大統領の発言と表情は、無数のニュース関連チャンネルやソーシャルメディアをたった1日で駆けめぐる。ニュースサイトがソーシャルメディアにニュースを配信し、ソーシャルメディアがニュースサイトに情報を配信する。昨日の話題は、あっという間にみんなの意識から消えてしまう。[*13]

真実と信頼をめぐる戦い

この問題はトランプよりもはるかに危険で、アメリカよりもはるかに大きい。権威主義者、領土のないテロリスト集団、反政府勢力、いたずら者、ネット荒らし（トロール）はみんな、真実なんてどうでもいいと思っている。人々が真偽を見出そうと右往左往すれば十分なのだ。

民主主義や民主主義を保つ熟議や討論を否定する者は、主張が本当か嘘か、どれほど広く真実として受け入れられているかなど気にもかけない。彼らにとって重要なのは、声高に叫んで議論を妨害し、その後の議論が事実に基づく実質的な取り組みではなく主張の真偽をめぐるものになることとなのだ。信頼と真実が失われるとき、力だけが大事になる。[*14]

世界は突如、真実と信頼をめぐる戦いに巻きこまれた。「信頼性」と「権威」は、古くさく弱々しい概念になってしまったようだ。専門家は快適で社会的・知的なバブルのなかにいるエリート主義だとばかにされ、科学的手法は知識を生みだし保証する科学者や機関の階級的利害の産物だとみなされ無視される。

強力なメディア媒体を通じて、議員が膨大な数の知識体系をくり返し否定するせいで、多くのアメリカ人は海水面上昇という基本的な事実すら信じなくなった。予防接種（ワクチン）懐疑論が広まったせいで、命を奪う麻疹（はしか）が子どもを中心に大流行している。それも、目立ちたがりで考えの浅いワクチン懐疑論者が、ワクチンは効果よりリスクのほうが高いと世の親たちに信じこませたせいだ。

広告収入がオンラインに流れ、グーグルの検索ランキングやツイッターのフォロワー数といった新たな指標で測られる新たな声の出現によって、ジャーナリズムは慣習の面でも業界の面でもつぶされた[*15]。

真実と信頼の崩壊は、アメリカでとりわけ深刻だ。カナダ、イギリス、フランス、ドイツなどの比ではない。それ以外の国々も同様に揺らいでいる。トルコ、ハンガリー、ポーランドでは権威主義的政権が実権を握り、近年スペイン、ポルトガル、イタリア、ギリシャでは経済的・政治的な混乱が生じている。

多元的でリベラルな民主主義は、ロシアを筆頭にインド、フィリピン、ベネズエラではまったく人気がない。ブラジルやメキシコの民主主義も過去のもので、両国とも民主的な選挙や平和的な権力の移行に喜んでいたものの、いつのまにか不正と汚職の伝統にまみれた。

エジプトは民主主義への関心をのぞかせたのもつかの間、たちまち残虐な軍事政権へと逆戻りした。チュニジアとミャンマーは民主化と法の支配を希望したが、民族間・政党間の対立がそのわずかな希望を打ち砕こうとしている。

世界が穏やかに、リベラルに、多元的に、段階的に、平和的に変化することを望む私たちにとって、いまは試練のときだ。近年の波乱と真実および信頼の崩壊との関連性は無視できない。２０１６年、ジャーナリズムや宗教組織、労働組合、政府、産業、銀行、学校、医療まで、重要な機関への信頼度はアメリカ史上最低で、大きな信頼を寄せていると答えた人は20％に満たなかった。[*16] ２０１７年になると、基本的な礼節、つまり違いを乗り越えて歩み寄る必要がある一連の規範への信頼もないことが報じられている。[*17]

詭弁はいま主流の文化的慣習だ。私たちは、同意できないし、同意できないことにも同意できないし、理路整然とした議論と口先だけの大げさな騒ぎとの違いにも同意できない。たとえば「すべり坂論法」のような古典的な論理的誤謬ですら、議論のひとつとして真に受けてしまう。あまりに多くの市民が共通の事実を見出せず、知的対話の原則を守らず、長年事実やその過程を生みだし保証してきた機関を信頼しなくなってしまったら、民主共和国はどうやって繁栄すればいいのだろう？

この戦いは、こっちの主張かあっちの主張かで決着がつくものではないし、オーウェル流にいえば2＋2は4か5かで決着がつくものでもない。真実を決定する力、いや、むしろ真実の追究は無益で的はずれだと断言する力だけが決着をつけるのだ。

長い伝統を誇る機関への信頼が損なわれている一方で、真実を主張する力を蓄えつつある2つのソースがある。フェイスブックとグーグルだ。

アメリカ人は、従来のニュース配信よりもグーグルの検索結果やリンクに多大な信頼を寄せる。なかでもフェイスブックユーザーは、ニュースフィードに流れてくる情報の信頼性を投稿のネタ元ではなく投稿者で判断する。主張の真偽を判断する際、グーグルでどれくらい目立っているか、フェイスブック上の「友達」の誰が推しているかを判断基準にしているのだ。[*18]

これは憂慮すべき事態だ。世界最大のソーシャル・ネットワーキング・サービス（SNS）2社が、富と影響力のみならず、信頼面でも圧倒的な支持を得て成功モデルとなっている。グーグルとフェイスブックは、世界情勢について深く考え、世界を見る私たちのレンズだ。両社の経営陣は、教育、政治、公衆衛生、世界情勢について深く考え、尊大に話すよう求められる。グーグルとフェイスブックは、大衆の偏見や偏愛を導くだけではない。凝縮させ、増幅させる。

一方で、ナンセンスと雑音を除去するため、思考と行動の合意を築くために、私たちが注意深く構築し維持してきた機関が弱体化しつつある。その始まりはほんの数十年前、20世紀後半に啓蒙主義がついに勝利し、民主主義、自由、多元主義、普遍的な尊厳がようやく花開く機会を得たかに思われた時代にさかのぼる。[*19]

フェイスブックは、本当に「悪」なのか？

ここまで、21世紀の最初の20年間における情報と政治情勢について述べてきた。フェイスブック自体と、フェイスブックと私たちとの関係性を考えるにあたって押さえておくべき背景だからだ。

フェイスブックは、人々が活動し、さまざまな運動がおこなわれる舞台だ。舞台とはつまり、エコシステムでもあり、それ自体が媒体でもある。この世界を揺るがす耳障りな騒音の中で、フェイスブックは重要な成長株だ。

もしフェイスブックの設計が違っていたら、いま世界で起きている蛮行の数々を減らせたかもしれない。人々がフェイスブックを個人的な愉しみのためだけに利用していたら、幸福感を高める強力なツールになっていたはずだ。それなのにフェイスブックは、私たちを悩ます弱い者いじめや偏見といった、害をもたらすいくつかの傾向を助長した。

これらの傾向は、フェイスブックに端を発しているわけではなく、何十年、何百年とはいわないまでも、フェイスブックが誕生する何年も前からあるものだ。だが、フェイスブックがその加速と増長の要因であるのはまちがいない。

どうでもいいとか単純化したいとか、そんな誘惑にどうか負けないでほしい。資金力のある巨大企業に薄っぺらい反論で立ち向かっても誰も得しない。信頼と真実の崩壊を招いたのはグーグルとフェイスブックではない。

評判を落とした重要機関の多くは長年、不正行為、機能不全、無反応をつづけてきたせいで不信を買った。タバコ業界が商品の有害性に関する科学的証拠を徐々に弱めてきたように、政治勢力が不信のタネをまき、育ててきたのにはたしかに理由がある。[*20]

フェイスブックがこうした問題の元凶だと言いたいのではないが、情報汚染と破壊的ナンセンスが蔓延する強力な触媒であるのはまちがいない。広告収入を争う唯一の強敵といえばグーグルくらいだろう。

フェイスブックは、インスタグラム、コネクトユー、ワッツアップなど、ライバル候補のソーシャルメディアを次から次へと買収してきた。対比で名前が挙がるツイッターは、地域や文化によっては勢いはあるものの、生活や考え方に影響を与えるほどの収益もなければ、ユーザーもいない。フェイスブックは2018年時点で世界最強企業の上位3社に入っているといえる。

アメリカ大統領選の勝敗を左右したもの

トランプはフェイスブックの特徴を大いに活かして選挙戦で勝利したわけだから、フェイスブックがトランプを政権の座につけたといえなくもない。だが、大統領選を左右した要素はフェイスブックだけではない。

アメリカを分断し憎悪と暴力を煽ったのも、熱狂的なトランプ支持者が好む外国人嫌悪、人種差別、反イスラム主義、女性蔑視、経済不安を生みだしたのも、フェイスブックではない。これらの起源はもっと古く、複雑でやっかいだ。

実際、何百万の個人ユーザーがフェイスブックから恩恵を受けている。友人や家族から疎外されたり地理的に孤立したりした人々に支援とコミュニティをもたらしてきた。一方で、治療費の支援を求める切羽詰まった個人の嘆願、政治家候補を応援・批判する広告、科学を否定する嘘の主張、人種差別や暴力の呼びかけも流れてくる。

こうした状況を手っとり早く変えられるかといえば、その望みは薄い。各メディアが発信する情報を見極めて理解する能力「メディアリテラシー」を訴える声は、私たちがその言葉の意味に同意すること、22億の人々にコンテンツの善し悪しを見分ける力があることという前提に立っている。

フェイスブックの運営方法を改革するには、よりよいプライバシー保護という規制上の介入以外にない。フェイスブックに自己改革の意識がないからといって、フェイスブックをボイコットしようと訴えたところで、たかが知れているし非生産的だ。

しかし、長い目で見れば光明はある。健全な社会的・政治的な生活を取り戻すには、フェイスブックがもたらした害を認識し、その呪縛から逃れる風潮を生みだす必要がある。フェイスブックをしかるべき位置、つまり政治的知識や行動主義とではなく社会や家族とつながる場に戻そうと何百万の人々が思うようになれば、この悪習から抜けだせる可能性はある。

規範の構築は技術開発よりはるかに難しい作業だが、この問題への効果的な対応策に選択肢はない。つまるところ、より健全な公共文化を望む人々が、知識やコミュニティとの豊かなかかわりをもたらす図書館、学校、大学、市民社会組織などを強化するしか手立てはないのだ。しかし、この取り組みが実を結ぶのは何十年も先になるだろう。

フェイスブックによって変わる暮らし

ではここで、利便性とデジタル技術のみごとな実装による相乗効果について考えてみたい。世界の大半が既存の機関とイデオロギーの約束を信用しなくなった瞬間に、フェイスブックは姿を現した。

フェイスブックは欲求と願望を満たす。何もかもが退屈に思えるときに暇つぶしを与えてくれ、私たちの偏見を認め、注目されたいという欲求を満たすアイデアや感情を与えてくれる。地位と人とのつながりに対する飢えを満たしてくれ、世界をもっと便利にしてくれるし、好奇心を満たしてもくれる。

だが、それ以上に重要なことがある。今世紀はじめ、**水面下でふつふつとたぎっていた理不尽で反民主的な力を、フェイスブックが増幅させ活発化させた**ことだ。[*21]

フェイスブックはどちらかというと、**個人単位ではいいほうにはたらくが、集団単位では悪いほうにはたらく。**

個人でフェイスブックを定期的に利用しているなら、生活の質はまちがいなくよくなっているだろう。遠く離れた友人や家族と定期的に連絡をとれるのだから。フェイスブックはまた、趣味や関心、職業、性向に訴えるグループを生みだす。信頼する友人の投稿から新しいジャンルの本や音楽を知ったこともあるだろう。画像や動画で笑ったり、長文の投稿に考えさせられたりしたこともあるかもしれない。恋人を見つけた人も（よくあることだ）、小学校卒業以来の疎遠になっていた友情が復活した人もいるだろう。政治論議や偏狭さが露呈したせいで誰かと絶交した人もいるかもしれない。元恋人などから脅迫や嫌がらせを受けたこともあるかもしれない。

いい影響より悪い影響のほうが大きいなら、みんなとっととフェイスブックをやめていてもおかしくない。だが、フェイスブック離れは起きていないわけだから、世界の20億超の人々にとって、フェイスブックは個人の生活をよくするツールといえそうだ。

暮らしはよくなる。ただし、自分が嫌がらせや憎悪や脅迫を受けていなければ、の話だ。ソーシャルメディア上で苦い経験をしても、そのうちの多くはやめずにそこにとどまりつづける。それくらい重要なことなのだ。

私たちは世間体を気にしつつも、これらの限定的で高度に構造化されたSNSを通じて自らの評判を危険にさらす。10年もたたないうちに私たちはフェイスブックの虜（とりこ）となり、いまではフェイスブックのない生活など考えられなくなってしまった。

では、私たちはいったい何が恋しいというのだろうか？　個人にとってのその価値は他者にある。友人や家族と無料で頻繁かつ簡単につながることを楽しめるから、私たちはフェイスブックのない生活を想像できないのだ。

だが集団単位で見ると、状況は一変する。フェイスブックのせいで、私たちの暮らしは悪くなっている。プロパガンダを届けるマシンをつくり、重要な問題から関心を逸らし、憎悪と偏見を助長し、社会的信頼をむしばみ、ジャーナリズムを弱体化させ、科学に対する疑念を育み、膨大な監視をおこなう。

ここで考えてみてほしいことがある。もしフェイスブックが誕生していなかったら、今日の世界はもう少しマシだったのだろうか？　フェイスブックが明日消滅するとしたら、世界はよくなるのだろうか？

よくなると言いきれるだけの十分な根拠がある。ガーディアン紙の記事を読んで新作小説や興味深い思想家に出会った人がいる一方で、オンラインニュースサイトの〈ブライトバート〉の記事を読んで社会に対する偏見を強めている人もいる。

フェイスブックの記事を読んで、子どもにワクチン接種を受けさせないと決めた親がいたり、気候変動は巨大科学（ビッグサイエンス）によってでっちあげられた陰謀だと信じる人がいたりする。

フェイスブックは、実生活のみならず、ビジネス界や政界までをも揺さぶる。

私たちは成長する過程で、両親になら安心して教えられる個人情報を友人にはそう簡単に明かすべきではないとか、コーチや聖職者には言えても兄弟には言えないこともあるとか学びながら、社会的文脈（コンテキスト）を形づくっていく。私たちは往々にして、文脈に応じて自分をどう見せるかを自らの意志で決めている。

フェイスブックは、全員をひとつの大きな部屋に放りこんで、ひとくくりに「友達」と呼ぶ。もちろん、この「友達」を区別する手段を提供してはいるが、ユーザーが実際に区別することはめったにない。大きな「友達」集団をグループ分けして維持するのは難しい。しかも、その「友達」の多くは何年も会っていなかったり、そもそもたいして好きでもない相手だったりする。

社会生活がひっかきまわされることで不安が生じ、ときには人間関係が破綻する。ふつうは悪意に満ちた人間が自分の投稿をどう解釈するか想像して慎重にやろうとするはずだ。

フェイスブックは、広告経済を支配して収益面でほかの情報発信源に水をあけることでビジネス界をも揺るがしている。

政界もご多分に漏れず、コミュニティの注意を逸らし分断させる誤報やニセ情報をまき散らして混乱に陥れている。フェイスブックは混乱を招くのだ。うまく折り合いをつけて暮らす方法を私たちが見つけるまでには、まだまだ時間がかかるだろう。

フェイスブックのない世界はどのようなものだろうか。責任あるメディアが、有権者にはたらきかけて啓発をおこない、偏見と過激主義を弱められる可能性がある。少なくとも、子どもにワクチン接種を受けさせるよう、少しでも多くの親を説得できる可能性はある。

でも、フェイスブックはこの世から消えない。ザッカーバーグですらスイッチを切れない。フェイスブックがなかったら今後の生活がどうなるのか、私たちは想像するだけ。だから、フェイスブックが利益となるように変えるには、規制に目を向けるしかない。

フェイスブックを使いながらでも快適な生活を送るためには、テクノロジーの理念や歴史を理解する必要がある。私たちは疑いの目をもち、わずかな代償で多くを与えてくれるが最終的には与えた以上のものを奪っていくフェイスブックや類似サービスについて話し合えるようにならなければならない。**いまこそ、立ち止まって考えるときだ。**

私のキャリアに大きな影響を与えた、ひとつの質問

ここで、私が多分に影響を受けた恩師であるニール・ポストマン教授との出会いについて、エピソードとともに紹介しよう。

ロウアー・マンハッタンのグリーン・ストリートにある元工場の7階でエレベーターを降り、「ニール・ポストマン教授のオフィスはどこですか」と受付係に尋ねた。すると彼女は、間仕切りの迷路を抜けた奥の角部屋を指さした。私は深呼吸をしながらゆっくりとオフィスに向かった。どのような尋問を受けるのか見当もつかなかった。

ちょうど、1999年春の終わりのことで、私はアメリカの著作権法の文化史に関する博士論文の発表を数週間前に終えたところだった。コネチカット州にあるウェズリアン大学の歴史学部で1年前から教鞭をとっていたが、職業はジャーナリストで、音楽批評にも手を出し、数十台のコンピュータにWindows 95をインストールしまくり、ウェブページの制作も手がけていた（まだインターネット黎明期だった）。

だが長年、自分は新進の歴史家だと思っていた。学術的プロジェクトの将来にはさほど心惹かれなかったから、この新学部が私の提案に関心をもってくれるとは到底思えなかったし、ポストマン教授とは確実にウマが合わないだろうとも思っていた。

当時、私はまだ１９９０年代の冷戦後の楽観的な波に乗っていた。アメリカは日の出の勢いで、自由の価値観、創造力、気概で世界を牽引していた。犯罪は減り、雇用は活況を呈し、実質賃金は25年ぶりに上昇傾向にあった。

そんななか、私は啓蒙時代の完全な民主化を約束するかに思えた運動に加わっていた。デジタル技術は、知識不足を補う解決策のみならず、世界の大部分を圧政と無知の束縛のもとに置き、表現の自由を阻む壁もとり払ってくれるように思っていた。

博士論文のなかで私は、著作権法の制限強化の動きが創造性を抑えこむと結論づけていた。この主張は、時代の流れもあり、世界中のテクノロジー推進派からなる楽観的コミュニティに急速に受け入れられつつあった。ハッカー、図書館司書、市民リバタリアンのグループが私の考えを擁護し、評価を上げてくれる――そんな期待があった。なにしろ、私は彼らと同じ考えをもっていたのだから。

そんなわけで、暑い日に、大した経歴のない文化史家がぶかぶかの黒いスーツを身にまとい、未来に専心する著名な学部の就職面接にやってきたのだ。学生や職員たちは世界に与えるメディアの影響について、全体論的観点・生態学的観点から研究していた。数週間かけて、私は学部の教職員が出した本を片っ端から読みあさって面接に挑んだ。

会うことになっていたポストマン教授は、伝説的で公的な知識人であり、私が前向きで革新的だと考えるものすべてを、誰よりも早く声高に批判していた。1985年の彼のベストセラー『愉しみながら死んでいく——思考停止をもたらすテレビの恐怖』(三一書房)は、テレビがすべての熟議をエンターテインメント化してしまうことでいかに国民の議論を殺してしまったかについて述べている。

10年後、彼は、副作用を考えずに全世界のコンピュータを性急につなごうとしていることにも懸念を示した。私の研究人生が、世界一エキサイティングな都市で花開くか、さえない場所ではじまるかの命運を握るこの著名人と、私はどんな共通点があるのだろうか？　希望と不安がいりまじったような、不思議なこころもちで面接に臨んだ。

結果からいうと、面接は、私がこれまで経験してきたどの面接とも違った。まず1時間以上かかった。研究テーマや教え方、出版の予定などの面接でおなじみの質問はひとつもなく、聞かれたのは14年間暮らして学位を取得したテキサスのこと、彼が大好きで私の論文でも大きくとりあげていたマーク・トウェインのこと、好きな野球チームのことだった。

なによりも、次に投げかけられた質問はもっともインパクトがあった。いまだに私の記憶から消えることなく、そして、その後のキャリアに少なからず影響を与えつづけている。

「シヴァ、ここではかなりの時間をかけてメディアにまつわる問題を教えたり書いたりしている。メディアがいかに私たちを抑えこみ、すべてが薄っぺらいか、そしていかに企業の関心が民主主義の質を左右するかについて研究している。

それでも私たちは学生に対して、まさに批判をしているその業界に就職するよう背中を押す。これをどう正当化できると思うかい？」

どうしてあのとき、間をおいて考えをまとめる時間をとらなかったのか、いまでもわからない。彼はその気さくな語り口と親しげな態度で私の警戒心をすっかり解いてしまっていたから、私は間髪いれずこう答えていた。

「そうですね、私たちは多くの点で聖職者のようなものです。聖職者の務めに期待できることといえば、これから及ぼす害について信者に罪悪感を覚えさせることぐらいなのかもしれません」

彼はにやりと笑うと、椅子に背をあずけて言った。「うん。そうだね」

この浅はかな回答が、その後の私の職業人生を貫くテーマとなった。私はテクノロジー関連の書籍や記事を書いてきたが、そのなかでテクノロジーが法の制定・放棄・採用、世界のどんな行動も決めるという楽観的な見通しを一切していない。
それどころか、ひと握りの人でも見方を——たとえば生態学的に——変えて、今後さまざまな質問をするようになってくれることが私の最たる望みである。読者や教え子たちが少しでも罪悪感を覚えたり気分がよくなったり慎重になってくれたら、私の任務は完了だ。

ポストマン教授はこのほかにも、「きみは『ポストモダニズム』をどう定義する?」「21世紀になったら、インドがアメリカを追い抜いていると思うかい?」などの質問もしてきた。だが、どの質問にも正解はなかった。質問やその答えに関心があったのかすら、わからない。ただ彼は、私が関心をもっているか、興味深い人間かを見たかったのだろう。
いまになってわかることがある。彼は「教えるとはどういうことか」を私に教えてくれていたのだと。

ニール・ポストマンは、なによりもまず教師だった。彼の著作物はどれも議論や討論をうながすものだった。ユーモアを忘れず、研究テーマにひとり打ちこんでいるようにも見えなかった。彼との会話はいつもソクラテス式で、質問にひたすら質問を重ねた。その後の数年で幾度となくニールと白ワインを傾けながらランチをとったが、そのさなか、面接がまだ終わっていないこと、そもそも始まってもいないことに気づいた。

私は、数十年前から何百人もの人を相手につづけてきた彼の長い会話に加わっただけだった。彼はいつも何か教えてほしいと相手に頼んでいた。それが、他人を教える最良の方法だからと。教えることは討議のダンスであり、終わりのない会話であり、喜びであることを私は学んだ。教師が本領を発揮できるのは、学生のように質問をするときなのだ。

メディアとテクノロジーの関係性をどう考えるか

2003年にニールがこの世を去るまでの数年間に交わした会話は、当然ながらインターネットおよびデジタル技術の登場とその影響についてが大半を占めた。彼は、トランプの大統領就任式直後に『一九八四年』を買いに走った人々と同様に、私が間違った本に注目していると諭(さと)してくれた。

大統領就任式の翌週、ニールの息子アンドリューがガーディアン紙に評論を寄せた。「父は1985年にトランプの出現を予見していた。だがそれはオーウェルではなく、『すばらしき新世界』なのだと警告していた」

1985年の著書『愉しみながら死んでいく』のなかでニールは、オーウェルが小説で描いた全体主義の不吉な未来図にアメリカ人は過剰に反応すべきではないと主張している。中央集権化された残虐な力と恐怖による社会的支配は、消費主義、表現、選択の自由が約束された社会では、広まったり、足がかりを得たりすることはない。むしろ、1932年に出版されたオルダス・ハクスリーの未来小説『すばらしき新世界』の発する警告に耳を傾けるべきだと訴えた。そして、オーウェルが恐れたのは「焚書をおこなう人間」だと述べている。一方で、「ハクスリーが恐れたのは、本を読みたいと思う人間がいないことで、焚書をおこなう理由がなくなる状況だ」。

ニールによれば、ハクスリーは感情によって抑えこまれ、刺激によって退屈し、空虚な喜びに気をとられる文化を描いていたのだそうだ。私たちのそこそこ快適な暮らしを脅かすのは、残虐さよりもエンターテインメントだ。

『すばらしき新世界』に関するニールの訴えに私がつけ加えるとすれば、これだけだ。**問題を考えられない集団的な無能さと問題を無視する私たちの能力が、残虐さを招く。あるいは少なくとも私たちのなかで声の小さい目立たない層を狙い撃ちにするとき、残虐さに立ち向かうのを難しくする**、ということだ。

息子のアンドリューは評論のなかでこう述べている。

「父が懸念していたのは、アメリカ市民が何十年もかけて、より早くより便利に提供される考え方と浅いかかわりをするように条件づけされてきたことだった」

この条件づけのせいで私たちは、直面する困難や選択肢について考え、主張する力を失った。アンドリューいわく、「公の議論における核は、経験、思慮深さ、外交ではなく、人の関心を

――どんなに腹立たしかったり不快だったりする娯楽を用いてでも――愉しませられるかどうかだということを知って愕然とする人はいないだろう。だからこそ、父はその点を指摘したのだ[*22]」

『愉しみながら死んでいく』は年月を経たいまでも十分通用する。本書で軸となる主張、すなわちエンターテインメント型メディアの姿と供給システムが私たちの思考習慣を徐々にゆがめていき、責任ある市民として交流する能力と意志とを着実に奪ったという主張は、簡単にあしらうことはできない。

20世紀後半にテレビが登場し普及したことで、ニールいわく、テレビは「メタメディア」になった。すべてではないにしても、従来のあらゆるメディア形態を内包し、構造化し、変更し、提供するテクノロジーである。テレビは1985年までに「世界についての知識を操作するのみならず、知識の得方についての知識までも操作する道具[*23]」になった。フェイスブックもそうなりそうな勢いだ。

ニールは、テレビに細心の注意を払うよう警告した。というのも、テレビは空間を支配するだけでなく、観る者を完全に虜にしてしまうからだった。テレビは、いまではほぼ、どの家庭にもあるありきたりなものとなり、20世紀後半、フランスの哲学者ロラン・バルトのいう「神話」になったとニールは書いている。

「[バルトが]神話という言葉を使って意味したのは、問題がなく、十分に意識されることもない、ひと言で言ってしまえばあたりまえのような世界の理解のしかたである。神話は考え方だが、私たちの意識の奥深くに刻みこまれているために目には見えない」

私たちがもはやその存在に魅了されたりその登場に驚いたりしなくなって、家のなかで特別な存在でなくなると、テレビのない生活を思い出せなくなり、テレビが与える影響を十分に検証できなくなる。*24

「テクノロジー原理主義」が世界を席捲する

本書執筆のきっかけは意外なことではない。フェイスブックが神話になりフェイスブックのない世界を想像できなくなってしまう前に、ニールのような会話のやりとりをしたいと思ったからだ。だが、それももう手遅れかもしれないと恐れている。

ニールは疑問を引きだし視野を広げてくれたが、私を改宗させるには至らなかった。彼は「正統派」のメディア生態学者で、私は「改革派」だった。

正統派は、筆記やラジオといった強力な新技術が人類を根本から変えると説く。ニールは、師匠のマーシャル・マクルーハンと同じくテクノロジー決定論者だった。強力または優勢なテクノロジーが文化や社会に登場すると、日常生活が変わるだけでなく、その社会に属する人間の認知能力も大きく変わると考えた。

そして、この変化は緩やかに進むと正統派は論じる。だが変化は深いところで起こるので、それらの社会に属する人間を、思考やコミュニケーションを構築するテクノロジーによって識別・分類できてしまう。まずテクノロジーありきで、そこから精神的・社会的な特徴が生じるのだ。強力でシンプルな因果関係である。[*25]

このマクルーハンのテクノロジー決定論は、テクノロジー楽観主義者・悲観主義者を問わず、近年の思想家や作家の多くに影響を与えた。

一方で、この強力な決定論を採用するにあたっては、いくつも問題がある。


とりわけ大きい問題は、**新技術が深く浸透すると、従来の思考習慣に戻れなくなるのはもちろんのこと、少しの驚きはあるものの、社会が変容すると信じる方向に導く**ことだ。そして、経済的・政治的な要素を排除（区別）する技術に注目して、一連の複雑な変革にたったひとつの原因で説明をつけようとする。

あわせて問題となるのが、テクノロジー決定論者の意欲だ。過去の技術が生みだした問題を修正しようと最新技術の導入をうながす。まるで、その戦略が人間のありように重大な影響を与えうるかのごとく訴えるのだ。

私はこれを「テクノロジー原理主義」と呼んでいるが、この考えが世界を席捲しつつある。

ザッカーバーグをはじめ多くの裕福で権力のある人々が、このテクノロジー原理主義について定期的に発言しているのだ。[*26]

文化、政治、経済、テクノロジーの関係は、ダイナミックで相乗効果があり、予測がつかない。フェイスブックのアルゴリズムが厄災や革命、社会革命を引き起こしたという話にページを割くつもりなど毛頭ない。

フェイスブックは人（開発者、運営者、利用者）とコンピュータコードでできている。そのコードを形づくるのは人で、人を形づくるのはコードだ。**テクノロジーとその設計者、運営者、利用者、それにコンピュータが使われる文化的・社会的・経済的・政治的な環境との境目はあいまいだ**と考えている。しかし、批判的検証に値する具体的な参加者はいる。テクノロジーを発明して行使する、有名なグローバル企業だ。[*27]

ニールと私は、メディアをエコシステムとして見るという同じ考えのもとに立っている。メディアは人間関係のなかに組みこまれ、人間関係に影響を与えるというものだ。ところが、問題にしているメディアの枠外の要因をどの程度考慮に入れるかで、私たちはいつも意見が割れた。

本書では、メディアシステムがいかに人間関係、偏見、イデオロギー、政治権力によって形づくられるか、メディアがいかにそれらの現象を形づくるかを明らかにする。

ニールの考えによると、テクノロジーに対する偏見はかなり固定的で、明確に定義可能で、そのうえ強力なものである。それに対し私は、このような偏見は多くの要因――たとえば、人々が手に入れたテクノロジーをどう使い変更していくかなど――に左右されると考える。私の考えでは、**「テクノロジー」と「文化」のあいだに違いはない。テクノロジーは、文化の重要な要素であり力である。文化はテクノロジーを築きあげる**のだ。

アメリカの知的・文化的な歴史から、デジタルメディア、コミュニケーション、マーク・トウェインからツイッターへと好奇心の赴くままに学術界を歩いてきたとはいえ、私は手法的にも気質的にも歴史家だ。本書は、時代の一次証言とそれを要約した二次文献に立脚してまとめられた物語形式の主張になっている。

私は長きにわたってソーシャルメディアとデジタルメディアの最高峰の学者たちにもまれ、エンジニア、法律家、活動家、ビジネスリーダーたちを相手に取材をおこない、議論を戦わせ、意見を交わしてきた。本書は、シリコンバレーとソーシャルメディアについて最近書かれた辛辣な長文の評論やジャーナリスティックな文書とは一線を画しており、社会科学、文化的先入観、フェイスブックとそれを取り巻く環境を評価する際に用いられる一般大衆の発言に対する私自身の慎重な判断に基づく。

そして、グローバルな視点から描かれている。ニールは分析対象をアメリカの主流文化と優勢な欧米の知的伝統に絞って普遍的な論調を展開したが、私は世界の具体的文脈を意識しながらメディアエコシステムについて考えたい。

フェイスブックは社会に浸透しつつあり、国際主義(グローバリズム)的な野心をかなえつつある。だが、プノンペンとフィラデルフィアではそのはたらきが違う。ニールと私はメディアの生態学的研究に対する視点が違ったが、この20年で彼のほうが正しかったと思うことが増えた。彼の思考習慣、観察力、絶え間ない探究心が、彼自身のみならず友人や教え子たちを啓発的な場所へと導いた。*28

ザッカーバーグのもうひとつの姿

ニールがこの世を去って2週間が過ぎたころ、マサチューセッツ州ケンブリッジでマーク・ザッカーバーグという名の青年がハーバード大学のネットワークを使って単純なサービスを立ちあげた。〈フェイスマッシュ〉だ。

フェイスマッシュはザッカーバーグの最初の試みで、これによって彼はウェブサイト上の集合表現がもつ力を掘り起こそうとした。フェイスマッシュはふたりの女子大生の写真を並べて魅力的なほうに投票させるものだったので、運用早々にザッカーバーグは手厳しい批判を浴びた。*29 わずか数時間で人気と悪名を同時に得たザッカーバーグの能力が生みだしたこの現象は、ニールが先見の明に長けていたことを証明した。

そして、フェイスマッシュの誕生からわずか13週間後の2004年2月、〈フェイスブック〉はハーバード大学限定のソーシャルネットワークとして運用を開始した。[*30]

私はザッカーバーグに会ったことがない。今後も会うことはないだろう。だが、何百件もの彼のスピーチやインタビューのテープ起こし、彼の名で書かれた数十もの評論、記事、フェイスブックの投稿にどっぷりと浸かっていた経験から、彼と過ごしたことのあるライターたちの意見に賛同せざるをえない。

彼はきわめて思慮深く、誠実で、理想主義で、世界を憂慮する人物だ。デヴィッド・フィンチャー監督の映画『ソーシャル・ネットワーク』で描かれた、人を操る、攻撃的で、歯切れの悪い、猪突猛進な人物像とはまったく違う。[*31]

しかし、ザッカーバーグのインタビューやスピーチを読むと、もうひとつのあまり優しくない姿が見えてくる。彼はひどく無学なのだ。言外の意味合い、複雑さ、不確実性、困難への深い鑑識眼に欠けている。燃えさかる道徳的情熱はあるが、人間がたがいに、そしてこの惑星にいかに凄惨な仕打ちを成しうるかについての歴史認識はない。

才気あふれる構築者ではある。だが、あれほどの勢いで富を築きあげてしまうと、影響力をもつ人々が彼の理解の及ばない事柄についてあれこれ考えはじめるのが摂理だ。

ザッカーバーグは長年、自らをハッカーの中のハッカーだと考えてきた。常にバージョンアップしつづけるという昔ながらのハッカーらしい信条をもち、商品が完成することは決してなく、もっと多くのデータともっと優れたコードがあれば改善しつづけられると考える。

彼のもっとも有名な指示は「速く動いて、壊せ」、迅速かつ大胆に考えて動き、ミスはあとから修正すればいいというものだ。フェイスブック誕生以来、この信条がすべてを導いてきた。

利用者の個人情報を不適切な企業に見境なく渡し、報道業界を弱体化させ、あろうことか大量虐殺を煽ったと世界中から疑いの目を向けられているいま、ザッカーバーグは「実際に」何かを壊してしまったかに見える。人生を懸けて世界を席捲するメディアテクノロジー現象を築きあげてきたのに、彼はメディアのこともテクノロジーのこともてんでわかっていないようだ。ひょっとすると、本書が彼の手助けになるかもしれない。

世界中の人々と同じく、フェイスブックを通じて私は多くを学んだ。フェイスブックを通じて人生を謳歌している。私にとって、フェイスブックは生活のオペレーティングシステム（OS）なのだ。

フェイスブックを通して人生を謳歌するとはどういうことか？　家族、コミュニティ、大半の国家、世界人口の3割にとってどのような結果を生むのか？　もしフェイスブックが私たち全員にとって生活のOSになったら、世界はどうなるのだろうか？

本書の構成

本書では、現在の状況がうまれた理由と経緯を説明する。フェイスブックには大きく2つの問題点がある。そのしくみと使われ方だ。

同社が責任を認めたところで、しくみを変える気がさらさらないように、ユーザーが個々の人生の愉しみをあえて控える理由もない。フェイスブックは私たちの能力を奪い、問題――その問題のひとつがフェイスブック自体にある場合はとりわけだが――を集合的に考えられなくしている。

痛々しい矛盾は、世界をよりよくしようという社を挙げての情熱が、フェイスブックを乗っとって憎悪と混乱を広めてやろうと考える邪悪な集団につけこまれている点だ。自身と会社が原因となって助長している害が、専門知識、権力、倫理的軸へのザッカーバーグの固い信念のせいで見えなくなっているのだ。世界をよりよくすることにこだわりすぎなければ、世界を混乱に陥れる勢力を手助けすることにはならなかったかもしれない。

順を追って説明するために、手始めに**なぜこれほど多くの人々が膨大な時間を費やし、生活**

のこれほど多くの重要な部分をフェイスブックに代表されるインスタグラムやワッツアップなどの主要サービスにつぎこむのかについて考えてみたい。

それから、**フェイスブックがどうやって私たちの一挙手一投足を監視・記録しているのか、それはどうしてなのか、さらに社会的・経済的・政治的な幸福にとってどんな意味をもつのか**を説明したい。それにはまず、フェイスブックがいかに私たちの興味や関心を利用して儲けているか、「関心経済（アテンション・エコノミー）」が私たちに強いる高い代償について触れないわけにはいかないだろう。

フェイスブックは社会工学の形で社会的責任を果たすが、このイデオロギーのおかげで同社は祝杯をあげることができている。というのも、２０１１年にチュニジアで起きたジャスミン革命のように、国際派エリートらの求める政変をフェイスブックが後押しするからだ。一方で、社内の意思決定者が、世界中の政治に与えるフェイスブックの影響に疑問を差しはさめなくもしている。

本書の後半では、北アフリカでの民主化運動、イギリスのＥＵ離脱の国民投票、ドナルド・トランプの大統領選勝利をとりあげ、最終的に心を乱す破壊的な言葉や画像を拡散し、世界中のナショナリストや暴虐な権威主義者に力を与えているフェイスブックの役割について述べる。

本書の最後では、ささやかながらいくつかの政策提案をするが、**アナログスピードで深い思考を頑なに守る機関への再投資**をお願いして結びとしたい。

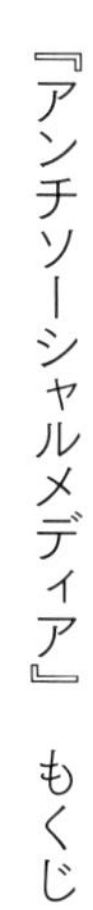

『アンチソーシャルメディア』　もくじ

はじめに フェイスブックの問題とは何か？

第1章 喜びを生むマシン

私たちを虜にするフェイスブック

第2章 監視するマシン

完全監視社会の到来

第3章 関心を引くマシン

アテンション・エコノミー時代で勝つのは誰か

第4章 善意のマシン

善意がもたらす数々の失敗

第5章 抗議するマシン
フェイスブックは世界を変えるか

第6章 政治のマシン

フェイスブックは政治も動かすのか

第7章 ニセ情報のマシン

フェイスブックが吐きだすフェイクニュース

おわりに　ナンセンスのマシン

＊本書の内容現在は、原書刊行時のものとなります。

第1章

喜びを生むマシン

私たちを虜にするフェイスブック

退屈しのぎのためにSNSを開き、気づいたら1時間が経っていた……。

そのことに愕然として、アプリを閉じる。

しかしそれでも、また暇ができるといつの間にかSNSを開いてしまう。

友人に写真やメッセージを投稿したり、冗談を言ったり、気を引きそうなコメントをしたり。

自分の投稿やコメントの反応が気になって、気づけばどっぷりハマっている――。

そんな経験に覚えがあるはずだ。それも、一度ではなく何度も。

私たちは、なぜこのような行動をしてしまうのだろうか？

フェイスブックには、このような、やめられなくなり、のめりこむ「からくり」がある。そして、私たちがこのような使いかたをする「理由」がある。

本章では、このからくりについて、技術面から、またアリストテレスの哲学から考えてみたい。

フライト中に見た「奇妙な」光景

2016年10月のある日のこと、私はドイツのフランクフルトからアメリカのノースカロライナ州シャーロットへ向かう機内の通路を、エコノミー席後方へとぶらぶら歩いていた。4時間ぶっ通しでモニター画面を凝視していたせいで気だるかったから、脚を伸ばそうとしたのだ。国際線の長時間のフライトが心身によくないのはわかっているが、私はその時間を思いのほか満喫できてしまう。ふだんならめったに手を出さないポテトチップスなどのジャンクフードをむさぼれるし、時間や金を費やしてまで観ないマーベルコミックスやDCコミックスのヒーロー映画を楽しく鑑賞できる。

でもその結果、多少の罪悪感とかなりの倦怠感を覚え、体を動かしてないのにぐったりしていた。通路を歩いてストレッチしたあと、8列目の自分の席へ戻ろうと向きを変えた。

暗い機内を歩いていると、乗客が夢中になっていることに興味を引かれた。約250人の乗客のうち50人の手元から、同じ光が漏れていたのだ（その光景がなんとも奇妙だったので、思わず人数を数えてしまった）。彼らはみんな、スマートフォンやタブレットといったモバイル機器を使って「キャンディクラッシュサーガ」――フェイスブック・プラットフォームを使った大人気のパズルゲームアプリだ――をやっていたのだ。このゲームに興じている人は画面を見つめ、口をぽかんと開けて、どこか遠い世界にいるかのように見えた。

彼らはただ集中していた。幸せそうではないが不快ではなさそうだし、本や映画で時間をつぶす私たちよりも、エコノミークラスでの冷遇された空の旅にうまく順応しているように見えた。


このときのいちばんの驚きは、**全員が同じゲームをしていた**ことだ。見まわしたところ、ほかのゲームをしている人はいなかった。そしてあらゆる年齢層が楽しんでいるように見えた。いや、「楽しんでいる」という表現は正しくないかもしれない。なぜなら、ゲームに没頭してはいるが、飛びあがって喜んでいる人はいなかったからだ。表情は一様に落ちついていて、微動だにしない。長時間のフライトをやり過ごすためのアイテムにただただ熱中していた。

このゲームは彼らを幸せにしているのだろうか？　もしくは、喜びをもたらしているのだろうか？　そしておもしろいのだろうか？


乗客の背後に長々と潜みすぎた。私はきまり悪くなって席に戻ると、ポテトチップスの小袋を開けた。そして映画を観ながら2分でポテトチップスを平らげた。飛行機がシャーロット空港に降り立つやいなや、私はスマホの電源を入れてフェイスブックにログインする。乗客のあいだでこのゲームがどれほど流行っているのか、観察の成果を投稿した。

5分もたたないうちに、もう一度フェイスブックをのぞいた。税関を通過するためにスマホの電源を切るので、その前に私の投稿に「いいね！」やコメントをした人がいないか確認したかったのだ。――私も、大西洋横断時の暇つぶしについて、他人様にどうこう言える立場ではないではないか！

フェイスブックは幸せをもたらすか？

フェイスブックは貴重な存在だ。旧友と再び連絡をとりあったり、新しい「友達」と交流したり、おもしろおかしい動画を観たり、ゲームをしたりすることを提供し、私たちはそこに価値を見出す。

もちろん、こうした愉しみやサービスを軽視すべきではない。フェイスブックが取引コストを下げてくれるおかげで、物理的に距離があっても、互いの関係を維持しやすくなった。アルゴリズムがこうしたやりとりを築いてくれるおかげで、人生を変える気づきがもたらされるのだから。

フェイスブックの望みは、私たちができるかぎり深く長い時間フェイスブックにつながっていてくれることだ。そのあいだ、サービスの対価として私たちの関心を手に入れることができる。そして、私たちは喜んで関心を寄せる――しかもかなりの関心を。先ほどの体験は、フェイスブックが私たちの関心を引きつけている実態をあらわしている。

人はなんの根拠もなくそんなことはしない。フェイスブック上では、あらゆることが、ニュースフィードを流れる膨大な量の画像や感情へと私たちを引き戻すように設計されている。

技術開発を進めることで、サービスに対するユーザーの相対的な幸福度や満足度を測定しようとしてきた。同社の研究チームは、ユーザーをより幸せにするものをめいっぱい増やし、不安や不満を引き起こすものをめいっぱい減らそうとしてきた。

自らの反応ややりとりをはじめ、出会うものの大半は、私たちを悲しませ、いらだたせ、怒らせ、疲弊させる。それでも、私たちはここに戻ってきてしまう。つまり、**やめることができない**のだ。

幸福度をあげるための工夫

私たちがやめられなくなる仕組みを説明する前に、幸福度について、少しお話ししておこう。

２０１７年12月、同社の経営陣はついにある疑いを認めるに至った。その疑いとは、「世界中の悲惨なニュースに長時間触れつづけると、人は不安にさいなまれ不幸になるのではないか」というもので、精神衛生の専門家やソーシャルメディアの研究者らはしばらく前からこれを疑っていた。

フェイスブックのニュースルームサイトには、「私たちが望むのは、フェイスブックが友人や家族と有意義な交流をもつ場であることです。オフラインの関係を損ねるのではなく強化する場であってほしいのです」との投稿があった。「結局のところ、それこそがフェイスブックのあるべき姿なのです。人の健康と幸せは人間関係の強さに左右されることがわかっているので、これは重要なことです」

フェイスブックの研究者たちは、ソーシャルメディアの利用と幸福に関する学術論文をいくつか調査し、フェイスブックと深くかかわりつづけてもらうには、気が滅入るようなニュースフィードを垂れ流すのではなく、もっと他者とつながることだと結論づけた。

そこでフェイスブックは、ニュースフィードのニュースコンテンツを減らし、重要なコメントを生む投稿を増やした。2018年1月には、ユーザーを無作為に調査しはじめ、信頼面から情報源を評価した。その結果、コンテンツの管理義務を放棄すると発表した。

経営陣は、フェイスブックのアルゴリズムが22億超の人々の実体験を効果的に編集している事実をどうしても認めたがらなかった。フェイスブックを成長させ利用する人間と同様に、フェイスブックは政治的であるということを彼らはいまだに認めない。

彼らはフェイスブックを、友人と「友達」の両方に加えて家族、子犬、赤ちゃんで満たされた楽しい経験の場にしようと動きだした。それでも、この問題への対応は、人々がさらにフェイスブックにのめりこむようになるだけのようにも思える。[*1]

正直に言おう。「幸福」の研究など無益だ。人を幸せにするものは何か、そもそも幸福の概念が測定可能で有益なのかをちゃんと理解している人はまずいない。

幸福、専門用語で「情緒的幸福」を研究する心理学者や経済学者なら、幸福のものさしやその影響力は主観的なものであり、たいてい文化によって決定づけられるので、普遍的な基準や手法を考えだすよりも自己申告による幸福度評価に頼らざるをえないことを知っている。

しかし、私たちみんなが脳内に読みやすい幸福度測定器をもっているわけでも、情緒状態が表れる客観的な身体測定法があるわけでもない。そこでどうするかというと、自分の幸福度を3段階や10段階で評価する。「幸せではない」「幸せである」「とても幸せである」という具合に幸福度を測る。

しかしこれでは、背の高さを「高い」「平均的」「低い」で答えるようなものだ。本来ならば、量的データ、つまり具体的な数字（センチメートル）で身長を測り、ほかの人の身長や自分の過去の身長と比較して判断すべきである。

この幸福の測定と最大化への執着は、少なくともジェレミー・ベンサムによる古典的功利主義の正当化——最大数の人々の幸福を最大化することが国策の柱であるべきという考え——までさかのぼる。とはいえ、数えられないものを最大化することはできない。そこで社会学者たちは、2世紀以上をかけて数量化の方法を考えてきた。

数量化と功利主義を第一に考えるフェイスブックは、たえずデータを集めて私たちの気分を数量化しようとしており、学術研究に出資してまで、ニュースフィードのコンテンツをふるいにかければ気分を操作できることを証明しようとしている。[*2]

フェイスブックは「食べはじめたら止まらない」スナック菓子

あなたがもしカップケーキ4つとポテトチップス1袋のどちらがいいかと訊かれたら、おそらくカップケーキを選ぶだろう。そして、ひとつ食べてやめておくだろう。おいしかったら友人に勧めるかもしれない。

「昨日、最高にうまいポテトチップスを食べたんだ。並んで待った甲斐があったよ」と言う人はまずいない。だが、感動するポテトチップスなんてないのに1枚だけでやめられないのもまた事実だろう。私だったら、まちがいなく1袋を平らげてしまう。

おいしいスイーツは豊かで刺激的で忘れられない経験になるが、薄く切って揚げた塩味のジャガイモではそんな経験はできない。にもかかわらず私たちは、どちらからも価値や喜びを得るし、どちらも買って食べる。

フェイスブックは、このポテトチップスのようなものだ。

私たちを引きつけ、ささやかな喜びを頻繁に与えてくれる。だが、経験を意識的に表現させるような深みのある重要な能力はめったに求めない。退屈しのぎにフェイスブックに目をやって、1時間後に顔を上げ、「いつのまにこんなに時間が経ってしまったのだろう。大しておもしろくもないことに時間を費やしてしまった!」と悔やんだ経験は何度もあるはずだ。

しかしそれでもまた、気分転換にとフェイスブックをのぞいてしまう。友人に写真やメッセージを投稿したり、冗談を言ったり、気を引きそうなコメントをしたりしているうちに、どっぷりハマっている。

それと同時に、私たちのこの行動は、フェイスブックにフィードバックを与える。つまり、やりとりごとにフェイスブックは少しずつ変わる。次にフェイスブックを開いたときに、前回よりもいくらか楽しくなっているかもしれないのだ。

さっきの冗談は、どのくらい「いいね!」がついた?
政治的な投稿には、見識あふれるリプライがいくつついただろう?
クラウドファンディングサイトの病気支援では、いくら寄付が集まった?
あの冗談は通じた?

するとどうだろう、私たちはどうなったか気になって、アプリを開かずにはいられない。またフェイスブックに引き戻されてしまうことになる。

写真、冗談、ニュース記事、訴え、広告の渦に舞い戻る習慣を責めるのは簡単だ。かくいう私も、犬の動画や薄っぺらな政治的主張、寄付の嘆願の波に1時間以上流されて何度も後悔している。ポテトチップスの1枚1枚がいくらかの喜びと風味を届けてくれるように、私にとってすべての情報には価値があり、味わうものだ。そして時間を忘れて没頭し、あとから最悪の気分になる。

だが、ポテトチップスはまさにこうなるように狙ってつくられている。食品メーカーは、なんの変哲もない味でも、何度も食べたくなるように塩分、糖分、脂質のバランスを研究しつくしている。

フェイスブックもこれとまったく同じ。私たちに**病みつきになること、つまり習慣づけることを狙って設計されているのだ**。[*3]

ユーザーを夢中にさせる「スキナー箱」

フェイスブックは、SF作家でインターネットの自由を擁護するコリイ・ドクトロウの言う

「スキナー箱」（条件づけの実験装置）のようである。間欠強化（頻度が少ないほど報酬が得られたときの快感は大きくなるため、快感を得ようと行動をつづけてしまう心理現象）によって、私たちに条件づけをしているのだ。

2011年、ドクトロウは聴衆を前にこう語った。

「レバーを押すと餌のペレットが出てくる箱にネズミを入れる。腹が減ったら1粒ペレットが与えられるしくみだ。だが、レバーを押してもたまにしか餌のペレットが出てこないようにしておくと、ネズミは力尽きるまでレバーを押しつづける。餌が出てこない理由がわからないので、押しつづければいつかは餌が出てくると思いこむ」

フェイスブックのフィードバック・メカニズムも、これとなんら変わらないとドクトロウは論じる。

「人生の出来事を綴るほど、私生活を公開するほど、人生についての強化――間欠強化――が得られる。自分では爆弾発言だと思うこと、たとえば『数学で落第しそうだ』とたまに投稿しても誰も反応してくれない。だが、『すてきな靴を買った』というコメントとともに写真を載せたら、100万人の仲間がそれはひどい靴だといいに集まってくる」

フェイスブックは、即座に、絶え間ない、低レベルのフィードバックを通じて私たちを条件づけするのだとドクトロウは主張する。[*4]

スキナー箱を開発した心理学者のB・F・スキナーは1930年代から1940年代にかけて悪名をとどろかせた。動物、ひいては人間も、刺激を与えて反復行動に取り組むように条件づけられると提唱した。「オペラント条件づけ」というこの概念は、スキナーが「オペラント条件づけ箱」、多くが「スキナー箱」と呼ぶ容器にネズミを入れることで証明された。[*5]

スキナーと彼の信奉者らは、オペラント条件づけを用いれば、多少の抵抗はあるもののふるまいを変えられることを示した。これにより、政治的かつ商業的な操作を恐れる声が世に広まった。

さらに、スキナーの観察結果は人の関心を引きつけるマシンやシステムを生みだしたい設計者たちに歓迎された。オペラント条件づけは、カジノ、特に電子制御のギャンブルマシンの設計に活かされている。だが、オペラント条件づけ技術の人間向けの広い活用が、フェイスブック以上にうまく機能している例はない。[*6]

スキナーの研究の影響は、ますます大きくなっているように見える。ギャンブル業界で人気のカジノフロアやポーカーマシンの設計には、このスキナーの研究結果が存分に活かされている。文化人類学者のナターシャ・ダウ・シュールが指摘するとおり、それらはとてつもなく儲かるスキナー箱である。

ネズミと同じく、電子制御のギャンブルマシンで遊ぶ人はあるきっかけを得る。勝つ場合もあるが、多くの場合、勝つ寸前までいって負ける。するとこれが引き金となって「認知的後悔」が生まれ、自分のせいで負けたと思いこみ、すぐさま大金と時間をマシンにつぎこんでしまうのだ。あるギャンブラーは彼女にこう語る。

「ついボタンを押して、ゲームをつづけたくなるんだ。あと少しで大当たりだったのにと思うと、もしかしたら次はうまくいくのではないかと期待して、もっとやってしまう。パターンをしっかり理解して、うまくやらなきゃと思うようになる[*7]」

シュールは著書『デザインされたギャンブル依存症』（青土社）で、カジノの常連客がスロットマシンとその綿密に設計された空間に魅了され、虜になり、夢中になって、最終的には時間、金、気力、野心を吸いとられてしまう様子を描いている。

「最初のうちは、勝とうっていう意気込みがあった」と常連客は言う。

「賭けつづけていくうちに賢くなったけれど、それまでより弱くもなってやめられなくなった。いまでは勝って得た金を――実際たまには勝つんだよ――そのままマシンにつぎこんでしまう。誰からも理解してもらえないが、勝とうとしてゲームをしているんじゃないんだ[*8]」

カジノやギャンブルマシンの有無を言わせない戦術と有害な効果を、スマホやフェイスブックにあてはめるのは公平ではない。フェイスブックはカジノとは違う。積立年金がからっぽになるまで搾取したり、（私が知るかぎり）家庭を崩壊させたり、ホームレスに転落させたりはしない。ユーザーにとって、潜在的な害、誘惑、見返りの面でのリスクは小さい。実際、フェイスブックが用いる個人的な見返りはたいてい大きく、害はあったとしてもわずかだ。

本書を通じて論じるフェイスブックの集合的な害に関しても、フェイスブックが100年かけて与える経済的・政治的な損害を、ギャンブルはこの10年で与えている。さらにカジノとは違い、フェイスブックには直接的な責任はない。だが、多くの不幸な現象を後押しし増幅させていることはまちがいない。[*9]

やめられなくなり、のめりこむ「からくり」

ここで、カジノとギャンブルマシンについて論じておこう。現時点でビデオゲームやアルゴリズム駆動のギャンブルマシンとともに世界中に急増したカジノは、私たちの手、頭、時間、仕事、家族に対する義務、金を支配するようになった。

シュールは、電子機器の視覚的遍在性(ユビキタス)(目に入るところに常に電子機器があること)によって得る私たちの快適さが、ビデオギャンブルマシンの「文化的標準化」に果たした役割は大きいという。そのインターフェースはなじみ深いため、私たちの体はそれになじんでしまい、離れているときよりも使っているときのほうが心地いいのだ。[*10]

別の比較もしてみよう。フェイスブックの設計はポテトチップスやタバコ、ギャンブルマシンのように「粘着性」をもつ。違いがあるとすれば、**社会的粘着性**をもつ点だ。

そして、より多くのユーザーを得ることによって、さまざまな形でより多くの情報を生もうと、フェイスブックはたくさんの企業を買収してきた。

ごく最近までユーザーと投資の両方を奪いあっていた、ふたつの興味深いスマホ向け写真共有アプリ、〈ヒップスタマティック〉と〈インスタグラム〉がある。市場参入はヒップスタマティックのほうが早かったが、最終的には後発のインスタグラムが市場を独占した。

両アプリとも似たようなフィルター機能や特徴を備えていたが、インスタグラムにはソーシャル機能があり、「友達」やフォロワーが互いにタグづけをして承認を送りあうことができた。ザッカーバーグは、このソーシャル機能がインスタグラムの人気を支えていると考えた。フェイスブックですでに写真や画像によるソーシャル機能の可能性を見抜いていた彼は、インスタグラムを現金と株式を合わせて約10億ドル（約810億円）で買収した。[*11]

フェイスブックとインスタグラムに画像を投稿するという経験は病みつきになりやすい。

人は仲間からの承認、少なくとも同意を欲しがる。写真に「いいね！」をするのは、〝あなたのことを考えているよ〟という意味だし、コメントをつければ〝すごく興味があるよ〟という証だ。

関心の交換、つまり時間と労力をかけた一種の「贈与経済（ギフト・エコノミー）」は強力で貴重だ。ギャンブルマシンのごとく、見返り（「いいね！」やコメント）が得られるタイミングは間欠的で予測できない。インスタグラムで数十件の反応を得た投稿写真が、フェイスブック上では無反応ということもある。フィードに表示される写真を決めるアルゴリズムは、インスタグラムもフェイスブックも不透明で予測不能だ。スロットマシンでなんのフルーツを出すか決めるアルゴリズムと変わらない。*12

フェイスマッシュからフェイスブックへ

ここで、フェイスブック誕生の話をしよう。その際、ザッカーバーグがインスタグラムの可能性を見抜いたのと同じ洞察力がはたらいている。彼は当初から、「数量化された、社会的承認のくり返しが生みだす力」を直観的に見抜いていたように思えるのだ。

フェイスブック誕生の4年前、シリコンバレーの仲間数人が社会的フィードバックのできる簡単なウェブサイト〈HotOrNot.com〉を立ち上げた。2000年後半に立ち上げたこのサービスは、2001年はじめには大人気になっていた。見知らぬ人の魅力をランク付けする（実際は他者にルックス評価をしてもらう）というアイデアは、1990年代後半にウェブ文化に敏感な人々のあいだで話題になっていた。

このサイトの成功はザッカーバーグらにある気づきをもたらした。それは、「自分の画像をさらして判断と屈辱を受けたとしても、わずかでたまにでも承認という見返りを得たいと考える人が相当数いる」ということだった。

この単純な気づきは奇妙だが、核心を突いていた。多くの人が、このリスクの高い、一見非合理な社会的プロセスを経験したがっていること、それより多くの人が見知らぬ人を評価、多くは酷評することから喜びを得ていることを示していたからだ。[*13]

２００３年11月、ザッカーバーグはその後の人生を賭して取り組むことになる社会工学の世界をさらに深く掘り下げはじめた。HotOrNot.comを少々発展させて、彼がハーバード大学のネットワーク限定のサービスとして立ち上げたのが、先ほども述べたフェイスマッシュだ。

ザッカーバーグは、ハーバード大学の学生寮のサーバーに侵入し、大学の公式な身分証明写真を持ち出し、自分のノートパソコンにダウンロードすると、そのなかから2枚の写真を隣り合わせに配置し、ユーザーにどちらが魅力的かを選んでもらえるようにした。

並べ替えには、標準的なコンピュータサイエンス・プロセスである「並べ替え（ソート）アルゴリズム」を使用した（この場合、次々に評価を下すのはアルゴリズムではなく人で、コンピュータは集計して結果を表示するだけだったが）。彼がこのリンク先を数名の友人に送ってからたった数時間後には、４５０人超の学生がリンク先をクリックして同輩の写真に2万２０００票を投じていた。


このサービスの実行により、ザッカーバーグはプライバシーと尊厳への影響の重大さを知った。サービスの公開後、あわてて、学生寮のサーバーセキュリティを破ったこと、そして同輩たちのプライバシーと尊厳を侵害したことを大学側に謝罪した。「当時は、この試みが一般の人々に広がるとも、大きな関心を集めるとも思っていなかった」とザッカーバーグは後に語っている。

事件後、「どうすればこのサービスを再びオンラインに載せられるのだろうか」と彼は大学新聞ハーバード・クリムゾンに述べている。「プライバシー侵害にまつわる課題は克服できそうにない。なかでもいちばんの気がかりは、人の感情を傷つけることだ。誰かを侮辱するつもりはないんだから」

彼はこの失敗から教訓を学び、ハーバード専用ソーシャルネットワークの〈ザ・フェイスブック〉へ、そして〈フェイスブック〉へと発展させ、正当性と他者からの期待との境界線を押し広げるプロセスを長年かけてつづけた。*14

フェイスマッシュのすごさは、知名度の高いHotOrNot.comと大差ないにもかかわらず、一気に広まったことだ。その「ソーシャル性」のおかげで、ザッカーバーグの手に負えないサービスになり、彼は謹慎処分を受けた。

だが、彼はこの経験から社会的粘着性のコツをつかんだ。フェイスマッシュはザッカーバーグにとって初の社会工学の試みであり、この手のしくみがいかに癖になるかを証明していた。

この学びを得たのは、なにもザッカーバーグだけではない。ゲームやウェブベースのプラットフォームの設計者たちも、システムの魅力を飛躍的に高めるべく、虜になったユーザーを利用してユーザーのさらなる囲いこみに心血を注いでいた。

アルゴリズム駆動のソーシャルなやりとりによる習慣形成の原則に基づいて、ゲームやモバイル機器、そしてフェイスブック・プラットフォームに代表されるような21世紀でもっとも影響力のある発明や産業が次々生まれた。[*15]

ニュースフィードに並ぶ写真たち——情報をぶつ切りにする危険性

私は1カ月ぶりにフェイスブックにログインした。本書執筆のために、アカウントを一時的に利用解除しなければならなかったのだ。

多くの人と同じく、私もあの箱が発する関心や愛情を求める呼び声と、ときどき投げかけられる嘲（あざけ）りを拒めない。では、そこで目にしたものをざっと紹介しよう。

まずは、6年前の「思い出（メモリー）」——当時5歳の娘が犬のエリー（悲しいことにもうこの世にいない）を連れてバージニア大学の円形の建物の周りを散歩している写真。大学院の同僚であり友人の写真（執筆に数年かけた著書を誇らしげに掲げている）。それから、全米ライフル協会による会員向けプロパガンダ動画（アメリカを弱体化させている私のような人間と積極的に対決しろとうながす、ありがたくない動画）。さらに、友人の子どもの写真（かっこいいニューヨーク・ヤンキースのジャージをプレゼントされて大喜びしている）。歌手ドリー・パートンが満面の笑みを浮かべた大きな写真（日常的なフェミニズムにとってパートンがいかに重要かについてのガーディアン紙の記事。やはり私が尊敬するライターによるもの）。

画面から目を離すころまでには、さらに姪たちが祖母と一緒にニューヨークを観光している写真の数々まで目を通し終えていた。

私のニュースフィードに流れてくるマテリアルの質をじっくり検証したら、かなり多岐にわたっているだろう。政治的なものもあれば単なる広告もある。部下や元同僚、仕事関係者の投稿が多いので、職業的だともいえなくもない。

なかでもいちばんのお気に入りは、姪っ子たちをはじめ私が心から愛する人々の投稿だ。愛犬と娘の写真のような投稿のいくつかは私の琴線に触れたが、全米ライフル協会の動画は私を怒らせ、ヤンキースのジャージを着た3歳児の写真は私を笑顔にさせた。深く考えさせられる投稿はなかったが、どの投稿もなんらかの感情を引き起こした。

そして、投稿には必ずといっていいほどたくさんのコメントがつく。フェイスブックはそのコメントのほんの一部を、私のトップページに表示する。コメントは数秒ごとにくり返す無音の短いＧＩＦ画像が大半を占め、残りは単なる画像で文字が添えられているものだ。

ニュースフィードから得られる経験をひとくくりにしてしまえば、その内容がなんであれ、単なる写真の羅列だ。スクロールしていけば、ＧＩＦ画像でさえ静止画像のようにしか見えない。大きい写真は新聞記事にリンクされ（前述のドリー・パートンの例がそうだ）、記事の見出しは本文の導入というより写真のキャプションのようにしか見えない。本文へのリンクはユーザーの注意を引きつけられず、広告看板のような文字画像としての役割しか果たさない。[*16]

ニュースフィードがフレーム写真の巻物でしかないなら、フィード内のコンテンツへの理解を深めることなど到底無理だ。

画像とキャプションが目を引いたという理由から記事をクリックすることで、もちろん見識や知識、評価、理解は得られるだろう。だが、どのくらいの頻度で記事をクリックしているだろうか？　どのような内容をクリックしているだろうか？

ニュースフィードの投稿をひとつもクリックしなければ（よくあることだ）、流れる画像を見るだけで終わる。しかし大抵、そうはならない。画像はなんらかの感情を引き起こし、その感情がさらにコメントや反応を呼ぶ。おまけに、その投稿をシェアする行動を引き起こし、「友達」グループへとそれが広がっていく。

さらに、画像のスクロールは、壁に囲まれたフェイスブックの庭を出た、外界のコンテンツとの深い交流を阻む。フェイスブックは、コンテンツの元ページではなくフェイスブック内でコメントをするようにうながす。ニュースフィードはもっと多くの――そしておそらくもっと重要な――感情を揺さぶる刺激がもう少し下にありますよ、と約束する。

加えて、リンク先をクリックすることは代償をともなうことを耳元でささやいてくるのだ。リンク先に飛んでしまえば、フェイスブックを中断するわけだから喜びが得られなくなる。ニュースフィードに戻るころには、新たな投稿がどんどん表示され、そのまま見ていれば見られていたであろう、かわいい子犬の写真や衝撃的な事件の記事、家族の最新情報を見逃してしまうかもしれないのだ。

結局、スクロールするだけでいい

ニール・ポストマンが指摘するとおり、電信の出現とそれがもたらした劇的に断ち切られた散文の経済が、斬新な言語を生んだ。「センセーショナルで、断片的で、非個性的」な3単語見出しのようなものだ。電信が登場したせいで、遠くの出来事を理解するすべも、生活や将来に対する相対的な重要性を測るすべもないまま、出来事をぶつ切りで断続的な方法で知ることになったと、ポストマンは批判した。

「電信にとって知性とは、たくさんのことを知っているという意味であって、それらについて知っているという意味ではない」[*17]

電信誕生直後、新聞は世界中で発行数を増やし影響力を拡大した。グローバル意識を高め、3単語見出しにいくらかの深みと反応を提供した。事の詳細、関連する事実、場合によっては歴史的背景などが、見出しと同じページに掲載された。世界について考える能力を損なうという見出しの弊害を、記事の本文が和らげた。

資金力があり、責任感の強い新聞社は、読者に多くの内容と知識を提供した。最初の100字かそこらで読むのをやめるというデータも存在しなければ、個人の読者やコミュニティ全体にとって、ピッツバーグ発の記事のほうがサンクトペテルブルク発の記事よりも関心を集める（フェイスブック流にいえば、より「関連性が高い」）と言いきることもできなかった。

フェイスブックはさらに「洗練」され、フェイスブック上では見出しに加えて各アイテムの下に「エンゲージメント」も表示されるようになった。画像を添えることで、新聞の見出し以上に情報量を抑えられる。見出しは、できるかぎり情報を絞るもので、いい見出しは「情報を提供するもの」ではなく、「読者の心をくすぐるか刺激するもの」なのだ。

「ナパーム弾の少女」はポルノなのか？

フェイスブックにおける写真の位置づけがよくわかる騒動があった。

２０１６年、フェイスブックはノルウェーの全国紙アフテンポステンのフェイスブックページから投稿記事を削除した。服を着ていないベトナム人少女がナパーム弾を受けて苦痛に泣き叫ぶ、20世紀でもっとも有名な写真の１枚が削除されたのだ。

このベトナム人写真家のニック・ウトが撮影した少女ファン・ティー・キムフックの写真は、フェイスブックの規定に抵触していた。フェイスブックのアルゴリズムは、この画像に裸の少女が写っていると判断した。そんな単純で融通のきかない理由から、投稿写真が削除されたのだ。この一件でフェイスブックは、何が不適切で削除に値するかの判断基準が的はずれだとの批判を広く浴びることになった。

この削除が引き起こした一連の騒動も、そしてフェイスブックの公式な見解と対応も、興味深いものだった。

まず、削除の判断は安直で写真の意図を無視しているうえ、画像の歴史的・報道的な価値をまったく考慮していなかった。次に、投稿された特定のコンテンツの拡散を制限したり、メッセージの意味を修正したりする力がフェイスブックにあることを世に知らしめた。問題の写真はいまも何百ものウェブサイト、新聞、書籍、雑誌で目にすることができる。この一連の騒動で、フェイスブックが画像拡散の中心的役割を果たしているということが露呈した。

抗議や報道をうけ、同社は措置を撤回した。シェリル・サンドバーグＣＯＯ（最高執行責任者）は、お定まりの文句で一連の騒動を説明した。

「これは難しい判断で、私たちも常に正しい行動がとれるわけではありません」

彼女は両方の点で正しかった。9歳のキムフックの写真は、歴史書などでは歴史的意味をもつ。だが、フェイスブック上ではいまや好奇の対象でしかなく、22億人超にコンテンツを提供するというグローバル規模の難しい判断に直面した場合には、フェイスブックがいかに浅はかであるかを議論するきっかけでしかない。[*18]

1977年にアメリカの著名な作家スーザン・ソンタグはこう書いている。

「近年写真は、セックスやダンスと同じくらい広く娯楽として楽しまれている。ということはつまり、あらゆる大衆芸術のように、写真は芸術扱いされない。おもに社交の場での習慣であり、不安に対抗する手段、力を誇示するツールである」

彼女は、人生の一場面や出来事を写真に残しておきたいという人間の心理を理解したうえでこうつづけている。

「写真は経験を証明するひとつの手段だ。しかし、フォトジェニックなものを探す経験ばかりになり、経験を単なる画像、思い出に転換するという意味で、写真は経験を拒否する手段にもなり得る。……写真を撮るという行為そのものは心地いいものだ。そして移動によって失う可能性が高い方向感覚を取り戻してくれる[*19]」

ソンタグは2004年にこの世を去った。フェイスブックが誕生した年であり、アップルが最初の iPhone を発売する3年前のことだ。2004年には携帯電話にカメラ機能が備わるようになり、2017年にもなると、モバイル端末の搭載カメラは最高水準の一般的なカメラにも引けをとらない性能になった。

2013年、フェイスブックは毎日3億5000万枚以上の写真を受けとっていた。2015年には、1日平均18億件のデジタル画像が投稿されるまでになった。年間に換算すると6570億枚に達する。1977年にソンタグがこの傾向を指摘して以来、写真は、セックスやダンスよりもずっと普及してきたと言ってもいい。

フェイスブックの視覚的な設計は、かわいいか恐ろしいか、畏敬の念を起こさせるか暴力的であるかを問わず、画像を習慣的に投稿させるように私たちを導く。ソンタグであれば、そのしくみを見抜いただろう。彼女はこうも書いている。

「銃や車のように、カメラは依存性のある夢のマシンである」[20]

アリストテレスから学ぶ友情、政治、アイデンティティ

ザッカーバーグは、ハーバード大学でコンピュータサイエンスを専攻していた2年のあいだに古典の研究にも手を出した。大学入学前に通っていたフィリップス・エクセター・アカデミーで、彼は古代ヘブライ語、ラテン語、ギリシャ語を学んでいる。

これまで紹介したような騒動を起こさないためにも、古典の研究の際、アリストテレスにもっと注目すべきだったと思う。なんといってもアリストテレスは、コンピュータコードの基盤となるロジック開発の先駆者であり、ザッカーバーグはそのコンピュータコードのおかげで2300年後に巨万の富と力を手に入れたのだから。[*21]

さらに、「友情の形には、それぞれにはっきりと異なる階層や価値観が組みこまれており、異なる規範に基づいて機能する」ということを、ザッカーバーグはアリストテレスから学べたはずだ。その知識があれば、ソーシャル関係において洗練された感覚を身につけられたかもしれない。

私たちは互いやほかの数百人と、ただ単に「友達」になるのではない。だが、アリストテレスがザッカーバーグに与えたであろうもっとも貴重な教訓は、政治的に考えること、つまり**政治的であること**だった。

アリストテレスは著書『ニコマコス倫理学』のなかで、3タイプの友情について述べている。

1つめは**相互有用性に基づく友情**で、互いに相手からなにかしらの利益を得られる友情である。アリストテレスによると、この友情はもろく、使い捨てできる。友情は互いのニーズの有無しだいなので、簡単に解消されたり忘れ去られたりする。便益と取引で結びついている関係なのだ。

2つめは**快楽に基づく友情**。ふたりの人間が人格、関心、あるいは単に親しみの感情によって引き寄せられる。快楽に基づく友情は年少者のあいだで育まれることが多い。この年代では情熱や喜びがなによりも重要だが、それは責任が重くのしかからないからだ。この種の友情は「性愛（エロス）」と「部族主義（共通の経験や条件に基づいて結ばれた絆）」のあいだに位置する。快楽に基づく友情も、人生の状況が変化するにつれて霧散する可能性がある。

そして3つめの、もっとも重要な形が**他者のよいところを認める友情**だ。

「完璧な友情とは徳に基づく善人どうしの友情である」とアリストテレスは言う。そのような友人は相手の性格を尊敬し、互いにいい人生が送れるよう（何をもっていい人生とするかはともかく）努力する。この徳に基づく友情を、アリストテレスは「愛（フィリア）」の理想型、最高の愛の形のひとつだと述べている。

善に基づく友情にはほかの2種類の、より浅い形の友情も内包するという付加価値がともない、友情が豊かなものになりうるだけでなく、有益で喜びに満ちたものにもなりうると論じる。

しかし、このような深い友情はだまっていても生まれるものではないし、当然ながらフェイスブック上でクリックやコメントをするだけで生まれるものでもない。アリストテレスもそう生まれるものではないと断言している。努力と忍耐、叡智が必要なのだ。[*22]

アリストテレスによる友情分類の説明の中身はともかく、友情に分類があるという点で彼は正しかった。私たちは多様な友人とさまざまな形でさまざまな条件のもとでつきあい、信頼の度合い、ともに過ごす時間、関係の長さに折り合いをつける。すべての友人が「友達」というわけではない――フェイスブック以外では。

アリストテレスの考察によると、友情とは政治的である。国家(ポリス)は、この友情の3タイプが織りなす格子模様によって形成され支えられた。国家は有用性と快楽の友情だけでも機能するが、繁栄するためには、社会に美徳を生みだす意義深い友情がなければならない。

アリストテレスは言う。

「友情は国家を団結させるようであり、立法家は正義よりも友情を大切にしているようだ」

彼の正義の概念は公正な取引のうえに成り立つものだが、友情も同様に考えた。友情は、各友人が受けとるぶんだけ与えるからこそ成立する。正義と友情は相互依存の関係なのである。[*23]

アリストテレスが人間を「政治的動物」と明言したことは有名だ。これによって彼は、当時アテナイ哲学者のあいだを席捲していた「自然(フュシス)」と「人為的なもの(ノモス)」との区別が間違いだと示そうとした。他者とかかわりたい、他者に権力をふるいたい、他者と協働・交流したいという人間の欲求は根源的なものだと主張した。人間はほかに存在する方法を知らないのだ。

だが、アリストテレスの考えはそこで終わらなかった。政治は、他者とかかわる中立的な手法にとどまらない。政治と健全な国家の形成・維持が、人を美徳へと導く。人間の政治的本性は必要不可欠かもしれないが、国家の性質は構築され、争われ、議論されなければならない。政治には意図があるとアリストテレスは論じる。最善の政治的共同体は、総意もしくはほぼ全員の合意のうえに機能する。アリストテレスはこれを「一致協力(ホモノイア)」と呼んだ。

彼がもっとも懸念したのは、ギリシャの国家における市民の概念と現地の慣習だった。自分の思い描く政治は、古代ギリシャの集合体の外で暮らし、共通の言語や神話や宗教的慣習をもたない人々に適用できるとは考えていなかった。

紀元前３３０年には、ソクラテスの教え子のなかで著名で悪名高かったアレクサンドロス大王がアリストテレスの唱える部族(エスネ)に基づく区別を無視して支配を拡大し、ギリシャ人もペルシャ人もひとまとめに扱った。アレクサンドロス大王は実践で、またキュニコス学派とストア学派は理論上で、従来とは違う視点の市民権を推し進めた。つまり、全世界もしくは人類全体に属する市民権——コスモポリタニズム——だ。[*24]

ザッカーバーグが犯したアリストテレスと同じ過ち

ザッカーバーグが人間の政治的本性を理解していれば、フェイスブックを使って政治活動をおこない、「友達」とのかかわり方と、政治的に自らを表現し分離する方法とのあいだには深い結びつきがあると見抜けたかもしれない。

関心と経験の共有によって結びついた永続的で遍在的なフォーラムを生みだすことで、ユーザーを、かつてのいがみあうギリシャ国家同士よりもさらに分化させるはめになることも予期できたはずだ。（世界ではなく）都市国家に対するアリストテレスの注目度の低さに気づいていたなら、フェイスブックではグローバル規模の友情や市民感覚を育むことはできないと考えたかもしれない。「世界をよりオープンにして人々のつながりを強める」ものにして、「世界をさらに近づけたい」と望んだところで、この設計では望む成果を得られないだろうと、アリストテレスなら教えてくれたにちがいない。

ザッカーバーグはフェイスブックとそれが世界に与える影響について語るとき、アリストテレスと同じ過ちを犯している。

自然界を検証する際にアリストテレスは、動物や植物の機能と構造を「目的（テロス）」、または何をするつもりなのかという観点から説明している。このアリストテレスの目的論は、物事が何をするために存在しているのかを定義するものであり、実際に何をしているかには着目しない。

ザッカーバーグは、フェイスブックは世界において特定の役割を果たすものだと考えた。なぜなら、そうした意図をもってフェイスブックをつくったからだ。ここでもまた、ザッカーバーグがアリストテレスの過ちから教訓を得ていたらと思わずにはいられない。人々がフェイスブックをどれほど彼の意図からかけ離れた使い方をするのか注視しただろうし、創設当初からガバナンス（統治）が大事だと考えていたにちがいないのだ。

いかなる友人や「友達」でも、関係を維持するためには明確で予測可能なルールがいるが、フェイスブックがこの責任を果たすことの難しさと複雑さに気づき、受け入れるまでには何年もかかった。[*25]

文化的所属感か、真実か？

私たちがフェイスブックを、いまのような使い方をするのはなぜか。それを理解するカギは、フェイスブック上での活動、つまり自らの文化的所属を公言するためにどのニュース記事をシェアするかを見るに限る。

真偽や教育的価値などお構いなしにコンテンツをシェアするのは、それが私たち一人ひとりについて語っているからで、すべての投稿の根底には「私はこういうタイプの人間です」というメッセージがある。このなかには、地理的、音楽的、運動的、知的、政治的な属性も含まれる。アリストテレスが教えてくれた「フェイスブックに生息する動物は根本的に政治的である」ことを肝に銘じよう。そのような所属は絶対的に重要だ。

状況が急速に変化し、フェイスブックなどのプラットフォームが社会的・商業的・政治的な生活を混乱に陥れるように、経済的・文化的要因がいたるところで変化している。だから私たちは安心感を得ようとして、自分の所属部族を公言するのだ。フェイスブック上に投稿・シェアすることで、部族の一員であることを誇示しようとするのである。

グループの仲間意識を強める記事を投稿することで社会的価値が生まれる。投稿の信頼性が疑われた場合には、自身の投稿を擁護し、批判には批判で返すことで所属グループへの強い忠誠心を示す。

どれほど代償を払うことになっても、このことには社会的価値がある。見るからに嘘の記事や主張を投稿・シェアしたりするのも、所属を公言したいから、真偽の問題よりも社会的絆のほうが重要だと主張したいからにほかならない。

この事実を前に、私たちはいったん立ち止まるべきだろう。何十億の人々に、文化的所属感より真実のほうが大事だと気づいてもらうにはどうしたらいいのだろうか?

ザッカーバーグが2017年終わりに宣言したように、権威のある専門誌や新聞よりも家族や「友達」の投稿のほうが重要だと主張したいなら、フェイスブックは「コミュニティ」の単純形を強く押しだしながら民主主義、科学、公衆衛生を破壊する部族主義のフォーラムに成り果てるほかない。[*26]

ソーシャルメディアの「ソーシャル」な面はすべてに勝る。システムに市民としての義務感を育て広めるあらゆる努力とて例外ではない。フェイスブックは感情を生むマシンだ。

あるときは、フェイスブックは喜びを生む。喜びは、淡くて、はかない感情。だからこそ何度も戻ってきてしまう。フェイスブックは同時に、不安や怒り、恨みを生むものでもある。恨みは根深く消えない。

フェイスブックは私たちを引きつけ、引き留め、所属を公言するようううながし、分断を生むだけではない。そのあいだのすべてのやりとりを追跡している。このフェイスブックの監視システムは、喜びや怒りを生むシステムの一部であり、これまた切り離して議論することはできないものなのだ。

第2章

監視するマシン

完全監視社会の到来

多くの人がスマホを手にすることで、（時間や場所というメタデータがついた）あらゆる情報提供が溢れるようになった。また、より便利なサービスやおもしろいアプリを求めて、（無意識のうちに）自分が持っている連絡先を企業に提供してしまうことも増えた。

これら世の中に溢れる情報を収集・活用することで、フェイスブックは大きな監視システムとなった。私たちが望むものをフェイスブックにフィードバックしつつ、広告主が自社の商品やサービスに関心をもちそうな人に宣伝できるよう、精密なマッチングを手助けすることをおこなっている。

なぜ、フェイスブックは巨大な監視システムをつくることができたのだろうか？　私たちは、プライバシーについて、どのように考えればよいのだろうか？

実際の事件や事例に加え、社会を俯瞰の目で映しだす「映画」を題材にお話ししていこう。

マリーンズ・ユナイテッド事件

２０１７年2月、アメリカ海兵隊のある現役女性士官候補生が、ノースカロライナ州のルジューン基地で新しい任務に就くために手続きの列に並んでいた。その数歩後ろに海兵隊の男性歩兵が立っていた。

彼は、彼女をこっそり撮影すると、〈マリーンズ・ユナイテッド〉と名乗るフェイスブックグループの非公開ページにその写真をアップし、女性士官候補生についての感想と情報を求めた。すぐにコメントが殺到し、下品なものへと発展した。コメントのなかには、強制的な性行為を持ちかけるものまであった。数時間後、元恋人と思しき男性が彼女の胸のはだけた写真を投稿した。

このページの存在に気がついたのが、非営利のウェブニュース組織〈ウォー・ホース〉でレポーターを務める退役海兵隊員のトーマス・ブレナンだった。

マリーン・ユナイテッドのそもそもの始まりは、海兵隊員が戦闘でのストレスを乗り越え、市民生活に戻る手助けをするためだった。それが「リベンジポルノ」の温床（おんしょう）へと変わり、米軍内に所属する女性隊員の何千枚もの画像を保存するグーグルドライブフォルダへのリンクを備えるまでになっていった。

ブレナンがマリーン・ユナイテッドに関する報告をしてから数日後、海兵隊は問題の写真とリンクをどうにか削除し、翌3月に同ページを閉鎖した。だが、時すでに遅し。写真はグループメンバーのあいだに拡散し、何百人という海兵隊員のスマホやPC（パソコン）に保存されていた。

女性は職場や私生活でこのような嫌がらせや嘲笑を受けている。自分の写真が拡散されたことを知った彼女は、職場だけでなく戦闘時にさえ辱めを受けるのではないかと恐怖におののいているのだ。*1

情報がタグづけされ、みんながみんなを監視する

この手の監視や嫌がらせは、世界中で毎日のように起きている。男性は、女性のわいせつ画像や動画が与える力をうまく利用し、こうした辱めをネット上に大規模にばらまく。

これを手伝うのが、スマホなどの、使いやすくて性能のいい、入手しやすい小型カメラを搭載したモバイル機器だ。これらはアプリを起動することで、観衆に向けてすばやく配信をする。標的にされた女性にしてみれば、この「ソーシャルメディア」は一瞬にして「反社会的（アンチソーシャル）」なメディアとなる。

フェイスブックがかかわる場合もあれば、グーグルが素材を提供する場合もあるが、リベンジポルノ——交際時に同意のうえで撮影したものが、のちに報復や復讐としてばらまかれた画像や動画——の多くは、リベンジポルノ専門サイトにたどり着く。

いたるところに画像や動画、音声を記録するツールがあるせいで、もっとも屈辱的なものが悪意をもってばらまかれ、何百万人の女性の精神と士気をくじき、安心を奪い、キャリアに傷をつけてきた。調査機関のデータ・アンド・ソサエティによれば、アメリカ人女性の4％（30歳未満では10％）がリベンジポルノの被害者である。[*2]

カメラつきスマホを持ち歩くすべての人が監視をおこなう諜報員だ。フェイスブックやインスタグラムが登場するはるか前、アメリカの著名な作家であるソンタグが言ったとおり、カメラは自分を使ってほしいと呼びかけてくる。そしてあとで見返せるように、注意してまわりの光景に目を光らせろと言ってくる。

何十億の人々がカメラつきスマホを手にし、その多くが他人を陥れる写真を撮って投稿するような時代が来ようとは、ソンタグも思いもしなかっただろう。でも、ザッカーバーグなら思い至ったにちがいないのだ。ここまで見てきたとおり、ザッカーバーグは、仲間同士の写真がフェイスブックの未来を握るカギだと直感していた。

仲間の監視による各出来事は、フェイスブックやインスタグラム上にアップロードされた瞬間、巨大企業の監視システムの一部として組みこまれる。画像には、時間と場所を示す随意情報（メタデータ）がタグづけされる。撮影者は写真に被写体の名前をタグづけし、その存在や行動を第三者にさらす。

カメラそのものが、企業の常時監視用に設計された機器に搭載されており、ほとんどのスマホに搭載されているＧＰＳ（全地球測位システム）を使うことで、利用者の位置を追跡できてしまう。そして、スマホ内のフェイスブックとインスタグラムのアプリも所有者のデータを収集する。これを**体系的監視**（システミック・サーベイランス）という。その力の根源は「ひもづけ」である。

たとえば、私がバージニア州シャーロッツビルで撮影した写真を数枚投稿し、そこに写る3人の「友達」をタグづけしたとしよう。するとフェイスブックは、写真の情報とすでに手元にある彼らに関するデータとをつなぐ。そして会う頻度、互いの関係性、共通の知人、収入や消費習慣について驚くほど正確に推測する。

あなたは、これを大したことではない、と思うかもしれない。たしかに、フェイスブックユーザーが誰かに危害を加えたいと思わないかぎり、あるいは抑圧的な国家権力がこの種の情報を支配しないかぎり、もちろん害はない。

しかし、こういったことは、実際に起こりうる。だからこそ、アメリカ海兵隊の事件は起こったのだ。仲間内の監視が、企業監視、そして国家監視へとつながっていく。

サービス向上のための行為が「逆効果」を生む

私たち一人ひとりが積極的な役割を果たすこの奇妙なメディアエコシステムのなかで、リベンジポルノはおそらくもっとも悩ましい側面だが、唯一の側面ではない。

フェイスブックは、その社会的貢献を実現するための仕組みをつくり、情報の収集と共有を容易にした。北アメリカとヨーロッパのほぼ全員と世界の3割の人々によって、主に文章より画像の形でシェアされ、それらは、関心ごとに分類される。

フェイスブックグループも、「市民の劣化」という世界的な問題に対するザッカーバーグならではの答えだった。だがいまや、ありとあらゆる暴力が気づかれず、そして罰せられることもなく、手遅れになるまでおこなわれつづける秘密結社と化してしまった。

フェイスブックはその影響範囲と力のせいで、リベンジポルノをはじめ、その他の恥辱的行為、嫌がらせ、不快なさらし行為をたやすくする。他人に危害を加えたいと思えば、フェイスブックを使えば簡単におこなうことができてしまう。

他人に悪行をはたらきたいと望む人を煽ることをはじめ、フェイスブックがこれほど多くのことを首尾よくやれているのはなぜか？　それは、膨大な個人情報を活用して、ユーザーが求めるコンテンツを効果的にふるいにかけ、ニュースフィードに送るからだ。**フェイスブックをいいものにしようという行為が、悪いほうへとはたらいている**のだ。

フェイスブックを裕福にするものが、私たちを残虐にする。その根底にあるのは先例のない監視システムであり、これは予期せぬ形で私たちのもとにやってきた。監視は嫌がらせと辱めの温床となる。開かれた議論をしようとするたびに国家（ポリス）の根幹が攻撃され、脅されるなら、私たちは民主共和国の責任や知識のある、やる気に満ちた市民としての役割を果たせない。

でも、それが現実だ。そして監視は、私たちの生活を向上させるというインターネットプラットフォームの可能性を、なによりむしばむのかもしれない。

個人情報が悪用されている！

フェイスブックは、世界でもっとも普及した監視システムへと成長した。商業界においてももっとも見境ない、悪く言えば無責任な監視システムである。

２０１４年以前からフェイスブックをやっていて、ゲームやアプリを楽しんできたなら、フェイスブックはあなたのプロフィールやアクティビティ（活動）に関する情報だけでなく、「友達」の情報もたっぷり抜きとっている。

フェイスブックは、完全ないし明確な開示なく個人情報を収集・使用・共有することについて、世界中の政府から認可されているわけではない。それでも、同社はその人気と力の上に胡坐（あぐら）をかき、ユーザーを虐（しいた）げつづけていた。

そしてその油断は、不祥事を生む。2018年はじめ、イギリスの低俗な選挙コンサルティング会社であるケンブリッジ・アナリティカ（CA）が2016年のアメリカ大統領選挙の際、5000万人以上のデータをフェイスブックから吸いあげていたことを、ジャーナリストたちに暴かれたのだ。

ようやくフェイスブックのデータ濫用の全貌が広く一般に注目される事態になり、同社は非難を浴びた。ソーシャルメディアの学者やプライバシー擁護派は、少なくとも2010年から懸念の声をあげていたが、CAのようなスパイ映画さながらの悪党が登場する不祥事が発覚するまでは、フェイスブックの所業について思いめぐらす人はほとんどいなかった。

アメリカのツイッターユーザーのあいだで、「#QuitFacebook（フェイスブックをやめよう）」という小さな運動が起きた。フェイスブックの株価は3月いっぱいひたすら下がりつづけ、欧米の規制当局は厳しい目を向けるようになった。数千人のフェイスブックの保存記録をダウンロードしてわかったことは、アンドロイドスマホからメールや通話の記録が流用されていたことだった。

このように、アメリカでは大騒動に発展したものの、世界的に見るとフェイスブックの力は相変わらず盤石だった。とはいえ、2018年はじめの暴露は、監視ベース企業のビジネスのありかたを変えるような法案の改革と国民の圧力を生んだという点で、またとない機会となった。[*3]

舵を切るフェイスブック——情報という宝の山を活かす

時をさかのぼること2008年、私はその頃からフェイスブックの扱いかたに注意していた。その危険性——そしてもちろん恩恵——は主にソーシャルなものだと考え、フェイスブックで現在の教え子とやりとりする際には、厳格なルールを設けていた（それはいまも守っている）。なぜそのようなルールを設けたか。招待されなくても誰かと「友達になる」ことで、その人の人生の断片をのぞき見できることがわかっていたからだ。にもかかわらず、このソーシャルメディア揺籃期、サービス利用の指針となる規範や慣習を定めている人などほぼいなかった。

私は、学生たちが誰とデートしているとか、ハロウィーンパーティでどんな仮装をしたかとか、そしてなにより私の講義をどう思ったかなど知りたくもなかったし、自分自身が投稿する情報にも相当気を遣っていた。

当時、フェイスブックが私について知ることができたことは、フェイスブック上で、あるいはフェイスブックを介して公開したことだけだと思っていた（この認識は実際に間違ってはいなかった）。そして、フェイスブックに熱中しだした最初の2年間、私は年齢、人間関係、性的指向の欄は未公開のままにしていた。

だがある日、そろそろ自分が40歳以上で既婚の異性愛者の男性だと公にしてもいいだろうと思い、交際ステータスの「既婚」をクリックしてみた。すると、どうだろう。ページ端の広告欄が「女性と会ってみませんか」という浮気を誘う広告でいっぱいになったのだ――これは怪しい、と思った私は、交際ステータスを非表示にした。たちまち、先ほどの広告が消えた。

初期のフェイスブックは、データ収集とターゲティング広告の効率が非常に悪く、ひとつかふたつの属性を拾い、それに基づいて広告を押しつけるプッシュ型配信が主流だった。おまけに、広告主は下品な会社が多かった。先ほどのような現象が起こったのは、そのような理由からだったのだ。

そんな状況が一変したのは２０１０年ごろだ。多くの人と同じく、私もフェイスブックに対する安心感は増していた。もっと「友達」を追加しませんかという絶え間ない催促と提案に負けた私は、教え子は細心の注意を払って避けたものの、「友達」の輪を広げ、社会的・政治的な活動をどんどんフェイスブックに移していった。フェイスブックを欠くことは、重要と思しき会話やイベントを見逃すことと同じになっていたし、私の両親ですらアカウント登録をしていたこともあったからだ。

ユーザー層の裾野が広がり、フェイスブックがより多くの国と言語に対応しはじめると、将来性のあるライバルや、かつて勢いのあったマイスペースなどの競合他社から使命感も金儲けの手段も奪いだした。*4

この裏では、いったい何が起こっていたのか？ 実は2008年、ザッカーバーグはシェリル・サンドバーグをグーグルから引き抜くとCOOに任命していたのだ。彼女は2010年までにデータ収集と広告販売システムを改善した。

するとどうだろう。私の職業的関心や社会的つながりのある広告が表示されるようになった。そのなかでもおなじみだったのが、映画に出てくる教授が持っていそうな重厚で高級な革のブリーフケースの広告だった。その値段、なんと250ドル！ 私の好みでも、一般的な大学教授の好みでもないだろうが、既婚者に妻を裏切れと勧める広告に比べたらはるかにマシだ。

巧みなターゲティング広告を実現するためにサンドバーグに必要だったのは、ユーザーが何をし、何を考え、何を買いたがっているのかに関する大量で質のいいデータだった。そこで彼女は、フェイスブックの能力を拡大しようとユーザーの追跡とプロファイリングに乗りだした。2010年にフェイスブックが初めて黒字を出したのは当然の結果だったのだ。

彼女の見事なビジョンと経営手腕がなければ、フェイスブックはいまも破産寸前のちっぽけな会社だったかもしれない。[*5]

監視システムのもたらす脅威

一大プラットフォームになることで、フェイスブックは、史上もっとも普及した監視システムとなった。22億の人と何百万の組織、企業、政治運動が、情熱、嗜好、偏見、計画の詳細をひとつの商業サービスに提供している。加えて同社は、これらの人々やグループのあいだのつながりとやりとりをすべて追跡し、将来の関係性を予測し、今後の交流をも導いている。ユーザー以外の連絡先情報までまとめている。

フェイスブックは、主に3つの監視形態を備えている。

❶商業的監視
❷仲間による監視
❸国家による監視

商業および政治団体は、同社の広告システムを通じてそのターゲティング能力と予測力を活用することができる。

個人ユーザーは、プロフィール情報をもとに私たちを観察したり追跡したりできる。他者との関係の構築や中断、広範囲な活動、さまざまな投稿の推薦やコメント、自分の意見や嗜好の表明などを観察・追跡できてしまうのだ。

そして政府はというと、フェイスブックを使って市民や疑わしい人をひそかに調査できる。友人や味方のようなふりをしてアカウントをでっちあげるか、フェイスブックのセキュリティを破ることで、直接データを吸いあげている。

❶ 商業的監視

フェイスブック自体は、広告主に代わってユーザーを商業的に監視している。ユーザーに投稿をうながしたり直接広告を表示したりするために使う貴重なデータを第三者に渡したところでなんの価値もない。フェイスブックの商業的な価値は、**人間の行動という貴重な情報を完全に管理する**点にある。

広告主とユーザーの両方に提供するインターフェースのおかげで、フェイスブックはオーディエンスに関する膨大な情報を手にし、投稿や広告による反応を追跡できる。対象を的確に絞る目的でユーザーの人物像を描くプロファイリングの際に利用するデータは、ユーザーから提供される経歴、他者との交流記録、投稿の文面、位置情報（GPS搭載スマホでフェイスブックアプリを使っていれば）、そして「ソーシャルグラフ」である。

ソーシャルグラフとは、フェイスブック上のアイテム（写真、動画、ニュース記事、広告、グループ、ページ、22億のユーザープロフィール）との相関関係をマッピングしたものだ。こうした情報を組み合わせて、類似の属性やつながりをもつ別のユーザーの希望、思考、行為に基づいてユーザーの関心や行動を予測している。[*6]

フェイスブック、メッセンジャー、インスタグラム、ワッツアップなどの中核サービスから収集するデータとは別に、「**オープングラフ**」というサービスを介して企業はフェイスブックと直接つながる。

ストリーミング音楽配信サービスの〈スポティファイ〉もオープングラフを利用している。フェイスブックのユーザー名とパスワードを使って、スポティファイにアカウント登録およびログインができるようにするのだ。これでスポティファイは「ソーシャル」になる。つまり、あるユーザーがスポティファイで聴く音楽が、同じくスポティファイユーザーの「友達」に公開され、その「友達」の音楽の趣味もほかのユーザーに公開される。このようにして関心が網の目状に広がり、音楽の趣味が似ている者同士で新しい歌手や曲の発見やおすすめなどのやりとりが進むようになる。

スポティファイにしてみれば、オープングラフのおかげで新規ユーザーの発掘と既存ユーザーの保持が同時にかなう。フェイスブックにしてみれば、たとえフェイスブック外ではあっても、より多くのつながりは巨大なソーシャルグラフの一部となり、プロファイリングとターゲティングに活かせる。お互いにとって、いいことずくめだ。

フェイスブックはこのオープングラフによる提携と、ユーザーのインターネットブラウザに埋めこむ追跡用クッキーの利用によって、めったにログインしない人からも膨大な個人情報を抜きだせる。要するに、**フェイスブックの追跡から完全に逃れるすべはない**のだ。[*7]

単一企業によるこの手の商業的監視は、それだけならほぼ無害のように思える。プロファイリングを間違えて無意味な広告を届ければ、単純に利益をあげられないだけだ。猫の飼い主がドッグフードの広告を見ても意味がないし、ベジタリアンならハンバーガーの広告など見たくもないだろう。

逆に全データがうまくはたらけば、ユーザーにより楽しい関連性の高い経験を提供できる。人は、自分と似た考えの持ち主や好意を抱く相手の投稿を見たがるものだ。この種のフィルタリングには問題があるものの、ユーザーにとって差し迫った危険とはみなされない（フィルタリングの問題については、第3章で詳しく論じる）。

しかしながら、フェイスブックは私たちの与り知らないところで、情報を収集して流用する。アクティビティ情報の使いみちについて全容を教えてもくれなければ、広汎な監視から逃れる簡単でわかりやすい手段を教えてもくれない。

ユーザーは、同社がプロフィール上の具体的な属性を保持し活用している事実をなんとなく理解しているかもしれない。だが、大半のユーザーはフェイスブックのアクティビティの全体像――その奥深さと幅広さ――を把握していないのが実情だ。

たとえばフェイスブックは、大手データマーケティング会社からクレジットカードの購入履歴とプロフィールデータを購入していることを告知していない。私たちは、ヘルプページを検索したり、あちこちクリックしてはじめて、この事実を知る。私たちの提供する情報と、ウェブ上や現実世界で私たちを追跡する能力、クレジットカードの購入履歴を組み合わせることによって、フェイスブックが力を強める一方で、私たちは力を失うのだ。[*8]

この商業的監視システムの最大の脅威は、**権力の集中**だ。フェイスブックのように個人情報満載の調査書を作成できる企業は世界のどこにもない。この個人情報が、広告業界での商業的な優位性を高める。これほど多くの人々とこれほど多くのやりとりから多くのデータを生みだすことなど、ほかのデジタルメディア会社にはできない。

この事実から見えてくるのは、強い規制がなければ、近い将来フェイスブックを脅かす存在はほとんど、またはまったくいなくなるということだ。

❷ 仲間による監視

脅威はほかにもある。**仲間による監視が生む脅威**だ。「友達」による脅威に共通するふるまいの多くは、画像や情報の管理を発信者から奪うことだ。プライバシー設定にいくら注意をしていても防ぎようがない。人間関係が悪化したときに悪事をはたらく人もいれば、「友達」同士の緊密な輪の外で個人を特定されたくない人の写真にまで手当たり次第にタグづけする人もいる。公共の場で辱めたり嫌がらせをしたり、個人情報を部外者にさらしたりしたければ、プロフィール情報はいくらでも悪用できてしまう。

私たちは、自己アピールとプロモーションという終わりなき、ときに疲れる作業をしながら、フェイスブックにあげる情報を慎重に選んで管理している。つまり、プロフィール情報が私たちの生活や性格をすべて正確に描いていることはめったにないのだ。周囲にはヴィーガンだと思わせておきたいのに、誘惑に負けてバーガーキングに入ってしまうかもしれない。そんな姿は「友達」に見せたくないだろう。

だが間違いなく、フェイスブックは友人や家族以上に、私たちのことをよく知っている。フェイスブックは、せっせと私たちの実際の活動や行動を監視・記録しているからだ。その結果、フェイスブックは内輪のやりとりにかぎったものだったのに、もはやその域をはるかに超えて影響を与えてしまう。[*9] ユーザーが情報を管理しきれなくなっているのだ。

２０１７年、プライバシーに詳しいジャーナリストのカシミール・ヒルは、ある奇妙な経験をした。フェイスブックが見知らぬ人と「友達になる」ように勧めてきたのだ。そこで彼女は、同じような経験をしたことはないかと読者に訊ねた。

すると、いろんな話が聞こえてきた。ソーシャルワーカーやセラピストは、患者と個人情報を交換したことが一度もないのに患者とひもづけられていたし、ある精子提供者（ドナー）は、提供先の夫婦が子どもとの接触を望んでいないのに、子どもとつながるよう勧められていた。

さらにヒルは、フェイスブックの「知り合いかも」機能がＰＣやスマホ内のアドレス帳をアップロードするよう勧めてくることを発見した。アドレス帳内のメールアドレスや電話番号がプロフィールを特定する識別子として使われていたうえに、ソーシャルグラフのおかげで「知り合いかも」機能は、交流がない、疎遠である、仲が悪い、さらに憎しみあっている相手とも結びつけるようになっていたのである。

他人のアドレス帳まで管理できないことを考えると、ユーザーはどうやってもこの機能から逃れることはできない。フェイスブックによる個人情報の活用方法を、全ユーザーがきちんと理解し、賢明に行動してくれることを祈るほかないのだ。ヒルは言う。

「２００８年に一夜限りの関係をもった相手、２０１０年にクレイグスリスト（ローカル情報交換サイト）で買ったカウチの売り主、２０１３年に住んでいたアパートの大家。一度でも彼らの情報を登録したなら、あるいは相手があなたの情報を登録していたなら、どちらかがアドレス帳をアップロードした瞬間、フェイスブックはそのつながりを記録する。
何百人の連絡先データの蓄積から、あなたが過去に住んでいたすべての住所、使ったことのあるすべてのメールアドレス、使ったことのあるすべての固定電話と携帯電話の番号、すべてのニックネーム、関連づけられたすべてのソーシャルネットワークのプロフィール、過去のすべてのインスタントメッセージアカウント、誰かがアドレス帳に追加したあなたの情報を、フェイスブックはおそらく知っているだろう」

たとえその事実がわかったとしても、私たちにはどうすることもできない。ユーザーはフェイスブックにアカウント登録した瞬間、〝便利だから〟という理由でアドレス帳をアップロードするよう言いくるめられてしまうのだから。そして、その結果を考えるように、フェイスブックがユーザーにはたらきかけることなど、あるはずがないのだから。[*10]

❸ 国家による監視

国家によるフェイスブックの利用はもっとやっかいだ。国家は、**危険とみなす人を投獄したり暴力をふるったりする力と権利をもっている。**

国家権力は、ふたつの方法でフェイスブックを活用する。

もっとも一般的なのが、権威主義的指導者がフェイスブック上の動きを監視して疑わしい反体制派やジャーナリストを追跡することだ。

そしてもうひとつは、政敵や批判者に向けてあらゆる嫌がらせをしかけたり、偽のプロフィールをつくって政府の転覆を企むグループに潜入したりすることだ。

英米の治安・諜報機関がフェイスブックやグーグル、アップル、マイクロソフト、ヤフーなどのデータを入手していたという2013年のエドワード・スノーデンの暴露は、国家の監視力の下で私たちがいかに脆弱かを知らしめた。

このように豊富な情報源を持ちつづけるかぎり、国家はフェイスブックのシステムに潜入することをやめないだろう。[*11]

どこまでがプライバシーなのか

ここまで説明してきたプライバシーや監視を理解するにうってつけなのが**映画**だ。映画制作会社は仕事のために人間観察をして、行動やイメージを広く大衆に向けて発信している。彼らが監視の技術や倫理について関心をもつのも当然だろう。

監視を扱った作品はいくつもある。その始まりはフリッツ・ラング監督作品だ。１９２７年公開の映画『メトロポリス』は、労働者の社会的管理をおこなう警察の監視力が中心テーマだ。同じくフリッツ監督作品で１９３１年公開の『Ｍ』は、みんながみんなを観察しているもので、今日のフェイスブックやインスタグラムを見ているかのような話だ。

最近の作品では、『キャプテン・アメリカ／ウィンター・ソルジャー』（２０１４年公開）や『ザ・サークル』（２０１７年公開）がある。後者の原作はデイヴィッド・エガーズのディストピア小説で、フェイスブックを彷彿させる会社が登場する。

ここで、プライバシーと監視について理解を深めるべく、制作時期の離れた2本のアメリカ映画を比べてみよう。

どちらも俗世から離れた監視のプロをジーン・ハックマンが演じている。１９７４年公開のフランシス・Ｆ・コッポラ監督作品『カンバセーション…盗聴…』ではハリー・コールという純朴で情緒に問題を抱える私立探偵を、１９９８年公開のトニー・スコット監督映画『エネミー・オブ・アメリカ』では政治に不満を抱えるエドワード・ライルという皮肉屋の元諜報員を演じている。

この両者の仕事のしかたが違うのは、単に道具のせいだけではない。[*12]

まずは、彼らが使う道具や技術について。私立探偵のコールは一般市民を調査するときに音声と映像を使って監視をする。一方で元諜報員のライルはほぼ完全監視の現代を象徴するデジタルツールとテクノロジーを駆使する。

ライルは「監視の目から逃れる」前、アメリカ国家安全保障局（ＮＳＡ）の通信アナリストをしていた。ライルはコールの24年後の姿のように見える。名前を変え、ますます厭世的になり、他人と情報を共有することに嫌悪感を抱いている。

コールの道具はアナログで扱いが面倒だが、監視対象の会話や姿をとらえるだけなら驚くほど効率的だ。コールは特定のターゲットに取り組み、民間企業や個人に雇われている。犯罪や国家安全保障の問題ではなく、個人的な問題を請け負う。

対照的にライルは、（ウィル・スミス演じる）主役のロバート・クレイトン・ディーン弁護士（と１９９０年代後半の映画ファン）に対して、デジタルデータの継続的な発掘（マイニング）と追跡（トラッキング）をおこなうことによって、維持された目に見えないウェブの世界を解説する。ディーンの追跡をＮＳＡに命じられたオタクのスパイチームが、カード履歴、携帯電話の電波、街中の監視カメラなどを駆使して、ワシントンを逃げまわるディーンを追いつめていく。

この2つの作品で最も異なるのは、監視の環境と、その確認の差だ。私立探偵のコールは、ライルとはまったく違う情報エコシステムのなかで生きている。ニクソン時代と比べて政府が無害になったとか節度をわきまえるようになったということでも、民間企業がより崇高な動機をもつようになったということでもない。それにコールは明らかに、個人を追跡してその表情を微細に記録できるスキルと道具を備えている。

コールはライルと同じく、監視とその暴露によって人生を破滅させるだけの力はもっていた。だが、個人を的確に標的にする以上の監視を想像することはできなかっただろう。

一方、ライルはビッグデータ時代の夜明けに生きている。彼の情報エコシステム内での企業や国家は、商取引、移動、表情などを記録した大規模なデータベースを保持している。民間企業による収集データと国の安全保障機関による使用データとのあいだには透過性の膜がある。

そして私たちが持ち歩く電子機器は、この絶え間なく目立たないほぼ完全な監視にひと役買っている。データはとても安く簡単に収集できるから、どのデータが重要かを前もって考えておく必要などない。企業や国は、まずデータを集めてから質問するだけでいいのだ。

現代を象徴する世界観を描いた『エネミー・オブ・アメリカ』の公開が１９９８年というのは驚くべきことだ。この年はちょうど、スタンフォードのふたりの大学院生が〈グーグル〉という名の簡易サイトを世に送りだした年だ。このグーグルこそが、ユーザーが過去の検索、リンク、クリックを通じて提供するデータをつなぎ、ワールド・ワイド・ウェブ（ＷＷＷ）の世界をすばやく的確に検索できるようにした。

映画は２００１年9月11日のアメリカ同時多発テロが起きる3年前に公開されたが、９・11以降、世界中で国家による監視が着実に強まっていった。米国愛国者法が施行されたのは映画公開から4年後の2002年。アメリカ政府が「全情報認知」システムを構築し、商業および通信データを大規模に収集・追跡すると発表したのもそのころだった。

一方で、同映画を観ると滑稽にすら思える点もある。登場人物が、今日世故に長けた人ならもっていてしかるべき**基本的な監視の知識や認識を欠いている**からだ。しかしそれはこの作品が、フェイスブック誕生の6年前、iPhone誕生の9年前、そして米英両政府が自国民だけでなく世界中の何百万の無辜の人々に関する大量の通信情報を巧みに利用・収集していることをエドワード・スノーデンが暴露する15年も前に公開されたものであることを考えると、当然かもしれない。

プライバシーをめぐる問題

私立探偵コールの破滅は、一瞬の弱さから始まる。彼は間違った情報を、間違った相手に、まずいタイミングで渡してしまう。彼の弱さが彼の道徳観を目覚めさせる。

自分自身のプライバシーが心配なだけでなく、人に与えた危害についても罪悪感を覚えるようになっていく。コールの目覚めには、ジョージタウン大学法学教授ジュリー・コーエンのいう、個人の権限から「プライバシーの社会的価値」への照準の移行が見てとれる。

だが、他人のプライバシーを気にするコールの懸念など無意味でしかない。リベラルな個人主義に基づく理論は、ネットワーク化された世界で私たちが実際にどのように生きているかを一貫して説明するものではない。

しょせん、ひとりで生きている人間などいない。私たちは社会的・文化的な関係に組みこまれているわけだから、いくつかの社会的文脈にまたがって生きていることになる。時代のなかを生き、他者と交流しながら生きる過程で、私たちは関心や忠誠心が変わるたびに、ダイナミックに自分自身をつくり直すのだ。[*13]

プライバシーとは、個人の生活面だけを指すのではない。さまざまな文脈(コンテキスト)でさまざまな評価をどう管理するかということだ。ここでいう文脈とは、学校や教会、公共の場、職場、家庭を指す。

そして、これらの文脈は移り変わる。ほかの文脈と重なることもある。境界線が変わって交じり合うこともある。だからいまの時代、「自己」を設定することは以前よりずっと骨が折れるのだ。

この流動性は、とりわけ社会からのけ者にされたアイデンティティを支持してくれるニッチを探す人には自由をもたらしてくれる。だが、それは身がすくむほどの自由になりうる。ときに疲れ果てるだけでなく、危険をはらんでもいるのだ。[*14]

『エネミー・オブ・アメリカ』でライルが避けていたデジタルネットワークの世界では、文脈は常に交錯し、交じり合う。仕事という領域は、家庭という領域のなかに簡単に染み入ってきて、評判を守り開示の方法を管理する個人の能力に挑んでくる。データ会社が集めたプロフィールを政党や政治運動に売っていけば、公共の文脈も交じり合っていく。フェイスブックは、自分という共通点がなければなんのつながりもなかったはずの知り合いをすべてひとつのややこしい集合体にまとめてしまい、私たちは肩書や特徴などの手がかりなしに、すべてのプロフィールに対処しなければならない。友達は、友達にすぎない。恋人も、上司も、知り合いも、高校時代の先生も同様だ。

目に見える監視は必要ない

映画から話を戻そう。今日のような商業、政治、規制の環境下では、あらゆる機関があらゆる人間活動の痕跡を収集・保存・分析しようとする強い動機をもつようになる。だが長年、対象（消費者、市民、犯罪者、利用者）を追跡したところで、目に見える見返りはなかった。データ収集の最適ツールであるビッグデータへの移行を説明するとき、学者やアナリストたちは適切なテクノロジー――巨大なサーバー施設、無意味な集合データのなかから傾向を迅速に見つけるよう設計されたアルゴリズム、高速な情報処理能力——の手の届きやすさを強調しがちだ。

だが、こうしたテクノロジー中心の分析は、1980年以来のグローバル政治経済と支配的イデオロギーにおける重要な変革を見落とすだけでなく、軽視する。証券市場やコンサルタントがなにより「効率」を褒めそやし、国家が国民のニーズを無視して「安全保障」を最優先し、大衆市場の広告が1ドル費やされるごとに得られる怪しげな利益に飛びつくようになると、対象を絞り、追跡し、ふるいにかけようという動機が強まるのは至極、当然だ。

現在の規制や市場の環境では、ビッグデータを使わない理由はほとんどない。たとえば、より迅速で広範な疫学的評価など、明確な公益を提供しようとしている際に、ビッグデータとその技術的なシステムや実践を省くのは愚かでしかない。

とはいえ、利益だけでなくコストを考えることも大切だ。急速に台頭して普及したからといって、ビッグデータの利用と濫用をめぐる公の討論や政治的議論を交わす必要性がないなどと高をくくってはならない。

1970年代に多大な影響を与えた著書『監獄の誕生——監視と処罰』(新潮社)で、ミシェル・フーコーは「**パノプティコン**」について述べている。

パノプティコンとは、ジェレミー・ベンサムによって考案され、ついに実現しなかった中央に一望監視塔を備えた円形刑務所で、監視塔から囚人の行動を常時観察できるものだ。この概念を用いて、近代国家が市民行動を監視・監督し、最終的には修正するためのプログラムや技術について語っている。

フーコーにとって、パノプティコンは、政府の官僚制度から学校、病院、保護施設、対象に提供する医療、福祉、市民権などの多様な体制にいたるまで、現代社会の慣行や構造、制度に組みこまれたものだった。このような監視システムは、「武器、身体的暴力、物理的拘束も不要」だとフーコーは語る。

「必要なのは『視線』、終わりなき監査の視線だけ。各個人はいずれそれを内面化し、やがて絶えず自らを監督するようになる。すばらしい公式だ。権力が常に行使され、それも最小限のコストしかかからない」

フーコーの説[*15]によれば、この視線は、人のふるまいを管理するのに鉄格子に匹敵するくらいうまく機能する。

プライバシーと監視について意見する人は、このパノプティコンを引き合いに出し、大衆監視による大きな害は社会統制だと主張することが多い。だが、パノプティコンは現状にあてはまらない。

それは、大衆監視が行動を抑制するわけではないからだ。人々は何台のカメラが向けられていようが、奇妙なくらいにやりたい放題だ。昨今のリアリティTV番組を観ていると、被写体に向けられたカメラや観察者の数と、奇妙なふるまいをして尊厳すら捨て去る意志とは比例するのかもしれないとすら思える。オープンな非全体主義国家の市場経済において、**監視されているという意識が想像力や独創性を抑えつけると考えるだけの経験的な裏づけはない。**

もちろん、国家による手荒い暴力はいまだに存在する。冷戦時代、東ドイツの秘密警察機関である国家保安省(シュタージ)は、一般大衆に浸透していた監視の意識にどうつけこめば恐怖心を煽って服従心を高められるか熟知していた。

だが、シュタージによってつくられた環境は、いま私たちが暮らす環境とは異なる。シュタージがつくりあげたように、パノプティコンが見るからに遍在しており意図的に脅威を与える存在にならないかぎり、ベンサムやフーコーの想定どおりになることはない。*16

クリプトプティコンの脅威——監視は見えないところで進む

ヨーロッパ、北アメリカ、それ以外の世界の政府や企業の多くは、パノプティコンとはほぼ真逆の手法で目的を達成している。つまり**個人を、単一の中央集権化された権力の視線にさらすのではなく、すべての人の監視下に置く**のだ(理論上は全員だが、現実には衆人環視になる)。

私はこれを「**クリプトプティコン**」と呼んでいる。企業と国家による巨大な監視の、計り知れない情報エコシステムだ。[*17]

クリプトプティコンは、ぱっと見それとわからない。その規模と遍在性、そして存在さえもが隠されており、はっきりと見通すことができない。コンビニレジの防犯カメラがおおっぴらな警告になるのに対し、クリプトプティコンはブラウザの追跡用クッキー、通信会社が保存しているデータストリーム、衛星画像、GPSの追跡情報、盗聴器、店舗のポイントカード、電子書籍リーダー、モバイル端末のアプリなどの技術に依存している。

これらの技術は、真の目的――データを収集・提供し、驚くべき精度で人々の行動を追跡すること――を隠しつつ、何かしら価値ある便利なものを提供する。しかも多くは「無料（フリー）」[*18]だ。

私たちはどのように監視されているのか、どのようにプロファイリングされているのか、その全貌を知ることはない。いや、知ることができない、と言うべきだろうか。したがって、監視下にあったとしても、行動を控えたりしない。それどころか、まったく気にも留めない。

クリプトプティコンの機能はまさに暗号めいていて、隠されており、わかりにくく、謎めいている。誰が、誰を、なんの目的で監視しているのか、決してわからない。監視は広く行き渡っており、やっかいなことに、その大部分が一見すると善意を謳っている。「お客さまの安全と安心のために」と。

そのため、監視対象者が、監視記録を収集し利用している強力な機関によってどのように操作されているのか、あるいは脅かされているのかを評価するのは不可能に近い。

クリプトプティコンの脅威とは、パノプティコン下で起こりうるような、表現や実験が揉み消されたり統制されるということではない。**監視対象者がネットワーク化された現状に慣れ親しんでしまい、効果的なプロファイリングや行動予測を可能にする「ニッチ」におのずと分類されるようになる**ことだ。

クリプトプティコンは、ビッグデータと密接な関係にある。そして、クリプトプティコンとビッグデータとの力強い関係性は、商業や国家、そしてより一般的に社会とどうかかわっているかを理解する必要性を示している。

ビッグデータの行きつく先

市場の細分化（セグメンテーション）は今日の商業にとってきわめて重要だ。顧客を絞ってメッセージや商品情報を届けるためには、マーケティング担当者や販売業者は私たちの奇行――私たちを際立たせるのは何か、少なくとも私たちはどんな小さな関心グループに属するのか？

——を知らなければならない。あなたが石鹸、しかもごくありふれた石鹸を売っているのでなければ、大衆の気を引いて市場を築きあげるのは時間と金の無駄なのだ。[*19]

フェイスブック、グーグル、アマゾンは、私たちにリラックスして自分らしくいてもらいたいと望んでいる。これらの企業は、消費者選択が生みだしたニッチ市場の開拓に興味をもっている。それは、私たちは他人との違いを際立たせることに粉骨砕身すると知っているからだ。私たちの偏愛と執着が需要をつくる。それらによって得られるデータは、対象を絞りやすくする要素となる。結果、的確なマーケティングが実現する。

北アメリカや西ヨーロッパのような自由主義国家でさえ、国民に自分らしくあってほしいと思っているし、反体制的で危険と思しき人物が暗闇にこそこそと身を隠すのではなく、習慣や社会的なつながりを通じて明るみに出てきてくれることも期待している。**反対意見を抑えつけたり、政府転覆を阻止したところで、反乱分子は排除できない**。実際、シュタージは、その運営規模と、監視する側・される側に長年植えつけた恐怖心にもかかわらず、東ドイツの人々への支配力を失った。

21世紀の自由主義国家における支配は、社会的・文化的な一致を求めない。国家は、最新のマーケティング手法を採用する民間企業と同じく、国民には自分を自由に表現して（選んで）もらうことを望んでいる。違いを表現するだけなら、たいてい脅威にはならない。権力側からすれば、それはこのうえないほど価値がある。

この監視を象徴するのが、フロリアン・ヘンケル・フォン・ドナースマルク監督の最高傑作『善き人のためのソナタ』（2007年公開）だ。旧東ドイツを舞台に、国家による常時監視という権力の腐敗を描いた作品である。

主人公は国家に忠誠を誓う劇作家。物質的な輝きのない世界に生きているので、スターとしてのあらゆる特権を享受している。一方で、彼の知的で芸術的な友人たちは国外へ逃れるか死を選んでいた。それでも彼は、純粋に政治的忠誠心が身を救うと信じていた。

ところがあるとき、恋愛のもつれから自身と恋人がシュタージの監視下に置かれるはめになる。彼の信用は失われ、国家の邪悪さが明らかになっていく。

そして、映画の最終盤では、1991年版ビッグデータを見せてくれる。ドイツ統一直後、劇作家は人生をやり直そうと、ベルリンにある記念資料館を訪れる。そこでシュタージによる自身の監視情報をすべて目にするのだ。

このシーンで私たちは、ネットワーク化されていないアナログメディア時代ですら、国家による監視がいかに詳細で、破壊的かつ網羅的かを思い知る[20]——。

グーグルやフェイスブックのような企業は、ビッグデータの収集と分析を稼ぎ頭の機能と考えており、それを経営陣は常に「利用者が得る経験（ユーザーエクスペリエンス）」の強化だと説明する[21]。

国家と民間の監視の境界線はもはやないに等しく、国の安全保障機関は自由市場で情報使用の要求をするか許可をとるだけで、人々の行動や習慣に関するデータを定期的に入手できる。[*22]

ある機関によって収集されたデータは、別の機関によって簡単に転送、発掘、利用、悪用される。ある会社がスーパーや大型小売店から消費者データを購入して、ダイレクトメール業者や政党、ひいては地元の警察に売るなんてことが起こりうるのだ。

データ会社も、有権者の登録情報や不動産の譲渡証書、自動車の所有者情報、抵当権などの公式記録を集めて直販業者に売ることも考えられる。[*23]

個人的および職業的な名声が損なわれつづける――こうしたビッグデータの悪用のおそれを考えると、市民は、民間企業と政府、ビッグデータの利用に食指を動かしそうな機関のあいだで情報がどう流れているのか、つぶさに把握しておく必要がある。

プライバシーを脅かすのは、政府ではなく個人

ミケランジェロ・アントニオーニ監督の映画『欲望』（1966年公開）では、あるカメラマンがロンドンの公園で抱きあうカップルを盗撮する。そのことに気づいた女は、怒って追いかけてくると、カメラマンに向かって「ここは公共の場（パブリック・スペース）よ。誰しも干渉されない権利があるはずだわ」と言う。

アメリカ人からすると、この台詞(せりふ)は少々奇妙だ。人は誰しもプライベート空間では干渉されない権利があるが、公共の場、つまり公共空間(パブリック・スペース)ではそうではない、というのがアメリカ人全般の感覚だからだ。

『欲望』の公開から半世紀以上経ったいま、プライバシーに対するアメリカ人の意識は見るからに希薄になった。プライベート空間と公共空間の区別はもはやない。

思考や個人情報が紙に記録され自宅保管されていた時代ならプライバシーもあったのかもしれないが、いまや重要な情報の多くはコンピュータから遠く離れたサーバー——私たちが無頓着に「クラウド」と呼ぶ場所——に保存されている。情報を「第三者」に預けている時点で、アメリカの法では国家の詮索の目から情報を守ることはできない。**情報をプライベート領域から引っ張りだしてしまった**からだ。

先の『欲望』のワンシーンは、「プライバシーがあらゆる文脈において、必ずしも空間の問題ではない」というきわめて非アメリカ的な考えに基づいており、ソーシャルな関係が信頼というウェブに依存していることを気づかせてくれる。

ソーシャルな関係を円滑にする規範においてプライバシーを尊重することは、優先度が高い。[*24]映画に登場する名もなきカメラマンは、国に仕えているわけでもなければ、民間企業で働いているわけでもない。そして、女の証言や行動からは、カメラマンが撮影した写真について、何を恐れて怒っているのかははっきりしていない。

この映画が教えてくれるのは、今日、**人の尊厳を脅かす最大要因のひとつは、大企業や強力な政府ではなく、いつでもどこでも音声、映像、画像を記録できる端末を持つ一般市民だ**ということだ。

社会の一員が、自警団的な正義感を満たすため、またはおもしろいからという理由だけで、その気になれば隣人をさらし、辱め、誹謗中傷する手段をもっている。

まもなくメガネ型ウェアラブル端末のグーグルグラスといった「常時オン状態」の監視技術が身近になり、公私を問わない空間で公私を問わないすべてのやりとりを記録するだけでなく、その映像や音声をグーグルと共有するようになって、企業や政府までもがそれを利用できるようになる時代が来るかもしれない。[*25]

私たちをお互いに守るための規範の必要性

映画『欲望』の公開時、カメラを手にした男性がひとり、公園で見知らぬ人の写真を撮るなど異様でしかなかった。それがいまや、ありふれた情景で誰の目にも留まらない。この新たな常識は、倫理的にも法的にも大きな問題をはらんでいるだけに、なおさら一考の余地がある。

私たちは、ほぼ完全で継続的な相互監視の時代にいきなり突入してしまった。そのため、消費者ごとの欲求および個人の嗜好と、公益を守る規範の必要性とを天秤にかけて考える余裕がなかった。[*26]

しかしいま、私たちは明らかに、互いをどのように扱うべきかを定める規範や慣行、規制について、正しい情報に基づいた議論をする必要性に迫られている。多くの強力な誘因（利便性、効率性、つながり、喜び）がはたらくおかげで、最大レベルの監視体制を多くの人が違和感なく受け入れている。そして、この新たな常識を生みだしたモバイル機器が多くの点で魅力に溢れているので、機器そのもの、ひいてはその利用者を批判すると、すさまじい反感を買うはめになる。[*27]

若者が、さまざまな文脈において自身の評判をどう管理するかをめぐる議論は、近年はかばかしくない。プライバシーは、法やテクノロジーと並ぶ社会規範の問題である。

若者が遠慮と謙遜などまったくお構いなしに、あらゆる情報をソーシャルメディアで共有しているらしいという理由から、評論家たちが警告するように「プライバシーは死んだ」と思うべきなのか？　その実、アメリカの多くの若者がとっている巧みな戦略——自分の身を守りつつも社会的つながりも保つ——を見ならうほうがいいのかもしれない。

SNS研究者のダナ・ボイドが重要な著書『つながりっぱなしの日常を生きる——ソーシャ

ルメディアが若者にもたらしたもの』（草思社）のためにおこなった研究によれば、若者は親や権力の持ち主に解読できない暗号を開発することで、ソーシャルネットワークのエンゲージメントの意味を隠す方法を早くから学ぶという。親戚や教師、コーチなどの年長の「友達」よりも若者のほうが、ＳＮＳのプライバシー設定をうまく変更しているのだ。[*28]

私たちはようやく、この情報エコシステムの急変がもたらした悪影響を理解しはじめたところだ。コンピュータサイエンス、科学技術、図書館情報学、コミュニケーション、マーケティング、政治科学、メディア、科学哲学の研究者は独自にビッグデータがもたらす問題と機会をあらゆる角度から検証してきた。フェイスブックが私たちをどう利用しているかに注目することが、この助けになるかもしれない。[*29]

ザッカーバーグの考えるプライバシー

ザッカーバーグからすれば、こうした雑多なつながりとデータ収集はいずれも支障を来すものではない。彼は、つながるプロセスが恩恵をもたらすと信じている。わずかなつながりがいいものなら、より多くのつながりはさらにいいものになるはずだ、と。

自社サービスについて語るとき、フェイスブックの社員は「プライバシー」という言葉は使いたがらないが、これにはわけがある。**言葉自体が重すぎる**のだ。意味が多すぎて、フェイスブックが構築したいものの対極にあるとしか思えない。

結局のところ、**プライバシーはつながりの対極にある言葉**だとも感じる。**プライバシーはコミュニケーションの否定、移動と視線の制限を意味する。**

ザッカーバーグは2010年にワシントン・ポスト紙の論説にこう書いている。

「人々がもっと多くを共有するようになれば、世界はよりオープンになり、人々がつながるようになります。そしてよりオープンでつながった世界はよりよい世界です」

フェイスブックは定期的にニュースフィードやフォトアルバム、ビーコン（「友達」が何を購入したかを最新ニュースとして通知してくれるプログラム）といった新機能の導入をくり返してきた。これらはいずれも例外なく、プライバシー侵害の懸念からすぐさま強い反発にあった。その都度、フェイスブックはユーザーがこの新機能に慣れて快適に感じるようになるまで、あるいは単に文句を言って抗議するのに疲れるまで粘りつづけた（ビーコンだけは廃止した）[*30]。

フェイスブックの戦略は**ユーザーを監視と配信のシステムにゆっくりとだが着実に慣らしていく**ものだった。いっぺんに導入していたら最悪の結果になっていただろう。フェイスブックは、その中核原則を習慣と実践の問題として受け入れるように、私たちを徐々に慣らしてきたのだ。

その一方で、誰と何を共有するかの権利はユーザー側に委ねられていると強調している。ユーザーからこの権利を奪うシステムや機能への抵抗感を着々と薄めているにもかかわらず、である。そしてザッカーバーグは、私たちに望んでほしいと思うものについて訴えつづける。

2010年、彼はタイム誌にこう語っている。

「人々が望んでいるのは完全なプライバシーではありません。秘密を守りたいわけでもない。何を共有するかしないかのコントロールを握っていたいと思っているのです」

彼は決して、「完全なプライバシー」とは何かを明確にしない。フェイスブックの文書やザッカーバーグの発言を見ても、プライバシーの定義について触れたものはない。フェイスブックとザッカーバーグにとって、プライバシーが何を意味するにせよ、それは抵抗するものであって、保護するものではない。克服するものであって、強化するものではないのだ。

プライバシーはユーザーのためにならないと考えた彼は、着々とシステムを築きあげ、「よりよい、よりつながった、より監視される世界」というビジョンを受け入れる方向へと私たちを導きつつある。[*31]

ユーザーの「管理者権限」を強調しているザッカーバーグは、まるっきり見当違いなわけではない。**プライバシーの本質は、権限と尊厳の組み合わせ**だ。

プライバシーは取引できるものではないし、存在したりしなかったりするものでもない。多くの人が「プライバシーは死んだ」と言っているように死ぬものでもない。ここぞと思ったときに行使できる、あるいは行使したい力だ。さまざまな文脈において、自分にまつわる情報の使われ方を私たちが掌握しているときに、それは存在する。

人生の早い段階で私たちが知るのは、社会生活は家族、友人、知人、そして権力を行使する人や機関の輪が交わって成り立つということだ。そして幼いながらも、これらの文脈において、自身の評判を管理する方法をすばやく学ぶ。

友人には言えても、親には言うべきではないことがあると、私たちはたいてい苦い経験から学習する。教師が知る私たちの秘密は同級生に知られたらばかにされるかもしれない。だから私たちは、自分について誰が何を知っているのか管理しようとし、生活を送りながら人々や機関とのあいだに信頼の絆を築いていく。

そして、信頼が裏切られれば苦しむ。さまざまな文脈下で評判を管理するプロセスこそが、通常、プライバシーと呼ばれるものなのだ。*32

しかしフェイスブックは、私たちの社会的文脈を混乱に陥れる。何百、何千という「友達」を積極的に峻別していかなければ、たちまち文脈がすべて融合してしまう。大学時代の友人に向けたはずの冗談が上司に届いて職場での立場が危うくなったり、内輪で発した政治的意見が隣人のニュースフィードに表示されてあらぬ誤解を受けたり、ある文脈では笑えることが別の文脈では恥さらしになったりする。

フェイスブックは、文脈を管理するためのおおざっぱなツールを提供してくれるが、私たちの文脈の定義はあやふやで役に立たない。そのため、社会的文脈はすぐに崩壊する。

やがて私たちは、社会的影響を受け入れるか、いつ誰に読まれるかわからないという前提で投稿内容や表現を加減するしかなくなっていく。[*33]

フェイスブックのプライバシーは自己責任

フェイスブックは、ユーザーの「管理者権限」を強調することで私たちに重荷を負わせる。フェイスブックがつくりだした社会的文脈の崩壊を管理するという負担だ。これがグーグルをはじめとする、シリコンバレー発のＩＴ企業におなじみの立場である。

「あなたがいいと思えばそうしてください」と念を押すことで、彼らは方針を守る。サービス設定を変更すれば、監視は制限できる。自分たちに都合のいいように初期設定をしておきながら、選択肢を与えることでユーザーに権限を与えている、と主張するのだ。

この「自助」精神はそのうち、**プライバシーは個人の問題であって、社会的・政治的な問題ではない**ことを教えてくれる。フェイスブックが私たちに負担を課すのは、私たち自身を守るためだ。

フェイスブックのしくみやプライバシー侵害の影響に無関心な人、弱者、そして当然ながらエコシステム全体を守ることではない。フェイスブックにとってプライバシーの保護とは、環境問題であり、自己責任の問題なのだ。

さらにフェイスブックはプライバシーについて、ユーザーの力を借りて解決する工学面の問題と考えている。

２０１７年終わり、同社はオーストラリアでリベンジポルノ対策の取り組みを始め、被害にあいそうなユーザーにヌード写真を送るようにはたらきかけた。同社員がその画像を検証し、コンピュータに取りこんで、画像ごとに固有のデジタル署名を割りあてる。人工知能（ＡＩ）によるアルゴリズムが、その画像と加害者側から送られた画像とを突きあわせる。送られた画像を短期間保存したあと（保存期間は不明）、オリジナル画像を削除して「指紋」と呼ばれる痕跡だけを残す。

これは「ハッシュ法」と呼ばれ、アルゴリズムによって元画像と修正画像とを合致させる検索手法だ。リベンジポルノの加害者の多くが写真投稿サイトのチェック機能をすり抜けるために元画像になにかしら手を加えるので、その対策ということになる。

主要なテクノロジー会社も、児童ポルノ検出のために人間の目とアルゴリズムによる審査という、同様の手順を採用している。[*34]

フェイスブックはあまりにも巨大で、アップロードされる写真があまりにも膨大なので、リベンジポルノの脅威に対してこれ以上効果的な対策はないのかもしれない。

だが、そこに問題がある。フェイスブックは、この作業にあたる十分な人員を確保して研修を施しておくことはできない。そのうえ、人を傷つける画像を毎日何千枚と見つづけるなど、世界で最悪の仕事のひとつだろう。

であれば、個人グループを維持して写真を好き勝手にアップロードできるようにしているかぎり、ユーザー自身にそのサイトの治安維持を頼らざるをえないのが現状だ。グループを閉鎖したり、公開を数時間遅らせてAIや人力で全写真を走査するなどの対策を講じたところで、フェイスブックの利益にはならない。大多数のユーザーエクスペリエンスが少数の安全衛生に勝る。リスクと負担はユーザーが負う一方で、利益はフェイスブックに行くのだ。[*35]

このリベンジポルノ対策実験は、フェイスブックのアプローチの根本問題を浮き彫りにする。リベンジポルノの被害にあったか、あうおそれのある人は心に傷を負っていることが多い。同社はまさにその被害者に向かって、この先知り合うこともない人々と信頼のおけないシステムに、もっとも親密な形でかかわってほしいと頼む。無茶なお願いだ。

遍在的な監視システムにすでに高すぎる代償を払った彼女たちにこれを強いるのは、あまりに酷だ。[*36]

人々を嫌がらせと搾取から守るという倫理的な要求と、継ぎ目ない便利な「ユーザーエクスペリエンス」の保持という両目的は、常にせめぎ合っている。

フェイスブックのやることなすことが、ユーザーの関心を集め、ふたつの目的——私たちが望むものをフェイスブックにフィードバックしてほしいということと、広告主が自社の商品やサービスに関心をもちそうな人に宣伝をできるよう、精密なマッチングを手助けするということ——のために使いたいという欲求に立脚するものだからだ。

フェイスブックはアテンション・エコノミーを極めた。これ以外のやりかたで運営することはできない。極論をいってしまえば、アテンション・エコノミーにおいて私たちのプライバシーと尊厳は重要ではなく、不便で使い捨てのできるものなのだ。

第3章

関心を引くマシン

アテンション・エコノミー時代で勝つのは誰か

世界各国の産業が力を失い、労働賃金が下がり、保護を減らすにつれて、「情報経済」が工業化にとってかわると考えられるようになった。情報は豊富で、世の中に溢れ、飽和状態になるほどある。

そのため、「人々の関心・注目を集める」ことに経済価値がおかれ（アテンション・エコノミー）、情報管理とフィルタリング機能によって「ふるいをかけた」広告が表示されるようになった。

しかし、これらのことが弊害を生んでいる。「アイス・バケツ・チャレンジ」のような、社会的な運動が見世物にかわることや、フィルターバブル現象が起きてしまっているのだ。

本章では、これらの背景、そして、このアテンション・エコノミー時代に何が起きつつあるのかについて説明しよう。

フェイスブックが広めた「アイス・バケツ・チャレンジ」

２０１４年7月15日、アメリカＮＢＣの朝の報道番組『トゥデイ』の司会者マット・ラウアーが、プロゴルファーのグレッグ・ノーマンから指名を受けて同番組内で「アイス・バケツ・チャレンジ」に挑戦し、共演者がバケツ一杯の氷水を頭からラウアーに浴びせた。

ラウアーはフロリダのパームビーチ郡にあるホスピスへの寄付を約束したあと、ニュース司会者のブライアン・ウィリアムズ、ライフスタイル界のカリスマ主婦マーサ・スチュワート、ラジオパーソナリティのハワード・スターンの３人を指名し、この身が引き締まる体験と、同じホスピスへの寄付の輪をつなげた。

この瞬間、数カ月前からプロゴルファーのあいだでおこなわれていたチャリティ運動に突如、火がついた。数週間のうちにフェイスブックやユーチューブ上には、ある目的のために氷水をかぶったあと、次の挑戦者３名を指名する投稿動画が溢れかえった。

これは、氷水をかぶるか、さもなくば寄付をするかのどちらかを選択する奇妙な挑戦だった。にもかかわらず、挑戦者の多くは両方をおこなった。そして、これまた多くが、動画内で寄付先について一切触れないどころか、そもそもなんのために氷水をかぶるのかも口にしなかった。[*1]

ラウアーが番組内で（つまり、フェイスブックにすぐ転載できる画像を撮りながら）氷水をかぶってからまもなく、同チャレンジは筋萎縮性側索硬化症（ＡＬＳ）の患者を支援すべきだとの声が上がり広まった。すると、それまでの挑戦者らが口にした寄付先はこの声にかき消され、忘却のかなたへと追いやられてしまった。

ＡＬＳに特化したチャレンジをあっという間に広めたのはフェイスブックだった。実行者は次の挑戦者を指名する際、フェイスブックが提供するサービスを通じてプロフィールをコンテンツに「タグ」づけできるからだ。

最終的に、２５０万件以上の動画がフェイスブック上にアップされ、２８００万人超がなんらかの形で同様の動画にかかわった。セレブや政治家もたくさん参加した。

このチャリティ運動はアメリカを飛びだして全世界に広まり、２０１４年夏のひと月だけでＡＬＳ協会に集まった寄付金の総額は９８２０万ドル（前年の同時期はたったの２７０万ドル）にのぼった。

さらに、これをきっかけに、きれいな水が乏しく貴重なインドでは、貧困層にバケツ一杯の米を寄付するよう呼びかける「ライス・バケツ・チャレンジ」が広まった。また、活動家らが土を頭からかぶる「瓦礫（ラブル）・バケツ・チャレンジ」の動画も投稿された。これは、イスラエルによるたび重なる空爆のせいでインフラ破壊が著しいパレスチナ自治区ガザ地区の日常生活の悲惨さを広く知ってもらうためのものだった。[*2]

アイス・バケツ・チャレンジから見えてくるSNSの弊害

「アイス・バケツ・チャレンジ」は簡単な方法で拡散され、目を見張る結果を出した。しかし、この活動は、本当に「成功」だったのだろうか？

2014年、ALS研究にかつてないほどの大金が向けられたが、その年はALS研究にとってとりわけ重要な年だったのだろうか？　あるいは、発症率が上がっていたとでもいうのだろうか？

いや、そんな事実は一切なかった。いつもと変わらない1年だった。ALSはもちろん、ほかのどの消耗性疾患も同じく研究と治療のために多額の資金が投じられてしかるべきだ。しかしこのチャレンジは、そうではない結果をもたらした。**ALSに寄付された1ドルが、マラリアの予防、乳がんの研究、HIVの治療と予防、死亡原因の高い心疾患の研究に回らなかった**ともいえる。

では、いったい誰がある年に研究費が増える病気と削減される病気を決めるというのだろう？　その判断基準は？　死亡率や患者数で考えるべきかもしれないし、画期的な治療法が見つかる可能性で考えるべきかもしれない。多くの国々では、医師や科学者、疫学者からなる専門の委員会を設置して公的研究費の配分を決めている。

アメリカを筆頭に多くの国々で公的資金がしぼむなか、民間による研究の資金源の重要性は増すばかりだ。財団や裕福な篤志家からの多額の資金提供であれ、何百万ものフェイスブックユーザーからの少額の寄付金であれ、民間による資金を左右するのは知名度や注目度である。協会などの組織は資金を得るべく、苦しむ人々の物語に飛びつき、次こそ治療研究に突破口を開くかもしれないと、かすかな希望の光をちらつかせる。そして、アイス・バケツ・チャレンジ以降、フェイスブックで注目を集める派手なイベントに活動目的をひもづけようと必死だ。[*3]

フェイスブック上でもっとも人目を引く、かわいい、巧みなキャンペーンを展開したがるのは、それがいちばん経済支援を得られる方法だからにほかならない。これが医療における寄付金配分の決定方法だとしたら最悪だが。

同チャレンジの動画は、ＡＬＳ協会が資金をどのように使っているかを明らかにしたものはない。挑戦者がどれだけ善かれと思って行動したにせよ、ＡＬＳがどれほど人を衰弱させる致命的な病気か、あるいは寄付金の使いみちを説明した人はわずかしかおらず、多くはＡＬＳに触れてすらいなかった。イベントに参加したいがために、見世物になっただけだ。

２０１４年の夏、ＡＬＳがもっとも喫緊の、あるいはもっとも将来性のある研究かどうか、世界で議論や討論がなされたわけではない。しょせん、氷水でずぶ濡れになった人を見るにすぎなかった。同チャレンジの成功は、人々の関心を引きつける、より活発な慈善活動のありかたを考える契機にはなった。多くにとって、それはフェイスブックにもっと関心を向けることを意味している。**フェイスブックで通用するのは関心だけ**なのである。[*4]

アテンション・エコノミー――関心をどれだけ引けるか

関心は希少だ。人々の関心は長つづきしないし、大半の人は一度にいろんなことに関心を向けられない。にもかかわらず、関心は簡単に奪うことができる。

たとえば、視界の隅に光や動きがちらっと入っただけで、いま読んでいるこのページからあなたの注意は逸れてしまう。そうなったら自らの意志で、この本に視線と意識を集中させるしかない。

関心は思考のもととなる。思考とは流れである。時間で区切られたり集中力を保てなかったりすれば、思考力は低下する。

そして、関心は短く浅いものだからこそ貴重である。何かを売りたければ、広告はほんの一瞬でも消費者の関心を引ければいい。

関心を引きつけているあいだ、今度は別の誰かがその関心を引こうとしていることを広告主は百も承知だ。そのため、メディアエコシステムの汚染と破壊が進むと、エコシステム内の各プレーヤーは新たなデザインやターゲティング戦略や刺激をなんでも試して関心を引こうとし、見込み客がなにかしらの行動を起こすまでのあいだ関心を引きつけておこうとする。

長期間かけて、その小さな小さな関心のかけらを探し求めるプレーヤーで市場がいっぱいになれば、市場理論は不協和音を奏ではじめる。関心泥棒の必死の試みがなされていない時間もほとんどなければ、自分が選んだ対象から視線を引きはがそうという試みのおこなわれない空間もほとんどなくなってしまう。[*5]

過去40年にわたって世界各国の産業が力を失い、労働賃金が下がり、保護を減らすにつれて、「情報経済」が工業化にとってかわると考えられるようになった。

そして情報は希少ではない。むしろ溢れて飽和状態になっている。そのため、**情報管理とフィルタリング機能が重要視される**ようになった。グーグルも、そしてある程度はフェイスブックも、私たちにとって価値があるものやおもしろいものをふるいにかけてくれるおかげで、溢れんばかりの情報の波を管理しやすくしてくれる。

この情報経済への移行は、関心を集めることばかりに長けた産業を生んだ。やはり、ここでもグーグルとフェイスブックが市場を圧倒している。両社は、とらえた関心を収益化しカネに換えることで、労働力と技術をまかない、情報の洪水を効果的にフィルタリングしている。

アテンション・エコノミーのプレーヤーはこの2社だけではないものの、両社は最高のプレーヤーであり、広告主と見込み客とをつなげる企業――新聞、ウェブサイト、テレビ局、ラジオ局、ビルボード会社――のなかでも抜きん出ている。

今日、こうした企業のなかに短距離・長距離バス会社、大学、スポーツスタジアムやホテルも含まれるが、そのいずれもが得意客と見込み客を区別して広告を掲載できるようになっている。コロンビア大学ロースクールの教授ティム・ウーは、アテンション・エコノミーの歴史を図解し、これらの企業をまとめて「アテンション・ブローカー」と呼んだ。[*6]

広告収入の誕生

産業界全体が下したイデオロギー的決断から生まれたのがアテンション・エコノミーだ。

１９９０年代後半にワールド・ワイド・ウェブ（ＷＷＷ）が登場すると、人々が印刷物や暗い劇場から手のひらサイズの液晶画面で文章を読んだり動画を観たりする時代が訪れると容易に想像できるようになった。コンテンツは自由（フリー）があたりまえだ。

この「**自由**(フリー)」という言葉はかなり重要であり、時代精神を反映するものだった。当時、資本主義と民主主義が優勢となり、自由至上主義(リバタリアニズム)はもはや非主流派の扱いではなくなった。「自由(フリー)」とは、デジタルコンテンツが無料(フリー)で、自由に流通できることを意味した。世界を自由と創造性の次なる高みへと引きあげるには、理論上、モノやサービスの限界費用をゼロに近づけなければならない。

と同時に、プログラマー、公益事業会社、弁護士に支払いをするためには、デジタル企業は収益もあげなければならない。そこで生まれたのが**広告収入**だ。

この流れは、１９９０年代後半のヤフーに始まり、２０００年初頭にグーグルで頂点に達した。ひとたび「コンテンツは無料」との決断を業界全体で下すと、音楽レーベルや出版社、映画スタジオといった販売数や利用料に長年頼ってきた業界には、価格を無料に近づける圧力がはたらいた。

アテンション・エコノミーのなかで、別の収入源を探しはじめたそれ以外の企業は、家庭のわずかな娯楽費だけでなく、自由時間をも奪おうと熾烈な争いをくり広げた。文化やエンターテインメントで活動する人々は、自ら「ライフスタイルブランド」を確立し、ユーチューブ、ツイッター、インスタグラムを使って画像を公開した。

アテンション・エコノミーは、グーグルやフェイスブック、エンターテインメント業界やジャーナリズム業界に代表されるマクロ経済現象だ。そして、そこに働くミクロ経済的な力は、商業生活を自由契約とみなし、一瞬で消え去る機会をとらえようと常に焦っているその他大勢に作用する。

アテンション・エコノミーの根底にあるイデオロギーは、個人の経験と文化的期待も形づくる。成功企業の経営者が学生たちにするおなじみの話といえば、メディア志望者は「ブランド」としてふるまい、フェイスブックやツイッター、ユーチューブ、インスタグラムを通じて絶えず周到に自らを売りこめ、というものだ。「マイクロセレブリティ」になれば、いずれは偉大な「マクロセレブリティ」になる道が拓けるかもしれない。無名でいることの美徳を唱えたところで、擁護者もおとぎ話もめったに生まれない。

関心をめぐる頂上決戦が「TEDトーク」だ。この無料配信の講演に出られれば、富と名声はもう約束されたようなものだ。あえて形式張らず、講演時間を18分に設定している簡潔で明快なトークはひらめきと愉しみを与え、熟議や討議は求めない。集中力も事前の下調べも必要としない。各講演が知識の詰まったカプセルである。

TEDトークの配信はセルフブランディングの極みだ。そして、人々がTEDトークや自己PR動画を観る主要手段のひとつがフェイスブックであることは偶然ではない。*7

フェイスブックという広告

フェイスブックは、すべてが広告であり、広告がすべてだ。説得（投票、購入、寄付、遊び）のアイテムと、エンターテインメントや情報提供のアイテムとを区別する明確な境界線はない。個人プロフィールの見せ方ですら広告である。

フェイスブックは、コマーシャルとソーシャルをいっしょくたに扱うが、私たちのフェイスブックとのかかわり方が、さらにその傾向を助長する。私たちはソーシャルメディア上のプロフィールに磨きをかけ、もっとも説得力のある魅力的なイメージを世界に発信しなければならないと考える。間違った発言や写真を投稿したら、仕事や人間関係を一瞬で失いかねない。

さまざまな社会的文脈が重なってごちゃまぜになることで、完璧な自分をめざしてフェイスブック上で演じつづけなければ、というプレッシャーに常にさらされる。

加えて、絶えず他人を説得しようとする。髪をセットするようにプロフィールを整え、投稿内容を選んで自分のアイデンティティや所属を訴える。いちばん感心させたい、交流したい人々にむかって、「私はレアル・マドリードが好きで、自由市場経済を支持していて、ユーロビジョン・ソング・コンテストのファンです」と公言するのは簡単だし、実際そうしている。

プロフィールは、私たち自身を宣伝する広告なのだ。フェイスブックはユーザープロフィールを関心事や所属で分類し、さらにやりとりや「エンゲージメント」に基づいて細かく分類する。ユーザーは使いつづけることで、アルゴリズムに手がかりを与え、このプロセスに拍車をかけ、結果、さまざまな要素が複雑に組み合わさった分類図ができあがる。[*8] 自己PRを磨くこと、所属部族を公言することに時間を長くかけるほど、私たちはこの習慣にどんどんなじんでいく。そして習慣が文化的な規範となり、イデオロギーというソフトパワーとなる。

私たちの気を逸らすあらゆる要素を排除したい企業は、こうした所属部族を見抜いたうえではたらきかけなければならない。たとえば、私がバスケットボールのサンアントニオ・スパーズのファンだと常々公言しているとしよう。企業が私に何か売りつけたいなら、その好みを知っておきたいはずだ。

スパーズに関する「友達」の投稿から私の関心を引きはがすために、広告主は新鮮かつ派手なもので私の心を釣り、興味に合ったものを買うようにいざなう必要がある。これは、マーケティング会社、フェイスブック、グーグル、アマゾンなどの企業がもつ膨大な個人データの収集によって可能になるだけでなく、効率的で安価な手法でもある。

いまや時代は、「広告最盛期」を迎えているのかもしれない。私たちの関心を商品やサービスに引きつけようとする試みで情報エコシステムが飽和状態になれば、私たちはそうした取り組みを鵜呑みにせず慎重になるかもしれない。ニュースやエンターテインメント、ウェブ検索、ソーシャルネットワークですらも、広告の費用対効果が落ちたと感じるようになるだろう。

従来型の広告は、200年近く成功を収めてきた。その慣行や技術は時代を経て大きく変化したが、基本的なしくみは変わらない。

見込み客の関心を引きつけてモノやサービスに向けさせ、売り手にその取引の対価を支払わせ、消費者が望むメディアコンテンツが潤う。消費者は、前払いせずにコンテンツを手に入れられる。これによって、メディア会社はさまざまな収入源が得られるうえに、広告主はそここの確信をもって見込み客を効率よく発掘できる。

以上がこのビジネスのしくみだ。だが、関心を引くものが次々押し寄せ、各広告の力が弱まるにしたがい、私たちの視界にはさらに多くの広告が溢れかえるようになる。[*9]

広告のしくみに起きた地殻変動

全米の大半の公立学校では今日、儲けの分け前と引き換えに、学生向けに企業広告を打ってもいいシステムになっている。ロッカーや廊下の壁、食堂に企業のロゴマークがついているし、学校からの連絡は広告まみれの動画掲示板に表示される。本書執筆時点で、私たちの関心を追い求める手から逃れられる神聖で安全な空間はほぼなくなった。

現在の環境においていちばん効果的と思われる広告は、モノやサービスを買いそうな人に狙いを絞ったサービスを介して提供される広告と、一見広告とは思えない広告だ。そして、この2種類の広告を流すために、フェイスブックは、商品のPRと「友達」の投稿を見分ける手がかりを消した。そして、ユーザーの行動や嗜好にまつわるデータを収集し、アルゴリズムが〝関連性あり〟と判断した広告を確実に私たちのもとへ届けるようにしているのだ。[*10]

これは、広告のしくみに起きた地殻変動である。データ主導の広告は200年にわたる広告の歴史をひっくり返した。たしかに経験則にもとづく「このメッセージなら狙っている客層に響くだろう」という安易な考えに基づく昔ながらの広告手法は、20世紀に多くの変革をもたらした。しかしそれも21世紀になると、費用対効果の高い広告システムに取って代わられた。

ここで、アテンション・エコノミーの歴史を少しふり返ろう。実は、「ペニー・プレス」と呼ばれるわずか1セントの廉価なタブロイド紙の売りだしに端を発しており、それが北アメリカのジャーナリズムとビジネスのありかたを大きく変えた。

19世紀、一部の新聞社が、ニューヨーク・タイムズ紙などの4〜6セントする高級紙よりも安値で新聞を売って販売数で稼げばいいと気づき、購読や売店での販売収益を捨てて広告収入に走った。大衆紙は読み書きのできる新興中間層の関心をがっちりつかんでいることを地元商店に示せれば、それでよかった。

ペニー・プレスに始まった一連の動きは、ライバルをうちのめしはしなかったものの、全米の新聞の慣習や期待を変えさせた。さらに重要なことは、最小限の費用で最大限の顧客を捕まえる広告の打ち方の見本を他のメディアに示したことだ。

消費者の関心をつかみ数値化したいという欲求は、繁栄する民主共和国とダイナミック経済において重要で質の高い文化と情報を提供するという夢と相容れない。だが、俯瞰（ふかん）してみると、広告のおかげで、内容の深さや真面目さなどで多種多様な出版物がかろうじて生き長らえてきたのも事実だ。活字市場は、消費者市場のようにセグメント化されている。広告主とパブリッシャーは特定層に狙いを定めて広告とコンテンツを届ける達人になったのだ。[*11]

新聞や雑誌（ひいてはその広告主）は、地域や人種、性別、階層別に大衆市場を幅広くセグメント化することに長年腐心してきた。１９７０年代に登場したコンピュータデータベースとより細かい市場調査が進んだことで、新たなセグメンテーション・モデルがいくつも生まれた。新セグメントは、性別や人種などの文化的スタイルに分けられた。これによって、広告会社やマーケティング会社による出版物やプログラムがより的確に顧客のもとに届けられるようになった。（当時の）データ集約型作業の登場によってアメリカでは、あらかたのものに単一の大衆市場が存在するという前提に終止符が打たれ、同じ考えの持ち主を市場セグメントのポケットに「分類（ソート）」しはじめたのだ。[*12]

その後40年かけて、メディア、マーケティング、広告会社はアルゴリズムとプロセッサを駆使して巨大なデータプールの活用法を開発してきた。ダイレクトメールを使えばさらに細かく消費者を絞りこめるが、もっとも説得力のある大きな声はやはり主要な出版物、商業ラジオ、テレビだった。

ただし、テレビにおけるセグメンテーションの精度はしょせん地域止まりで、ユタ州ソルトレイクシティとカリフォルニア州サンフランシスコで流れる商品広告が若干違う程度のものでしかなかった。

その程度のセグメンテーションですら広告会社はめったに使わなかった。というのも、ターゲティング広告を製作して試すのは時間も費用もかかるからだ。巨大な中間視聴者層に向けて垂れ流すほうが、費用対効果が高かったのである。[*13]

史上もっとも効果的な広告システムの誕生

とはいえ、ネット以外の広告形態は、どんなに科学的にターゲットを絞って実験をくり返したところで、数打てば当たる的なやりかたから脱皮できずにいた。そこに彗星のごとく登場したのがグーグル広告だ。

ダイレクトメールと比較すると、インターネット広告は精度が高く、人々をラベリングして分類できた。おかげで広告主は、世帯ごとではなく個人にターゲットを絞れるようになった。

効果のほどをデータで確認できることも大きかった。

21世紀最初の数年で開発されたこのシステムは革新的で、広告がクリックされて初めて費用が発生した。効果が見込めなければ、広告主は広告を新しくするかターゲットを変えればいい。デジタルメディアがこれを可能にした。**さまざまな広告コンテンツ、オーディエンス、ターゲティング・キーワードごとにお試し気分で広告を打てるようになった**のである。しかもグーグルは、広告枠の落札にオークションを採用し、広告価格をコンピュータで瞬時に割りあてた。

これは「**セカンドプライスオークション**」というもので、落札者は最高額ではなく2番目に高い提示額を支払えばいい。このしくみなら、高額になって不釣り合いな落札金額を支払わずにすむという利点があった（なおグーグルは、2019年、セカンドプライスオークションからファーストプライスオークションにシステム変更している）。

2008年、シェリル・サンドバーグが加入すると、フェイスブックはグーグルの価値を高めた手法を数多く採り入れた。その後サンドバーグ主導で、豊富な個人データとソーシャルグラフを活かしたフェイスブック独自の新たな実験や広告サービスが生まれた。

このようにして、グーグルとフェイスブックという史上もっとも効果的な広告システムが誕生したのである。[*14]

20世紀半ばの広告は、**説得方法**に着目していた。この分野の専門家たちは、人々が予定にない商品を購入するようにうながしたり動かしたりできるし、これまで見向きもしなかった候補者を支持するように、無党派層を説得したりもできると請けあった。

しかしミレニアムを目前にして、広告ではしだいに**関心と提供物（オファー）を一致させる**ようになっていった。すでに関心をもっているか、（理想をいえば）商品やサービスについて検索済みの新規顧客をある程度発掘できればいい。

それなら、手間暇をかけて気のない消費者を説得する必要がない。さらに、広告主が見込み客をひとたび特定することができれば、購入をうながすための投資を極力抑えることができる。

ダイレクトマーケティングは長年、関心と提供物を合致させる正確なプロファイリングの実現を夢見てきた。検索と購買、個人的関心といった行動にまつわる深いデータを企業が手に入れて初めてこの夢はかなう。

フェイスブックとグーグルが牛耳る広告界では、もう説得の試みがなされることはない。マッチングこそが肝なのだ。

複雑怪奇な消費者を監視してタグづけし、なにかしらの商取引をしてくれはしないかと彼らの関心のかけらを探し求めるという絶え間ない試みは、気を散らして疲れさせるうえに、人間性も失わせる。そして、私たちを目的としてではなく販売手段として扱う。

同様のことが起こっているのは、広告に限ったことではない。人気のオーディション番組がやっていれば、私たちは視線をテレビからiPadやスマホへと忙しく動かしながらツイートや応援、チャット、買い物をする。

多くのことに気をとられ、社会全体のことを考えたり、ましてや社会に参加することすら難しくなっている。

でもだからといって、それが間違いだと言いたいわけではない。ツイートや応援、チャット、買い物をすることは楽しい。もちろん、社会に参加しても楽しくないと言いたいわけでもない。

昔との違いがあるとすれば、私たちの関心を引く、情報の容赦ない**遍在性**だ。政治でさえもマルチスクリーンになっている。

ラジオやテレビの普及に貢献したデビッド・サーノフのＮＢＣ帝国の後継者たちはいまや、リンカーン党である共和党、マディソンによるアメリカ合衆国憲法、ジェファーソンの国家を悩ます亡霊を生みだした――リアリティＴＶ番組の人気司会者、ドナルド・トランプである。彼が合衆国トップの地位に就いたのだ。

個人情報をプロパガンダに転換する企み

先ほど説明したように、フェイスブック広告の特徴は、そのセグメント機能だ。これが、いいようにも悪いようにも使われる。

２０１６年、ロシアの政府系組織の情報工作会社は、フェイスブックの機能――同社の収益性を高め、多くの企業の広告予算を新聞からフェイスブックへと乗り換えさせたもの――をフル活用した。ロシアの工作員は同社の広告システムを使い、コンテンツを絞ってアメリカの民主主義に干渉したのだ。

偽のフェイスブックグループやページを立ち上げると、そこで銃規制反対、移民排斥、テキサスの合衆国離脱などのアメリカ社会の分断を狙った問題を大々的にとりあげた。〈ブラックティビスト〉という名のページでは、黒人への警察の暴力に抗議した。

そこでアメリカ当局が、ロシアの情報工作会社が関与したと思しき不正アカウント情報を開示するようフェイスブックに迫ると、同社はロシアの情報工作会社インターネット・リサーチ・エージェンシー（ＩＲＡ）関与のページやプロフィールが４７０にのぼることを明らかにした。

　これら不審なアカウントから約３０００の広告が出され、その広告料の多くがロシア・ルーブルで払われていたのだ。この広告は最終的に１億２６００万超のアメリカ人の目に触れたとされている。

　さらに、これらの情報工作活動に駆り立てられた６万２０００以上のアメリカ人が、１２９のトランプ支持（ヒラリー・クリントン反対）の集会やイベント、全米のモスク排除の抗議活動に参加していた。[*15]

　フェイスブックで広告キャンペーンを打つのは、手間もカネもかからないうえに、セルフサービスだ。しかも、フェイスブックによる監視も驚くほどない。これほど巨大なグローバルシステムに成長してしまうと、そう簡単には管理が行き届かないから、フェイスブックはたいていのことを無制御なまま放置している。

　同社の主要なガバナンス（統治）は機械学習だ。広告主がターゲットにしたいユーザーカテゴリーを生みだすか、あるいは交流を通じてユーザーがかたまりはじめると、アルゴリズムが新たなカテゴリーをつくって広告リーチを絞りこむ。そのため、カテゴリーの選択肢は多種多様で幅広い。

私も、自作ポッドキャストの宣伝のために広告を打ったことがあるが、その費用はたったの200ドルだった。ポッドキャスト通知は、脳と行動に関する科学者がどんな研究をしながら議論を戦わせているかについてで、アメリカ、カナダ、イギリスの選りすぐりのオーディエンスに向けて配信するものだった。

キャンペーンは心理学と神経科学に関心がある人物に絞り、広告は医学博士と博士号の取得者に限定した。加えて30歳未満も除外した。これで、対象者は3000人程度に絞りこまれた（絞りこまれたとはいえ、理想的な3000人だ）。

冗談半分に、1970年代のカントリー歌手クリスタル・ゲイルに関心をもつユーザーを除外してみたが、私の対象オーディエンスの規模が変わることはなかった。もし変わっていたとしても、たまたまクリスタル・ゲイル好きのひと握りの博士が除外されたにすぎない。

広告キャンペーンから特定の人々を除外できるこの能力は、フェイスブック広告の成功、ひいてはフェイスブック自体の成功に不可欠なものだった。アメリカ、カナダ、イギリスでクリスタル・ゲイルのファンを特定できるのはフェイスブックだけだ。

こんなことは、たわいのない無害なことに思えるかもしれない——そのとおりだ。だが、フェイスブックは過去に、広告主がユダヤ人やアフリカ系アメリカ人、女性、スペイン語圏の人々を住宅広告や求人広告キャンペーンから除くことを許可したことでも悪名高い。[*16]

フェイスブックの広告サービスの利点といえば、広告主が**オーディエンスの区分けごとに少しずつ違う形の広告を打てる**ことだ。たとえば、緑より赤の背景広告のほうが高いエンゲージメントを得られるとわかれば、広告主は緑の背景をやめればいい。次に赤と青、または赤と黄、さらにカリフォルニアでは赤でフランスでは黄、といった具合に広告をテストできる。こうした作業をくり返していけば、広告はどんどんよくなっていく。

十分な個人データがなければ、フェイスブックはこのようなターゲティング広告システムを築けないため、サービスを提供できない。このようなターゲティングサービスがなければ、的はずれで非効果的な広告――新聞やテレビ局が何十年もやってきたおなじみの広告――ばかりになるだろう。

だがこれが、**フェイスブックが私たちをセグメント化し、私たちのために新たな文化的・政治的な世界を生みだすもうひとつの方法**なのだ。そして、フェイスブックの中核事業でもある。これを変えようとしても無駄だ。これこそがフェイスブックなのだから。

ファネルビジョン――私たちの視野を狭める

同じロジックがはたらくことで、フェイスブック上で一部の広告をほかの広告よりも優先したり、ユーザー作成コンテンツ（写真、投稿、動画、質問など）をほかのコンテンツよりも優遇したりということが起きる。

そこでは、**エンゲージメントが何にも勝る**。フェイスブックはゆっくり時間をかけて、もっとも多くのエンゲージメントを生みそうなアイテムに見返りを与え、またすべてのプロフィールに合ったニュースフィードをあつらえることを学ぶ。

フェイスブックに向きあう時間が長ければ長いほど、フェイスブック上のアイテムにかかわっていることになるし、すでに興味を示したことに非常に似通ったものをもっと届けてほしいとフェイスブックに伝えていることになる。

フェイスブックもグーグルも、これを「**関連性測定テスト**」と呼ぶ。

ここでいう関連性は、役立つとか、啓発的・道徳的・教育的だとか、真実であるとかで測られるものではない。このロジックが見事な効果を発揮するのは、商品とサービスの広告に対してだ。

だが、**同じロジックをニュース、ニュースっぽいアイテム、スケートボードに乗った猫の動画に関係なく、すべての投稿にあてはめると、私たちの視野は徐々に狭まっていく**。頻繁にやりとりしている「友達」の投稿がますます増えたように感じるし、過去に閲覧した出版物やエンターテインメントの配信元が投稿したアイテムをたくさん目にするようになる。これでは、トンネルビジョンどころか、**ファネルビジョン**だ。

フィルターバブル現象の影響は計り知れない

ファネルビジョンは、イーライ・パリサーが指摘した「フィルターバブル」現象とまったく同じものだ。

フェイスブックは、私たちがクリック、「いいね!」、シェア、コメントを返すアイテムと似たようなものを私たちに与え、反対に興味のなさそうなものを脇へ追いやっていく。対象が商業的なものだったとしても瑣末(さまつ)なものだったとしても、なんら問題はない。猫好きは犬関連のアイテムに興味がないだろうし、逆もまたしかり。

パリサーはフェイスブック揺籃期に、政治的に意見の合わない「友達」の投稿をしだいに見なくなっていることに気づいた。そこで、フェイスブックがアルゴリズムを利用して人々をかたまりに分け、このファネルビジョンをつくりだしているのではないかとにらんだ。

彼はフェイスブックやグーグルのエンジニアに取材をし、アルゴリズムにどんな値を埋めこんだのか聞いてまわった。そしてその結果、パリサーのにらんだとおりだった。

2011年に著書『フィルターバブル』(早川書房)が出版されると、世間もこの現象による影響を疑いはじめた。

フィルターバブルの力はいまだ計り知れない。把握しようとしたところで、おそらくつかみきれないだろう。しかし、その意図ははっきりしている。フェイスブックとグーグルが公言しているとおり、両社のアルゴリズムは、**エンゲージメントや、私たちと似た人および身近にいる人の行動記録に基づいて〝関連性の高い〟コンテンツを配信する**機能を果たしている。パリサーはじめ、多くの人が証明しているように、この現象は個人レベルで観察できる。

だが、実際フィルターバブルが私たちの視野を狭めたり、これまで以上に私たちを部族化したりするのかどうかというと、依然として判然としない。フェイスブックが握るユーザーデータを見ずして、フィルターバブルの影響を把握するのは不可能に近いのだ。[*17]

私たちもシステムの一部である

2015年、フェイスブックの研究者たちはユーザー間の政治的二極化に関する意義深い研究をサイエンス誌に発表した。この研究では、フェイスブックがデータを公表していないので再現も徹底検証もできていないが、次のように結論づけている。

「アルゴリズムの効果と比較して、個人の選択の方が、分野横断的なコンテンツへの接触を制限することに対して、より強い影響を与える」

言わんとしていることはこうだ。フェイスブックの研究者らはユーザー間の政治的二極化を数値としてはっきり認めたが、それをフェイスブックのアルゴリズムというよりは、社会学でいうところの「同類性」――似たもの同士が結びつこうとする「類は友を呼ぶ」的な傾向――によるものとみなしたということだ。

これらの結果を大げさに言い立てるのはたやすい。実際、多くがそうした。そもそもこの論文は、アルゴリズムは過去のエンゲージメントにのっとってアイテムをソートするという考えを否定するものではなく、アルゴリズムの影響はユーザー選択による影響と比べれば軽いと結論づけているにすぎない。

この研究から得られる重要な教訓は、**フェイスブックとユーザーの同類性があいまって私たちの視野を狭める**ということだ。

自分と異なる意見を締めだす「エコーチェンバー」をつくりだすことを、私たちか、それともフェイスブックかの二者択一で片づけてしまうのは間違いだし、それは極端で根拠のない思いこみではある。

だが、これほど頻繁にフェイスブックとつながっておらず、これほど重要な問題にかかわっていなかった昔と比べて、私たちの視野が狭まったと考えるのは理にかなっている。私たちがする選択と、フェイスブックが私たちのためにする選択が互いを高めあう。**私たちもシステムの一部なのだ。**

テクノロジーは、文化、政治、イデオロギーと区別されるものではない。フィルターバブルは存在するのか、どれほど重要なのかという議論は、誤った二分法的思考――悪いのはテクノロジーなのか、それとも人間なのか?――にハマってしまう。[*18]

エコーチェンバーのなかに閉じこもる私たち

世界中で、政治的分断、市民による対話の衰退、公共機関への信頼の低下が起きている。私たちの視野狭窄や、信念を確信へと変える情報のフィルタリング、二極化した市民の分断はすべて、民主主義と、重要な問題に関する分別のある対話の芽を摘む。[*19]

フィルターバブルの力を疑いたくなる理由のひとつが、この問題が生じる前からオオカミ少年のように騒ぎ立てる人が一部にいたことだ。

最初の批判は、フェイスブック誕生の3年前の2001年。法学者のキャス・サンスティーンが、当時インターネット理想主義者のあいだで大流行していた命題――すべてのニュースコンテンツがウェブ上に存在するようになれば、さまざまなフィルターやプラットフォームを使ってニュースの流れを監督でき、関心に合わせてカスタマイズできる――に噛みついたのだ。

1世紀以上のあいだ、私たちはスポーツ欄や漫画やコラムを読むためだけに新聞をまるごと一紙買っていた。気にかけていようがいまいが、一紙のなかには世界各国の記事も含まれる。

新聞社は、購読者が全記事を隅から隅まで読むかどうか、経済欄を開く読者がどのくらいいるのかどうか、知る由もなかった。新聞に広告を出す企業と同じように、新聞社はざっくりとしたデータ、総売上高のみを扱い、予測や傾向、さらにはニュース判断に基づいてコンテンツを選んだ。

一方ウェブは、読者が好きなコンテンツだけを目にするようになっている。読者は、サッカーワールドカップの試合にまつわる4本のストーリーを読むが、国際サッカー連盟（FIFA）の汚職事件に関する記事は一切読まないかもしれない。プエルトリコのハリケーン災害の記事はいくつも目にするが、ムンバイの巨大モンスーンの被害についてはまったく知らないかもしれないのだ。

マサチューセッツ工科大学（MIT）のメディアラボ創設者、ニコラス・ネグロポンテのような大きな視野の持ち主（ビッグ・シンカー）は、この種のカスタマイズを歓迎したが、サンスティーンは愕然とした。サンスティーンが著書『インターネットは民主主義の敵か』（毎日新聞社）に書いているとおり、これには民主主義を足蹴にしようとする消費主義が充ち満ちている。[*20]

サンスティーンは、その後も2回ほど、異なる状況にあてはめて同じ主張をしている。まず2007年に、同書の改訂版『Republic.com 2.0』を出版した。2002年から2007年にかけての変化はブログの普及だった。

次に2017年に、『#リパブリック——インターネットは民主主義になにをもたらすのか』（勁草書房）を書き記した。同書では、ソーシャルメディアがいかにして「デイリー・ミー（わたし用にカスタマイズされた新聞）」をつくりだすかに焦点をあてていたが、懸念は同じだった。

3冊とも核となる議論は、**ウェブサイトやブログやソーシャルメディアへの依存度が増している**ことだった。そしていまや、ソーシャルメディアが私たちの視野を狭め、サンスティーンが言うところの「**エコーチェンバー**」のなかに私たちは自らを閉じこめる。そうやって現実を複雑にする情報を見ないように、自分の立場に異議を唱える見解にかかわらないようにするのだ。

サンスティーンが見落としたポイント

メディア評論家たちが気づく何年も前に、サンスティーンがこの問題に着目した点は称賛に値する。だが、のちにグーグルやフェイスブックの原動力となる強力なアルゴリズムが登場するまでは、彼の懸念を裏づける証拠はなかった。

2001年、サンスティーンは初めてウェブ愛好家の発言に反論した。テーラーメイドのメディア環境という消費者主義のビジョンが個人にとっても消費者にとってもすばらしいという主張に嚙みついたのだ。ところが、2001年当時といえば、ウェブページは生まれたてで活発ではなく、グーグルのフィルタリング機能の全容が明らかになりはじめたところだった。

2007年になると、誕生から5年程度のブロゴスフィア（ブロガーのコミュニティ）に議論を集中させざるをえなくなった。ブログは、当時影響力の強かった相互RSS（ブログロール）を通じてウェブ上のニュースや情報やコメントのエコシステムにソーシャル・ダイナミクスをもたらしていた。

相互RSSとは、ブログページの横に貼りつけられているほかのブログへのリンクのことで、読者はお気に入りブロガーが勧める類似のブログを知ることができた。[*21]

サンスティーンの主張には問題点があった。それは、影響力の大きい政治系ブログの多くは、定期的に、そして敬意をもってイデオロギーの異なる相手と討論を交わしており、その質がきわめて高かった点だ。

保守派がリベラル派と意見を戦わせていた。リベラル派のブログ記事が保守派のブログ記事に挑戦し、リンクや引用を掲載する。保守派ブログの返答は、リベラル派ブログにリンクバックする。そして、互いに必要なスペースを割いて議論の概要を記したり証拠を提示したりした。しかも出典のリンクも添えられていた。

ブログ全盛期になると、学識経験者たちがほんの数年前にはめずらしい、または不可能だったやりかたで一般市民の声を代弁できるようになった点も見逃せない。社会学者のエスター・ハルギッタイが2008年に指摘したように、政界で有数の政治ブロガーは、同意しようがしまいが、互いの文章に言及していた。[*22]

新たに権威を得た学術的ブロガーのふたり、ダニエル・ドレズナーとヘンリー・ファレルは、外交政策専門のフォーリン・ポリシー誌でブログにまつわるサンスティーンの陰気な主張に声高に反論し、一般市民の理解と討論を豊かなものにするうえでブロゴスフィアがいかに貴重で重要かを訴えた。

にもかかわらず、ファレルは２００９年に共同執筆した論文で、ブログの読者は自らの政治信条と一致したブログを読む傾向があると結論づけている。左派・右派の両方に目を通す読者はまれだった。

ファレルらは、ブログ読者のなかに二極化の強力な証拠を発見した。ブログを読まない人やテレビニュースを見る人と比べると、二極化しがちだという。これは本当だった。

主要な政治ブログは読者に異なる意見の相手と対話するように勧めていたが、ブログの常連読者は自分が強く同意する一連のブログ内しか見ず、似た考えの持ち主同士が集った。ブロゴスフィア時代、同類性を助長するアルゴリズムはまだ存在しなかったが、同類性は重要だ。

読者は自ら進んで似た者同士で集まりたがる。それはなんら驚くことではない。人は誰しも、自分がどれほど賢くて正しいかを常に確認したがる。そのため、**自らの考えを証明してくれるアカウントを承認し、反対意見の証拠は拒絶するという確証バイアスに陥りやすい**のだ。[*23]

ブログの衰退を促したフェイスブックのアルゴリズム

ブログ最盛期のことを懐かしく、そして畏怖の念をもってふり返ろう。およそ2002年から2007年にかけてのブログ時代はおそらく、私たちが享受したなかでもっとも豊かで多様性に満ちたメディアエコシステムだった。

グーグルは広告市場で地歩を固めつつあったが、市場はまだネット媒体と紙媒体の両方の独立系出版物から離れていなかった。独立系オンラインマガジンの〈OpenDemocracy.net〉や〈Salon.com〉はその地位と影響力を高めていた。博識で雄弁な専門家たちによって生みだされる多様な意見や分析は、ブログとそこに表示されるリンクを通じてオーディエンスを集める。ひとつの興味深いブログが、読者をもうひとつのブログへと導いていた。

しかし、フェイスブックとツイッターの出現以降、ブロゴスフィアから活力がどんどん失われている。両社は、出版業界の収益どころか信頼も奪いとった。

複数のメンバーで運営するグループブログのなかでも〈ハフィントン・ポスト〉や〈トーキング・ポインツ・メモ〉〈ボイング・ボイング〉などは、影響力の強い専門的なニュースや評論サイトへと脱皮したが、当時の共同作業的なDIY精神は消え去っていった。

かつてブログ投稿を埋めつくしていた表現の多くが、いまではツイッターの文字数に凝縮されるか、フェイスブックに投稿されるようになり、アルゴリズムの気まぐれに振りまわされている。

フェイスブックのアルゴリズムがすべてを変えた。フェイスブック上で「友達」を選ぶのは私たち自身だ。そして私たちの身近には、異なる意見や情報源をもつ友人、親戚、同僚がいる。だが、私たちのクリック、コメント、「いいね！」はフェイスブックにこう伝える。「エンゲージメントを得る情報源に見返りを与えろ」と。そうして、私たちは同じものばかりを得ていく。私たちの世界観は、すでに習慣と快適さに支配されている。フェイスブックはこうした傾向をとことん強化する。投稿はやすやすとフェイスブックの外へと飛びだしていけないし、投稿の行き先はフェイスブックに決められてしまう。

このように、選択肢の提示のしかたによって人の意思決定に影響をおよぼす「選択設計(チョイス・アーキテクチャー)」は危険なほど強力なのだ。

フィルターバブルの存在を確信するのは、フェイスブックやグーグルが自らのしていることを私たちに教えてくれるからだ。特定のコンテンツばかりを目にする理由を、おおまかに教えてくれている。

基本的に、人は似た者同士で集まりたがる。メディアシステムはそうした傾向を修正することも強めることも思いのまま。フェイスブックが牛耳る今日のメディアエコシステムは、私たちの弱みである承認欲求と、似た者同士で集まりたいという願望をともに増幅させる。

これはテクノロジーだけの仕業でもなければ、人間の文化的嗜好で片づけられるものでもない。くり返しになるが、**テクノロジーは文化であり、文化はテクノロジーである。すべてが同じシステムの一部なのだ。**

アテンション・エコノミー時代の申し子

人々が身のまわりの世界について学び、政治をおこなうにあたって、フェイスブックがその中心的役割を果たすようになる前、私たちの見るものや読むものは、グーグルの検索アルゴリズムがほぼ決めていた。そのアルゴリズムに沿って、デザインとコンテンツを最適化したサイトだけが生き残ることができた。

たとえば、銃の乱射事件について検索すると、グーグルのおメガネにかなうサイトが上位に現れ、クリックを得られる。そのクリックのおかげで広告が正当化され、別のサイトからクリックやリンクをされればされるほど、検索順位が上がる。

この「検索エンジン最適化」ゲームでの成功は好循環を生みだし、勝者がひたすら勝ちつづける一方で、はじかれたサイトは検索結果の2ページ以降という深い沼に沈んでいく。[*24]

21世紀最初の10年で、自作ブログが雨後のたけのこのように現れるなか、２００５年に立ち上げられたリベラル系ニュースサイトの〈ハフィントン・ポスト〉（現ハフポスト）は巨大だった。

そして、アテンション・エコノミー時代に合う新たな出版スタイルを発明するにあたって、共同創設者兼編集長のアリアナ・ハフィントンはうってつけの人物に思えた。

なんといっても、彼女は複数のメディア媒体（書籍、雑誌、テレビ）でさまざまな課題（モダンアート、保守政治、リベラル政治、ライフスタイルブームなど）の関心を数多く生んできた。ベストセラーになったパブロ・ピカソの伝記を手がけたり、カリフォルニア州知事選で敗れた富豪と結婚したり、数多くのトークショーにも出演したりした。

だが、どれをとっても造詣が深いわけでも、確固としたイデオロギーがあるわけでも、経営手腕に長けているわけでもなかった。彼女が有名なのは、有名だからだった。アテンション・エコノミーが人々の耳目のとらえ方を知る者に報いるほうに賭けた投資家たちの判断は、正しかった。

彼女のアイデアは、一種のグループブログを立ち上げることで、セレブな友人たちに協力をあおいだ。たとえば、俳優で気候変動の活動をしているテッド・ダンソンに海洋をめぐる現状について寄稿してもらえば、彼の名で読者を集めることが期待できたからだ。

一方で、無名のライターたちにノーギャラで記事を書かせてコストを低く抑えた。そして彼女は関心を高く保つために、新たなデジタル環境に精通し、ほどなく迎えるデジタルメディア新時代に足跡を残すことになるふたりの共同創設者アンドリュー・ブライトバートとジョナ・ペレッティを頼りにした。[*25]

アンドリュー・ブライトバートは保守的文化の戦士で、右派の変革者マット・ドラッジのもとで働き、保守主流派のみならず政治に関心のある人が読む〈ドラッジ・レポート〉のスタイルと内容に通じていた。

ブライトバートは2012年にこの世を去ったが、運動参加者の感情を逆撫でする手腕に長けていた。またペテン師的な、熱狂的かつ偏執的な気質の持ち主でもあり、ハフィントン・ポストの立ち上げ時にはやっかいなビジネスパートナーだった。

創設直後にハフィントン・ポストを離れると、彼の政治信条と人格を具現化するサイト〈ブライトバート〉を立ち上げた。彼の死後、同サイトは、もうひとりの熱狂的な右派ポピュリストのスティーブ・バノンに引き継がれ、検索エンジン最適化の時代に成功したハフィントン・ポストに追随する形で、アテンション・エコノミーのソーシャルメディア新時代を征服していくことになる。[*26]

一方ジョナ・ペレッティは、2011年にインターネットサービス大手のAOLに買収されるまでハフィントン・ポストに在籍したが、メディアエコシステムが変化をつづけるなか、コンテンツの流れ方を検証する「研究所」を２００６年に創設すると、〈バズフィード〉と名づけた。

その後10年かけて、バズフィードはエンターテインメントコンテンツ中心からシリアスなジャーナリズムへと幅を広げ、口コミで広がるまとめ記事やクイズ、動物、画像、動画に加えて、時事的話題を扱うようになった。

バズフィードは世界各国にいくつかの法人を構え、調査報道を専門におこなうチームや一流の文化評論家も抱えている。バズフィードがある投稿の調査、修正、測定、宣伝について学んだことは、ほかの投稿の配信にも活かされる。

バズフィードは、ニュースとエンターテインメントのマシンであると同時に、巨大な学習機械でもある。フェイスブックのコードを破るニュース組織があるとすれば、それはバズフィードだろう。

そしてバズフィードは、倫理的に疑わしい有料コンテンツ（報道や教育目的のエディトリアルコンテンツのように見える広告）に特化することによって、フェイスブックとグーグルにはできない、しようとも思わない広告で勝負に出た。バズフィード読者向けに特別にあつらえられた、フェイスブックがエディトリアルコンテンツで使うのと同じアルゴリズム技術を介して配信された。

それは一見、順調そうだった。しかし、従来のサイトやニュース組織からフェイスブックとグーグルに乗り換えが進む広告の一大潮流に、もれなくバズフィードも飲みこまれ、財政面で苦境に立っている。

フェイスブックが支配する情報エコシステムでバズフィードが将来的にやっていけなくなるとしたら、どこも生き残れないだろう。*27

バズフィードとブライトバートの両サイトは、つかの間の成功物語であるとともに教訓めいた話である。

ブライトバートは、アメリカの市民精神を弱めようとする敵意に満ちた民族的ナショナリズム・プロパガンダの源泉であり、トランプ大統領の支持者と彼の側近たちに影響を与えている。同サイトが吐きだす記事は、ケーブルテレビのニュース番組でもとりあげられるが、その多くは否定されるか、嘘を暴かれるか、「論争」として報じられるため、人々の意識を破壊し注意を逸らす役割を果たす。そのうえ、フェイスブック上で他を圧倒する能力を発揮する。

同サイトの運営者らは、ペレッティと彼の仲間がバズフィードで学んだのと同じ教訓を得たのだ。ブライトバートとバズフィードは、生まれてすぐ引き離された双子のようだった。両サイトは、一部の投稿に力を与えて別の投稿を窒息させるというフェイスブック流儀で、オーディエンスを獲得し維持してきたのである。

さらに私たちが留意すべきことがある。彼らの物語は、ほかのニュースやエンターテインメントにこう示唆しているのだ——広告収入市場の縮小と、関心を得ようとするものが乱立する現状で成功するには、フェイスブックに迎合すべき、あるいは迎合しなければならないと。

ガーディアン、エル・パイス、ハアレツ各紙は、フェイスブックのニュースフィードでの表示空間と頻度をめぐってハフポスト、ブライトバート、ニューヨーク・タイムズ紙と戦っている。そのうえ、ユーチューブ、ゲーム、音楽、ポッドキャスト、および日常生活におけるあらゆる娯楽——しかも、すべて私たちを虜にするように綿密に設計されている——とも戦っているのだ。

自ら沈むジャーナリズム——獣に餌をやる

アメリカのシンクタンクであるピュー研究所の調査によると、2017年夏、アメリカ成人の67%がソーシャルメディアからニュースを得ていることが判明した。つい5年前の49%から大幅な増加だ。

これは大まかな数字であり、ソーシャルメディアユーザーが何を「ニュース」とみなすかがはっきりしないため判然としないが、この勢いは強力で検討に値する。

伝統的なニュース発信源が徐々に弱体化するにつれて、市民生活におけるソーシャルメディアと、それを支配する「選択設計」の重要性は増している。

かいつまんで言えば、ニュース組織はインスタグラムやフェイスブックのアルゴリズムに合うように、どのネタを扱うか、見出しはどうするか、写真や文字よりも動画を使うべきかといった編集上の選択肢に迫られる。フェイスブックやインスタグラム上から消えてしまうわけにはいかないからだ。

だが広告主は、フェイスブックやインスタグラムに群がり、重要な世界情報を伝えてくれる発信源からどんどん遠ざかっていく。ジャーナリズムは、自らを飢えさせる獣を養っているのだ。しかも、ジャーナリストに打てる手立ては何ひとつない。[*28]

世界五大IT企業の真の狙いとは?

私たちはこれからどうしていけばよいのだろうか?　アテンション・エコノミーのその先について、少し考えてみよう。

じきに、関心すら奪いあう必要がなくなるかもしれない。世界五大テクノロジー企業、フェイスブック、アルファベット（グーグルの持ち株会社）、マイクロソフト、アマゾン、アップルの思惑どおりに事が運べば、私たちは日々の作業を少しばかり便利にする数々のデバイスを将来、彼らから買うことになるだろう。

テーブルの上に置くような据え置き型デバイスもあれば、車に搭載されているもの、家電に組みこまれているもの、肌に密着しているものもある。そして、それらのデバイスから、常に私たちは監視される。画面を見つめたりキーボードを叩いたりしていないあいだでも、私たちの気持ちや欲求を読みとろうとする。

２０１６年、グーグルは鳴りもの入りで「グーグルホーム（Google Home）」を発売した。集音マイク付きのラウドスピーカーで、グーグルのサーバーとアルゴリズムに常時つながっており、家庭内の会話や音を受動的に聞きとっている。

グーグルはこうやって集めた情報を既存の豊富なユーザー情報にひもづける。さらに、声をかけて検索や音楽の再生・停止などの要求をすれば、すかさず応じてくれる音声認識機能もついている。

グーグルホームは、アマゾンの据え置き型デバイス「エコー（Echo）」の対抗商品として発売された。エコーも声がかかるのをじっと待っている。アップル提供のパーソナルアシスタント「Siri（シリ）」もいつでも音声を認識することができ、持ち主の欲求を常に吸収している。

こうしたデバイスと、装着したり持ち歩いたりするモバイルセンサーを組みあわせれば、アテンション・ブローカーたちはもはや、私たちの関心を奪いあう必要すらなくなる。

2017年の大半を通じて、この5社が世界時価総額ランキングの上位を占めた。私たちはこれらの企業をひとくくりにして「テクノロジー業界の先駆者」と呼ぶ。だが、それぞれ異なるサービスを提供するまったく別の企業だ。5社は有能な人材の獲得をめぐってしのぎを削ってはいるものの、商業市場で競合することはめったにない。

フェイスブックとグーグルはウェブやモバイルでの広告事業で競いあっているが、私たちの関心を収集し売りさばく方法が大きく違うし（私たちの、両社サービスの使いみちが違うからだ）、アップルは主力事業のハードウェア販売で儲けているし、マイクロソフトは依然として法人や個人消費者向けのソフトウェア販売とリースで収益の大部分をあげている。アマゾンは小売業だが、オンライン通販が主力だ。[*29]

とはいえ、より大きなビジョンで見た場合、この5社は競合している。各社が電子商取引の次なる開拓地――自動車、住居、家電、身体――を監視し、収益化し、支配するデータの流れを牛耳ろうと日々奮闘しているのだ。

彼らの目的は、もはやPCを制御するOSの覇者になることではない。PCのOS覇権をめぐっては、いまだマイクロソフトとアップルが争っているが、両社はモバイル向けのデフォルトOSになろうと熾烈な争いをくり広げているわけではない。モバイルOS市場では、アップルのiOSとグーグルのアンドロイドという二大巨頭が競合他社を締めだし大成功を収めている。

これら五大テクノロジー企業は同じ長期的ビジョンを共有している。それは、**私たちの生活のOSになる**ことだ。

生活を支配するOS、その覇権争い

生活のOSは、私たちの活動や状態を測定して決断を常に導いてくれる。先見の明ある企業(ビジョナリーカンパニー)が予測したとおり、私たちの服、車、身体からもデータが生まれている。

すべてのモノから生まれるデータ、そしてそのすべての情報を中央に位置する制御アルゴリズムによって動かされているコンピュータへと集めるこのしくみは「IoT(モノのインターネット)」と言われる。ただし、これは正しい表現ではない。このネットワークはモノだけではなく、ヒトまでもがインターネットにつながる「HoT(ヒトのインターネット)」だからだ。[*30]

パーソナルアシスタントや新しいインターフェース、自己調整機能付きのサーモスタット、自動運転車、スマートグラスやスマートウォッチ、バーチャルリアリティ（ＶＲ）ゴーグルなどを次々に発売するこれらの企業の狙いは、消費者や規制当局の信頼を得ることだ。
そうなれば、このＯＳを継ぎ目なく効率的に動かせる「トランザクション処理基準」を自ら設定できる。彼らのビジョンが実現した場合、メディアと非メディアとの線引きは消え去り、コンテンツとモノとの区別もなくなる。すべてのモノ、すべての身体が操作されたコンテンツになるのだ。

私たちは、こうした事実に警戒すべきだが、どう対処すればいいのだろうか？　この現実に立ち向かうための十分な語彙、理論、応答をどうやって手に入れればいいのだろうか？

まず、ＩｏＴの議論は脇に置こう。抽象的なビジョンであるインターネットとは「ネットワークのネットワーク」、つまり人々が自由に制限なくメッセージを構築し送信できる、オープンで使いやすい信頼できるプラットフォームをつくりあげる一連の接続のことだ。
事実、インターネットは誕生当初からずっと幻想だった。インターネットが全人類をつなぐ、グローバルでオープンな分散型「ネットワークのネットワーク」であった例はない。世界の大部分では、デジタル化されたネットワーク通信は言うほどオープンでもなければ、十分に分散されてもおらず、必ずしもアメリカのようにコンピュータネットワークを介していない。

AT&T（アメリカ合衆国の情報通信・メディアコングロマリット）のモバイルネットワークを介してメッセージを送る場合、それは私たちが夢見る本当のインターネットを経由してはいない。もしiPhoneを使っているなら、メッセージは厳しく規制されている。一日中肌身離さず持ち歩くマシン同士でデータ送信することが増えているため、これらの情報の流れは、どこか別の領域や「サイバースペース」の一部になっているわけではない。

そして、このOSの基本構造はこれまで以上に閉鎖的で制限されたものになる。企業や政府は、サーモスタットやロボット、車、時計を比較的オープンなネットワークにつなげることの危うさに気づきはじめている。

ネットワークは安全ではなく、その一部である人間は信頼できない。悪意に満ちた政治運動、犯罪者、敵対国、あるいは単なる愉快犯がその気になれば、データフローの繊細なシステムを乗っとることも停止させることもわけない。そのため、システム構造が進化するにともない、相互運用ではなくセキュリティが優先されるようになり、データネットワークは専有になってアクセス制限も厳しくなるだろう。

このシステムが適切に機能するには、単一企業かコンソーシアムに管理されるのが理想だ。権力の集中というこの見通しは、フェイスブックとグーグルの二大巨頭に対する現在の懸念に影を落とす。どの企業が生活OSを支配するにせよ、強大な力を行使し、「ブラックボックス」化して、透明性や説明責任なく日常の多くの側面を統治することになるだろう。[*31]

インターネットには特定のロジックがあり、必然的に開放性や中立性などの性質を帯びなければならないとか、一部のルールや規範を増幅してほかを弱めるのではなく、独自のルールや規範に基づく特別な「場」をつくると決めてかかると、私たちはデジタル技術のもつれとそれが生活で果たす役割を誤解する。

それ以上にやっかいなのが、技術は人体や人間関係とは別のところで動いたり存在するものと思いこんで、技術の効果を誤解することだ。

私たちはみな、このＯＳを構成するデータネットワークの一部であり、データは私たちからも生まれている。これらの技術が私たちを形づくるのと同じくらい、いやそれ以上に、私たちは技術を形づくる。

私たちは「インターネット」や「ＩｏＴ」にばかり目を向けて、特定の技術や企業、それらが私たちの心身にどんな影響をおよぼすのかを考えなくなってしまう。架空の森を見て本物の木を見ないという間違いを犯すのだ。

５社のなかでも、**フェイスブックがもっとも世に広がっている企業であり、生活ＯＳをめぐる覇権争いでも異彩を放つ存在**だ。

世界一影響力のあるメディア企業であるのはもちろんのこと、政治家や独裁者、企業、宗教、20億超の人々がフェイスブックを使ってメッセージを世界に発信し、ニュースコンテンツやニュースのふりをしたコンテンツをどんどん提供する。

世界史上、もっとも強大で成功した広告システムであり、政治プロパガンダの媒体として悪用されることも多い。これまでのところ、フェイスブックは家庭用デバイスやウェアラブル端末の開発には至ってないが、提供サービスとアプリケーションを通して私たちの私生活、商業生活、政治生活を管理することに成功している。

世界中の多くの人々が日がな一日スマホを見つめ、フェイスブック、メッセンジャー、インスタグラム、ワッツアップなどのフェイスブック提供のサービスを利用して交流している。

こうして生みだされたデータがサービスを形づくり、同社のエンジニアらが下したこれらアプリ設計の判断が世界の見方とかかわり方を形づくる。この複雑なフィードバックループ、豊富な個人データの流れ、フェイスブックが提供するサービスの遍在性と利便性をあたりまえに思う感覚が、生活ＯＳの覇権争いでフェイスブックを頭ひとつ抜きんでた存在にしているのだ。

生活ＯＳとなった中国のウィーチャット

利用頻度の高いソーシャルメディア・プラットフォーム７つのうち、４つ――フェイスブック、メッセンジャー、ワッツアップ、インスタグラム――がフェイスブック傘下にある。

中国を除いたソーシャルメディアサービスに限定すれば、上位5つのうち4つをフェイスブック提供のサービスが占めており、グーグル傘下のユーチューブが唯一2位に入っている。ツイッターは、フェイスブックと同等か競合サービスのように思われているが、はるか下の10位だ。アカウント登録数は3億5000万だが、多くは「ボット」か自動アカウントで、プロパガンダの拡散を狙ったものだ。

人間への影響力と影響範囲で見ると、フェイスブックに匹敵するデジタル企業もソーシャルメディア企業も存在しない。**フェイスブックは人類史上、他に類を見ない企業なのだ。**だが、そんなフェイスブックにもライバルがおり、刺激を与えあう存在がいる。中国版ソーシャルメディアアプリ〈ウィーチャット、微信〉を開発した中国企業テンセントだ。

10億人近いユーザーを誇るウィーチャットは、フェイスブックがうらやむような方法で人々の生活に浸透した。ウィーチャットはフェイスブックやインスタグラム、ツイッターによく似た写真とメッセージ機能のほかにも、グーグルとよく似たネット検索機能も提供する。情報通信以外に決済機能も充実しており、自動販売機で買い物をしたり、銀行取引をしたり、病院の予約をとったり、「ポケモンGO」のような拡張現実ゲームをしたり、非常に多くの場面で利用されている。

ユーザーはスマホから顔を上げることも、アプリを切り替えることもせずに日々の雑務をこなせてしまう。ウィーチャットは、アプリそのものが私たちの生活OSとなったいい例だ。[*32]

フェイスブックは、ウィーチャットに似たサービスをさまざまなアプリに組みこんでいる。また、ウィーチャットと真っ向勝負したり、サービスを融合したりできるように、中国で再び運営することをザッカーバーグはおおっぴらに熱望してやまない。

こうした人間による判断がウィーチャットやフェイスブックのシステムにおよぼす影響について考えるとき、文化的表現や情報と同じように、私たち自身も操られていることを認識すべきである。

フェイスブックのさらなる野望——VRがもたらす世界

ソーシャルメディアは、もはや単なるソーシャルメディアではない。すべてのメディア会社やサービスが「ソーシャル」になろうとしている。社会的な絆は「粘着性」があるので、関心を奪おうとする者をかわすのに好都合だ。社会的つながりは、市場をセグメント化してターゲットを絞りこむのにも役立つ。

フェイスブックが一段と動画まみれになり、アマゾンのような大型店がエンターテインメント事業に参入するにつれて、メディア形態は収斂(しゅうれん)していくだろう。今後20年のあいだに、もし「ソーシャルメディア」が――そう、実際に「メディア」が――私たちの生活により浸透し力をふるうものになったら、どうなってしまうのだろうか[*33]?

スマホやスマートウォッチといったデータ通信デバイスを手にすることで私たちは、生活OSになろうとする企業の取り組みに賛同し、自ら進んでネットワーク上のノードになった。それらは、私たちの生活にもっとずかずかと入りこんでくるおそれもある。企業側には、私たちの関心や嗜好、ひいては妄想を正確に測定して記録する手段がある。そのおかげで企業は、最新スマホ以上に依存性のある刺激的な分野で、私たちに対するフィードバック制御をいっそう強化できるようになる。

2014年、フェイスブックは一般向けVR製品企業のオキュラスVRを買収した。目的は世界10億の人々をVRに没頭させることだった。そのために、2017年には新しいVRヘッドセットの販売計画を発表した。価格は200ドルで、従来品と比べても破格の安さだった。

計画発表の2日前のこと、プエルトリコを襲った大型ハリケーン・マリアによる洪水被害で住民がひどく苦しむなか、VRのキャラクターに扮したザッカーバーグが被災地プエルトリコを仮想体験する動画をフェイスブック上に公開した。これは、被災地ツアーと商品宣伝という、ふたつの倫理的侵害を犯している。

　ザッカーバーグは、フェイスブックのソーシャルVRツール「スペース」を使って自分の分身のアバターを登場させた。アバターは世界各地に〝瞬間移動（テレポート）〟できる。そのあいだ、ザッカーバーグはカリフォルニア州メンロパーク本社内の席に座り、安全を確保され、濡れもせず、電気も通っている状態でオキュラスのヘッドセットをつけていた。

　その後彼は、プエルトリコの人々を思う気持ちからおこなったものだったと主張したうえで、配慮に欠けた行動だったと謝罪した。悲しいことに、彼のイデオロギー的フィルターバブル内からは、この行動を批判する者がひとりもいなかった。

　次章で見ていくが、ザッカーバーグは「フェイスブックにとっていいこと」と「人類にとっていいこと」との区別をしない。彼にとって、社外の人はみな、フェイスブックにとっては、将来の主力商品が世界を変える力を秘めていることを証明してくれる手段でしかない。

　そして同時に、フェイスブックはすべての人々の暮らしをよくする手段だと信じてもいる。善かれと思ってすることは、まちがいなく人のためになると決めてかかっているのだろう。[*34]

　２０１６年にリフトを実演して見せたとき、ザッカーバーグはこう言った。

「VRはピープルファーストな技術です。肝心なのは、誰と一緒にいるかです。その空間に行けば、その人と一緒にやりたいことを――火星に旅行する、ゲームをする、剣で戦う、映画を観る、実家に瞬間移動して家族に会うなど――なんでもできます。あなたはなんでも体験できる環境を手に入れられるのです」

だが、ひとたびそのVR空間に行けば、フェイスブックはそこでのあなたの思考と行動をすべて追跡するだけでなく、VR上のすべてのソーシャル・エンゲージメントも追跡する。

これまで以上にあなたのことを学び、これまで以上に効果的にユーザーを動かしうながして特定の感情を抱かせ、特定の商品を買わせるのだ。

VRは、没入型シミュレーションの驚異的な技術になりうるだけではない。究極のスキナー箱なのだ。

これまでよりも臨場感溢れるゲーム体験ができると思っているかもしれないが、それは違う。**私たちはチェスプレーヤーを夢見るチェスの駒で、ポーン（歩兵）として、チェス盤のうえで踊らされているだけなのだ。**

フェイスブックはすでに私たちの動作や動機を監視しているが、今度はVRを通じて私たちの承諾のないまま、声、妄想、身体の動きをとらえようとしている。フェイスブックが私たちの生活OSになるなら、その存在を無視したところで、勝手に反応し、監視し、記録し、分類し、仕分けし、データを提供するだけにとどまらないだろう。

人類が常にひと握りの企業につながり監視される世界はまだ遠い先のことではある。しかし、そのモデルははっきりしている。**生活OSは私たちの身体、意識、決定を求めている。関心は二の次だ。**

力はより集中し、操作は常におこなわれる。それは権限も民主主義の余地もない、怠惰で退屈な世界だ。映画『マトリックス』の集団奴隷のディストピア世界とはいくらか違い、ある種退屈で、ある種楽しい、まるで『すばらしき新世界』のような世界なのだ。

第4章

善意のマシン

善意がもたらす数々の失敗

この章では、企業の社会的責任（ＣＳＲ）と企業価値について考えていく。

ＣＳＲで提示するような活動に取り組む企業は、人権や環境問題に本当に関心をもっているのか？　それとも、単なるマーケティング戦略にすぎないのか？

一方で、企業はそうした責任を負うことで、自社イメージを格段に上げ、市場での地位を向上させることができるのか？　そして企業は、すべてを手に入れることができるのだろうか？

ＣＳＲがグローバル企業で重要視されるようになったのは１９７０年代以降のことだ。南アフリカのアパルトヘイト政策、インドのボパール化学工場事故のような健康被害、人種や性差別に荷担をしていないか、自社イメージはどうかを気にかける経営者のあいだで、ＣＳＲは組織原理とみなされるようになった。

それは世界中で不祥事が続出して、消費者の懸念が膨らみはじめたころである——。

フェイスブックが掲げるCSR活動とは

「フェイスブックは、常にコミュニティと人間関係を構築することについて考えてきました」２０１６年、ザッカーバーグはフェイスブックの「ソーシャルグッド・フォーラム」でこう語った。

「そして近年明らかになったのは、コミュニティの成長をうながす中核部がみなさんの安全を守ることにも役立つということです」

――ずいぶん珍妙な主張だ。データを売買するインターネット会社が、洪水やハリケーン、火災、テロ攻撃からコミュニティはおろか、個人の安全をどうやって守るというのか？

それから、ザッカーバーグはふたつのプログラムに触れた。

そのひとつが「セーフティチェック（災害時安否確認機能）」だ。この機能を使えば災害地域の人々は（ネットに接続できるという前提で）「友達」に自身の安否を報告できる。ザッカーバーグはこうも言っている。

「最後に、災害時にフェイスブック内にさまざまなツールを築き、人々がコミュニティ再建のための寄付を集めたり意識を高めたりできるようにします[*1]」

これは、**企業の社会的責任（CSR）**というイデオロギーの産物にほかならない。行政が提供できないサービスを企業が自主的に差しだすのである。これらのサービスは会社に直接利益をもたらすわけではないが、経営者と従業員に自己満足という目に見えない報酬をもたらす（ただし、フェイスブックは例外で、フェイスブックに費やす時間が長くなり、フェイスブックを信頼する人が増えるほど、長い目で見れば利益になる）。

サービスの利用者ばかりか、国や社会にはコストが一切かからないから、説明責任はないに等しい。となれば、プログラムの有効性や外部性を検証する者もほぼいない。どのみち無料だし、ないよりマシだろうというわけだ。

こうした独善は、解放感があるうえに力強い。利用者や消費者、規制当局、従業員、競合他社から賞賛を得る効果的な広報メッセージの役割も果たす。[*2]

災害反応（防災や災害救助とは別物）は、フェイスブックが何年もかけて掲げてきたCSR活動の一環だ。ほかにも、選挙での投票をうながす運動（アメリカ）やリベンジポルノ対策実験（オーストラリア）などがあるが、各活動そのものは重要ではない。そうした**会社の姿勢が大事**なのだ。

ザッカーバーグは自らの信条に従い、グローバル社会を設計することがフェイスブックの目標だと折に触れて述べてきた。だが、あいまいで真意をつかみかねる言葉を使うせいで、読み手や聴き手は自分なりの〝善〟のイメージで補って理解しようとする。

でも結局は、ザッカーバーグがフェイスブックの設計を通じて、どの価値観をユーザーに押しつけるかを決めているのだ。

世界をよりよくする「三方よし」——フェイスブックのひとりよがり

2012年の株主への手紙で、ザッカーバーグは「フェイスブックはもともと、会社にするつもりで始めたサービスではありません。〝世界をよりオープンにして人々の結びつきを強める〟という社会的使命をなし遂げるために立ち上げたものです」と語ったうえで、自身の正しさと理想主義的なビジョンを概説した。

しかし、ここにこだわりすぎたせいで、善意だけでは不十分であり、反発を招きかねないことまで考えがおよばなくなった。仲間が自分の価値観や道徳心を共有するようになると信じ、人々は基本的に善人で、よりつながりやすい通信手段さえあればいいと思いこんだ。

その手段はアルゴリズムによって支配され、そのアルゴリズムは都合のいいことに広告事業を推進するのと同じ価値観に基づいていた。

ザッカーバーグは、永久に動きつづけるマシンかつ会社をつくりあげた。欠点など見当たらず、好循環をもたらすものでしかなかった。人類にとっていいものは、広告主にとってもいい。広告主にとっていいものは、株主にとってもいい。株主にとっていいものは、従業員にとってもいい。従業員はいい給料をもらって、人類を支援し改善するよりよい方法を考える――という図式だ。

彼はこうも書いている。

「簡単に申しあげるなら、私たちは金儲けのためにサービスを構築しているわけではなく、よりよいサービスを構築するために収益をあげているのです[*3]」

彼はさらにこうつづける。

「多くを共有する人は――たとえ親しい友人や家族とだけでも――よりオープンな文化を生み、他人の人生や考え方についてよりよく理解できるはずです。これによって、非常に多くの強いつながりを生みだし、人々が多様な考え方に触れられるようになると信じています」

共有することは、とても親切で単純な価値観に思える。共有とは、見返りを求めずに与えることだ。互恵性が文化的規範になる。

彼はこの価値観を、1980年代から1990年代にかけてオープンソースのソフトウェアやインターネットを開発したハッカーコミュニティから引き継ぐと、株主への手紙のなかで「**ハッカーウェイ（ハッカー精神）**」と呼んだ[*4]。

CSR、つまり人々を結びつけて世界をよりよくするというザッカーバーグの決然たる思いは、あらゆる地域に市場を拡大していく同社の数々の試みにも如実に現れている。そうした地域では、圧倒的多数の人々がデジタル上で存在しつづけるためのアクセス、スキル、資金が足りていないのが実情なのだ。[*5]

CSRがグローバル企業で重要視されるようになったのは1970年代以降のことだ。南アフリカのアパルトヘイト政策、インドのボパール化学工場事故のような健康被害、人種や性差別に荷担をしていないか、自社イメージはどうかを気にかける経営者のあいだで、CSRは組織原理とみなされるようになった。世界中で不祥事が続出して、消費者の懸念が膨らみはじめたころである。

当然ながら、CSRをめぐる議論は、誠実さの問題に集中した。このような活動に取り組む企業は人権や環境問題にちゃんと関心をもっているのか、それとも単なるマーケティング戦略にすぎないのか？

一方、企業文化とCSRに関する研究での中心問題は、その効果のほどだった。企業はそうした責任を負うことで、自社イメージを格段に上げ、市場での地位を向上させることができるのか？　そして企業は、すべてを手に入れることができるのだろうか？[*6]

CSRの取り組み――無料ネット接続サービス

フェイスブックのCSRの取り組みのひとつが、無料ネット接続サービスだ。

2014年、フェイスブックはInternet.orgという非営利団体を立ち上げた。インターネットそのものを扱い、単一のソーシャルメディア会社ではない。営利目的企業（.com）ではなく、非営利ベンチャー（.org）として打ちだされた。

Internet.orgによるサービスはアプリのインターフェース（モバイル向けOSのようなもの）で、ネットに接続できるモバイル機器があれば問題なかった。このOS上では、マイクロソフト提供の検索エンジン〈ビング〉や女性の権利促進、求人、ウィキペディア、天気予報など、フェイスブックが選んだひと握りのアプリを無料で利用できる。

特筆すべきは、「ゼロレーティング」サービスだろう。なんと、**一部のアプリやコンテンツのデータ（パケット）通信量が使用データ量にカウントされず無料になる**のだ。

グーグルなどの競合サービスや、フェイスブックが選んだアプリ以外を使用した場合にはデータ料金がかかる。そのため、データ通信プランを契約する余裕がないユーザー――表向きは貧しい人向けを謳ったものだった——は、フェイスブックが選んだサービスを使うほかない。

ゼロレーティングサービスは、インターネット上のデータはすべて公平に扱われるべきとする「ネットワークの中立性」を脅かす。そのため規制当局は、ゼロレーティングが法規的・政策的にどのくらい問題があるのか判断しようと動きだしている。[*7]

Internet.org——のちに〈Free Basics〉というサービスを立ちあげる——を展開した途上国（2017年10月時点で60カ国におよぶ）で、フェイスブックは各国の通信事業者1社と提携し、モバイルデータプラン未契約の消費者にこのサービスを無料で提供した。

そして、利用者たちの経済状況が改善されれば、将来、有料へと切り替えていくと請け合った。この誓約は、情報へのアクセスが利用者の将来の展望とコミュニティをよくするはずだという絶対的な思いこみから生まれている。[*8]

フェイスブックの限界？——インドで味わった苦い経験

しかし、そうしたフェイスブックの自己愛もインドで壁にぶつかる。

2016年2月、インド電気通信規制庁がInternet.org計画に待ったをかけた。Free Basics

がネットワークの中立性に違反すると判断したのだ。最終的に、Free Basicsは慈善精神を全面に押しだしたにもかかわらず、アメリカ大手ソーシャルメディア会社、憤慨するインドのテクノロジー開発者、圧倒的な規制当局、ナショナリズムに傾倒した政治家、高度に組織化された公益活動家、競合する通信事業者との権力争いに負けた。[*9]

これは、ザッカーバーグのイデオロギー的傲慢さとフェイスブックの好意の押し売りを不快に思うインドの国民と企業の野心について、そしてソーシャルメディアをめぐる政治経済の複雑さを物語っている。

新植民地主義、文化帝国主義、競争政策、政治腐敗、デジタル行動主義、階級間闘争、シリコンバレーのイデオロギー的基盤といった諸問題が、日常生活におけるソーシャルメディアの機能のしかたにかかわっているのだ。[*10]

ネットワークの中立性に対するこの手の挑戦は、本来の競争図式を脅かす。インドは、Internet.orgとFree Basicsが進出する多くの国々とは状況が異なっていた。

インドは民主主義国家として深く長い歴史があり、民間の技術・通信業界の競争は熾烈を極めている。起業家たちはモバイル向けの健康情報、検索エンジン、ソーシャルメディアなどの分野での競争を好む。活発な公益活動家は、デジタルネットワークの中立性を支持し、プライバシーの保護を求めて奮闘し、ネットワーク上で言論の自由と〝インド国民のため〟というフェイスブックの主張に不信感を抱いていた。

しかし、ザッカーバーグと就任したてのナレンドラ・モディ首相との面会を仕立て、鳴りもの入りでInternet.orgがインドに進出した２０１４年時点、フェイスブック経営陣はこの取り組みが頓挫するなど夢にも思っていなかった。インド国内の反発を見くびり、インド特有の政治経済に注意を払わなかった。

ソーシャルメディアの扱いが巧みな公益活動家らは、フェイスブックはもちろんのこと、とりわけユーチューブやツイッターを駆使してネットワークの中立性への支持と、モディ首相と手を組む大手アメリカ企業の傲慢なふるまいへの抵抗を訴えた。

これとは対照的に、フェイスブック経営陣はソーシャルメディアの扱いが下手で、Free Basicsはインドに恩恵をもたらすことを利用者や有権者に説得できずにいた。[*11]

フェイスブック側は、インド電気通信規制庁の判断を覆そうと尽力していたが、同社のやることなすことすべてが裏目に出た。[*12] そして事態は、シェリル・サンドバーグＣＯＯが空気の読めない発言をしたことで、ますます悪化した。

インドの大手日刊紙インディアン・エクスプレスの論説で、デジタルサービスの利用によって貧困女性が力を得て女性の地位が向上すると主張したのだ。インドにおいて、女性の地位向上は物議をかもす話題だ。彼らは伝統的な男性優位社会の存続を望み、モディを支持していたからだ。この主張によって、多くのヒンドゥー教徒の支持を失うはめになった。

また、ここ30年のあいだに中間層が膨張するにつれ、経済的な機会や資源をめぐる競争は激しさを増していた。そのこともあり、貧困層を中間層に引きあげるという訴えは、ようやくスクーターを購入したり、教育を受けたりする機会を得た家庭に響くものではなかった。

サンドバーグとフェイスブックにしてみれば、よかれと思っておこなったことだったろう。だが、価値観の異なる社会を相手にしており、その市民の多くはよかれとは思っていなかったようだ。[*13]

デジタル帝国主義

フェイスブックのインドでの計画が頓挫した直後のこと。同社取締役を務め、ウェブブラウザのネットスケープコミュニケーションズ創立者で、現在はベンチャーキャピタリストでもあるマーク・アンドリーセンは、インド規制当局の決定にツイッターで嚙みついた。

「今日、世界で最貧困層の人々に一部無料のインターネット接続を提供するサービスをイデオロギー上の理由から拒否するのは、道徳的に間違っていると感じる」

たくさんのリプライを受けて、アンドリーセンはさらにこうツイートした。

「反植民地主義は、何十年にもわたってインドの人々を経済的にひどく痛めつけてきた。なぜ、いまやめる？」

当然のことながら、この発言は猛烈な反感を買った。幹部陣はすぐさまアンドリーセンと社の見解は違うと公に発表した。その日のうちにアンドリーセンは一連のツイートを謝罪すると、ツイッターで今後インドの歴史や政治について議論しないと誓った。[*14]

このツイッター炎上事件は、富や権力を笠に着たシリコンバレー流イデオロギーの片鱗をうかがわせるものとなった。多くの場合、そのイデオロギーが、自分たちより劣った人々のためを思っているという押しつけがましい決定や活動を生むのである。

フェイスブックの失敗談から、グローバル企業の研究には非常に高度で、多面的で、偏見のないアプローチが求められていることがわかる。

フェイスブックは、インターネットとモバイル機器で使うソーシャルメディアのプラットフォームというだけではない。本音を隠すために〝公益のため〟という建前を振りかざし、インターネットを代表する、あるいはその代わりになるような設計になっている。

Facebook.comを恵まれない人々に届けられないのなら、さしあたってInternet.orgでも十分事足りると納得させたいのだろう。これは、裕福で強力な企業の変容の物語だ。国家、ユーザー、ほかの商業サービスとフェイスブックとはダイナミックな関係なのだ。

数々の企業の経営破綻から何を学ぶか

フェイスブックは、もっとも成功を収めた著名な企業だ。同社のような21世紀型モデルは企業信頼の重大危機を受けて生まれた。

1998年から2002年にかけて、上場企業が相次いで経営破綻した。エネルギー大手エンロンや通信大手ワールドコム、ゴミ収集・廃棄物処理大手ウェイスト・マネジメント、複合製造業タイコ・インターナショナル、医療サービス大手ヘルスサウスなどだ。経営陣も関与した粉飾決済に代表される不祥事は、経営破綻や株価暴落につながった。

こうした一連の不祥事から、ふたつの教訓を学ぶことができる。

ひとつは、会計慣習を改革する必要があること。そしてもうひとつは、株価上昇だけに気をとられると、企業は法的・倫理的な一線を踏み越えがちなことだ。

特に後者の教訓は、少なくとも1980年以降、グローバル企業文化の核となる信条に大きな疑問——上場企業の目的とは株価上昇だけなのか——を投げかけた。

これは「株主の利益を最優先する」というおなじみの方針だ。20世紀の大半、ビジネススクールや経済学者のあいだで主流となった考え方である。

1932年、ふたりのおそるべきビジネス理論家、アメリカの法学者アドルフ・バーリと経済学者ガーディナー・ミーンズは、「収益や利益、投資利益率に専心しているかぎり企業だけでなく社会もうまくいくのだから、社会問題の解決に気を揉んだり自らをよき社会活動家として吹聴したりすべきではない」と正反対の主張をした。

環境、市民権、貧困軽減対策は政府と市民社会の管轄であり、企業が手出しすべき領域ではない。仮に企業が環境汚染や搾取的賃金、劣悪な労働環境を生んだとしたら、社会の対抗勢力がそれを正すはずだ。これらの勢力には消費運動家、労働組合、政府の規制が含まれる。

バーリとミーンズの主張

少し長くなるが、現在のシリコンバレー流起業精神が主流となるまでの歴史を追ってみよう。

バーリとミーンズが懸念していたのは**力の集中**だった。

1920年代、有能なリーダー率いるひと握りの企業が市場とアメリカ民主主義の両方を牛耳っていた。社会病理を正すことを企業に期待すれば、強大な力と影響力を与えるだけでなく、善行という威信から彼らの活動を精査する目を曇らせてしまいかねない。彼らはニューディール政策による事業規制と、労働者寄りの法律の制定に影響をおよぼした。

けれども、第二次世界大戦が勃発するころには、企業は数多くの理由から愛国心や市民連帯などの社会的価値を重視すべきだと考えはじめるようになっていた。人々の生活における株主優先企業の役割に対するバーリのマディソン主義的考えが支配的だったのは、第二次世界大戦まで。開戦後から1970年代にかけて、ビジネススクールでも大衆意識でも企業の有益な役割の幅広い視点が優勢となった。[*15]

バーリとミーンズに応じて、1932年、会社法教授エドウィン・メリック・ドッドは、法学雑誌ハーバード・ロー・レビューにこう認(したた)めている。

「企業が純粋に不在株主の利益のためだけに機能し、コミュニティの一員であり市民の指導者としてのビジネスリーダーの役割を無視することは、人々の生活を困窮させ、事業への支援を損なう。

配当を得る以外に事業と接触のない株主に、公共サービスのプロ精神を植えつけるべきだとは考えるべきではない。法人化された事業が専門化される場合、私たちが成果の達成を求めるべきは経営者であって所有者ではない」

このドッドの主張は、力強い、愛国心に満ちた、公共心に富んだ企業イメージが大衆文化に浸透し、アメリカ経済が予想だにしない規模で経営者、投資家、労働者に報酬を与えているかに見えた戦後の数年間で広まった（もっとも、労働者が白人男性で、かつ環境悪化の責任を誰もとらないという前提で）。

1950年代はじめに、バーリはすでにドッドの主張を認めていた。[*16]

バーリの主張を抽出し改悪させた考えが1970年代に再び姿を現すと、1980年代には、一種の知的価値観として定着した。だがそこに、公共の利益を守るための政府規制という対抗勢力は存在しなかった。

この考えは、CSRを求める大きな声を受けて復活した。1960年代、企業は環境スチュワードシップ（管理）の促進、人種・性別差別の撤廃、戦争関与の制限といった社会運動の高まりに直面した。

不満を採り入れて進歩のビジョンをうながすことで、若い消費者の共感を呼ぶテーマを柱にマーケティング戦略を立てた企業もあれば、ストライキのきざしを受けて雇用や昇進の待遇改善に乗りだした企業もあった。社会運動の担い手たちは正義と進歩の約束を果たせ、と企業リーダーらに強く迫るようになった。[*17]

フリードマンの登場

ノーベル経済学賞を受賞したミルトン・フリードマンは、1960年代を通して関心を大きく膨らませていた。彼は、消費者、投資家、経営者は、価格でやりとりすべきと考えた。モノやサービス、安全の価格は、要因が変化するたびに上下動するが、最終的に均衡をとるほうへと向かうはずだと考えた（政府による規制や彼が「政治」と呼ぶもの――環境への配慮といった価値観――のようなゆがんだ要因が生じないという条件つきではあったが）。

コミュニティや社会に影響をおよぼそうと時間と労力をかければ、企業は当然そのコストをモノやサービスの価格に転嫁せざるをえない。それによって、消費者が低価格の競合他社に流れれば、収益だけでなく株券や債券の価格が落ちることもありうる。ある公共価値を支持するという決断が市場の美しい時計仕掛けのようなシステムを台無しにしかねない。

彼は1970年に、ニューヨーク・タイムズ紙に論文「企業の社会的責任は利益拡大することだ」を掲載した。バーリは、企業の力が強まるほど市民生活と民主主義が犠牲になると考えたのに対し、フリードマンは「政治」が市場システムを破壊すると考えた。

また、バーリは組織化された労働力および消費者、政府を対抗勢力として扱ったが、フリードマンは投資家の利益以外は一切議論の俎上に載せなかった。[*18]

フリードマンが市場の純粋性を主張したあと、シカゴ学派の面々が法と政策の巨大な分野を測定可能な経済分析の問題へと昇華させた。これにより、形のない形而上学的だったものが明確になった。それだけではない。労働者や環境よりも投資家の利益を優先させるようになった。法と経済学の学者らは１９７０年代以降、団体交渉や独占禁止法案の保護といった巨大な政策領域を損なうことに成功してきた。

上場企業の核となる——おそらく唯一の——義務は株主の価値向上であるという主張が、しだいに前提となっていった。企業は労働者、消費者、環境、社会全般を犠牲にしてでも株主の利益を追求せよとアメリカの会社法によって定められていると考えられるようになったのだ。

この前提は間違っていたにもかかわらず、世間一般のみならず専門家のあいだにも広く浸透した。そのため、世紀の終わりまでにこの前提を排除するには、強力で一貫性のある理論が必要だった。[*19]

利害関係者（ステークホルダー）理論

こうして生まれたのが「**利害関係者（ステークホルダー）理論**」だ。バージニア大学のR・エドワード・フリーマンによって１９８０年代に初めてビジネススクールの教材に登場した。

フリーマンによれば、**企業が各利害関係者のあいだを取りもとうと努めれば、長期的にはさまざまな利害関係者によりよい結果をもたらす**という。各関係者を尊重し、彼らの利益を大事にしていると説得するのだ。

自社の影響を報告する際に、企業は株価というひとつの軸だけですませるべきではない。環境への影響（よくも悪くも）、従業員への影響（社の将来に対して投資をさせ、利害関係という感覚をもたせることで労使間の緊張を抑えるなどの活動）、コミュニティへの全般的な影響（納税額、慈善活動の成果、文化的影響など）についても報告すべきだ。企業が従業員や地域社会のみならず規制当局すらも利害関係者とみなせば、友好関係が生まれて、規範や法に背いたときの激しい反発（不買運動、ストライキ、規制）をいくらか抑えられるかもしれない。


このステークホルダー理論の核となるメッセージは、防衛的なものでも広報活動に基づくものでもない。単なる報酬のためだけでなく、人々が会社を設立し、運営し、投資し、会社のために働くことを前提としている。

フリーマンは、多くの企業リーダーが数十年かけてしてきたある事象について、こう明快に述べている。「彼らは世界をよりよくしようと動いたのであって、その過程で大儲けしたのはたまさかな幸運か、世界をさらによくするための手段だった」と。

この考え方が、ホールフーズ・マーケットのジョン・マッキー創業者兼ＣＥＯをはじめ、多くの人々に影響を与えた。フリーマンによるステークホルダー理論の神髄は、スターバックスのハワード・シュルツ元会長の発言や、その社是に息づいている。

シュルツは店舗従業員に顧客と人種問題について会話するよう奨励する取り組み「レース・トゥギャザー」を始めて物議をかもした。ほかにも、ユニリーバやペプシなどのグローバル企業が近年、ステークホルダー志向の企業文化へと舵を切っている。[*20]

リバタリアニズム

「市場は完璧」というフリードマンの説と、フリーマンのステークホルダー理論はどちらも、同じ政治思想から生まれた。**リバタリアニズム**だ。

1970年代はじめ、リバタリアニズムはどん底にあった。共和党のリチャード・ニクソン大統領が大気浄化法改正法と水質浄化法に署名し、環境保護庁を設立した。公民権運動の高まりをうけて、1960年代には政府は人種差別撤廃に乗りだす指針を打ちだした。白人有権者の人種差別意識をうまく煽りながら選挙戦を展開した（おかげで1968年の大統領選に勝利した）ニクソンですら、これらの方針を承認した。

FOXニュースとソーシャルメディア全盛時代のいまなら話は別だが、1968年から1969年当時、オハイオ州クリーブランドのカヤホガ川で火災が頻発していたことは否定できなかった（沿岸の工場から排出された廃油に引火したことが原因だった）。人種や性による差別はひどく不当なうえに経済効率を悪くすることも、まともなリバタリアンなら否定しようがなかった。

リバタリアンのインテリ、なかでもビジネススクール出のエリートは、市場ベースの方法を使ってこうした喫緊の課題に取り組みだした。

企業が差別の撤廃、持続可能な農業の推進、地元の慈善団体や芸術への寄付など、行儀よくふるまうことで市場で報酬を得られるなら、自らを高徳な市民リーダーとみなす経営陣のやる気を高められるうえに、世界をよくするという目に見えない報酬を従業員に与えられる。

世界とコミュニティをよくするというプロジェクトの一員だと従業員が考えるようになれば、企業は従業員による敵対心を抑え、組合結成や団体交渉の阻止につながるかもしれない。消費者が「エコ」商品を購入するようになれば、企業はイメージを高めようと競い合って結果として環境改善につながる。従業員なら時間を、消費者ならカネを捧げることで「自由」を行使できるのだ。

業界に属するすべての企業を、複雑ですぐ変わる環境規制に準拠させるために、組合に所属したりもっと高い値段を払ったりするよう強制されることはない。時が経つにつれて経営陣は、人種差別や性差別が効率的でもなければ合理的でもないことに気づくだろう。国に代わって企業が社会変革の主体になるなら、世界はよりよく、人々はより自由になるだろう。

2005年、リバタリアン向け雑誌の「リーズン」は、フリードマンとジョン・マッキーCEO(当時)の対談を組んだ。ふたりは企業の責任について、まったく異なるふたつの市場志向の観点から議論をした。

企業の社会貢献活動について両者の意見は大きく異なっており、マッキーはホールマークの社会貢献活動にかなり誇りをもっていた。フリードマンは同社の社会貢献活動について次のように述べている。


「彼らは自社の金を使っていた。資産の5%を費やして、法人税引当のおかげで501(c)(3)団体(課税が免除される非営利団体の区分。宗教、教育、慈善、科学、文学、公共の安全のための検査、アマチュアスポーツ競技の振興、子どもまたは動物に対する虐待の防止のいずれかを目的とした団体)に相当する組織を設立したが、ミッション・ステートメントはなく、個別の細則もなく、受益者の決定について条項もない。

だが、収益をこのような形で配分するほうが、同じ収益を会社自体に投資したり、配当として支払って株主に処分を任せたりするよりも、社会にとっていいことができると考える理由はどこにあるのだろう[*21]」


これに対するマッキーの返答は、企業のステークホルダー理論とエンロン事件後のCSRの新たなビジョンを組み合わせたものだった。マッキーは言う。

「顧客、従業員、企業の社会貢献活動を世話することは株主の利益を増す手段だとフリードマンは信じているが、私の考えはまったく違う。高い収益をあげることはホールフーズの中核事業の使命を達成する手段である。われわれはより高品質な食品とより高い栄養価を提供することで、地球上のすべての人の健康と幸福を改善したいと考えている。収益性が高くなければこの使命は果たせない」

マッキーの説明によると、ホールフーズのビジョンは、彼の善のビジョンに基づいており、人生の根本的側面を変える主要な手段になるだけではない。成功企業の世界的モデルにもなることだった。

「私の述べているアイデアは、利潤最大化モデルよりもさらに頑強なビジネスモデルをもたらす。なぜなら、自己利益だけよりも強力な動機をうながし活かすからだ。

こうしたアイデアは時間をかけて証明されるだろう。議論を通じて知識人や経済学者を納得させるのではなく、市場の競争試験に勝ち抜くからだ。いずれ、ホールフーズのような会社が経済界を支配する日がくる。より深い事業目的を掲げるステークホルダーモデルを支持する企業だ」

２０１７年10月時点で、世界時価総額ランキング上位5社のなかにアルファベット（グーグル）とフェイスブックが入っていた。マッキーの企業ビジョンを体現する2社だ（もう1社のユニリーバは42位だった)。残りの3社にアップル、マイクロソフト、アマゾンが入っているのは偶然ではない。

こうしたIT業界の巨人のようになれると謳う本が書店で山積みになっている。CSRまたはシリコンバレー流の社会的起業家精神は21世紀の最初の20年、グローバル企業の文化で主流となったのだ。[*22]

社会的起業家精神の高い代償

市民の責務を第一に考える株式会社の多くが成功(あるいは失敗)したにもかかわらず、CSRは、株主の利益を最優先するという1980年以降の主流のコーポレート・ガバナンス(企業統治)・モデルに完全に取って代わったわけではなかった。

だが、ビジネススクールやグローバルな企業文化では、もっとも心躍る魅力的なビジネスビジョンとして注目された。

世界時価総額ランキングトップ5社を除いた残り45社の多くは、ひと目で見てわかるCSR向けオフィスや財団を抱えている。20世紀後半、労働搾取、環境汚染、人権侵害などの問題を起こしたシェル、シーメンス、ウォルマートですらも、2010年までにCSRへと舵を切っている。「社会的起業」や「社会的起業家精神」課程を採り入れる大学も出てきた。ビジネス誌はこぞって、グーグルのサンダー・ピチャイCEO、フェイスブックのシェリル・サンドバーグCOOやマーク・ザッカーバーグCEOの顔を表紙に使った。国際財団やTEDトークは、イベントの呼びものとして社会的起業家を招いた。

現状をよくしたいと思う、特権的で教育を受けたグローバル人材がそこから読みとるメッセージはこうだ――聖職者、学校、政府にこだわるな。民間企業こそがより刺激的な目的地だ。まるでザッカーバーグのように、あなたも快適で実りある人生を楽しみ、日ごとの利益を祝い、夜はぐっすり眠ることができる、と。[*23]

これは、主張の強さで聴衆を惹きつけるビジョンやアイデア以上のものであった。そして、世界一成功している企業が持続可能な農業や気候変動といったグローバルな課題に取り組んでいるように見えるという以上のインパクトを与えた。21世紀を迎えるころには、国家に規制、改革、修復を任せるのは間違いではないかと考えられるようになった。

この不信感は、マーガレット・サッチャーとロナルド・レーガン政権誕生以降、人々のあいだに広まり、深く浸透した（つづくトニー・ブレアとビル・クリントン政権によってさらに深まった）。そのため、世界の多くは共通問題に対する一般市民の反応を想像できなくなってしまった。

ロマンスのない政治

ＣＳＲというイデオロギーの出現はある時期と一致する。それは、**「集団的課題への効果的な対応をする場は国家である」と世界が考えなくなった**時期だ。

こうした国家の否定、もしくは少なくとも国家の衰退という考えのもととなったのは**公共選択論**だった。これは経済的・政治的な分析手法のひとつであり、民間部門のアクターは自己利益を追究するという前提を国家の機能にもあてはめた。

この理論が経済学者や政治学者に浸透すると、公務員、さらには低賃金のソーシャルワーカーや教師でさえ、公衆奉仕のもとに働いていることをおおっぴらに口にできなくなってしまった。ほかの自己利益に基づく合理的なアクターと同じように、システムを動かし、ゲームを操るオペレーターにすぎないとみなされたためだ。

公共選択論を提唱したことで１９８６年にノーベル経済学賞を受賞したジェームズ・ブキャナンは、自身の研究をきっかけにして、政策や政治にまつわる公の討論が見直され、明確になることを望んでいた。

　彼は理想的な国家の姿を追い求めた。すべての問題に答えを導き、全知全能でありながら慈善心に富む国家こそ、彼の理想だった。そしてそのあとに「ロマンスのない政治」がつづくことを期待した。

　それは実際、そのとおりになった。1980年以降、有権者、指導者、ライターらによる国家行動の見通しは大きく変わった。このイデオロギーの波に影響を与えたのは公共選択論だけではない。だが、この理論は、ロナルド・レーガンとマーガレット・サッチャーのスピーチや政策にまちがいなく採り入れられている。[*24]

　公共選択論は、学者、立法者、規制当局に規制の虜や利潤追求といった実際問題を認識させることで、いくつかの重要かつ身の引き締まる教訓を与えた。その一方で、人生をゲームと報酬だけのものへと貶める一因にもなった。商業分野のアクターやシステムが教育、法の執行、国防、公園、基礎研究、芸術などの重要な公益を提供できない場合、それは市場の失敗という懸念を弱めてくれた。

　公共選択論やほかの市場原理主義的思想が広く浸透する前の1960年代、アメリカは全米芸術基金を設立し、公共放送を立ち上げることができた。国民にはそうしたものが必要なのに、市場には交響楽団とその団員、詩人、子ども向けの教育テレビを支援する能力がない、と議会が認めたからだ。

しかし、1980年代から1990年代にかけてひとたび市場原理主義のうねりが高まると、市場の失敗をめぐる議論は下火になった。

政府による科学分野への財政支援のおかげでGPSやインターネット通信のもととなる基盤技術が生まれ、全米科学財団の助成金のおかげでセルゲイ・ブリンとラリー・ペイジはグーグル誕生のもととなるページランク（ウェブページの重要度を決定する）アルゴリズムを生みだした。だが、そうした事実もすぐに人々の記憶から消え去った。「イノベーション」といえば、シリコンバレーのガレージで、孤独な天才がとんでもない時間をかけて生みだす魔法の力となった。

人生の選択は、国家や政府の手を離れ、集中する富の文化的・経済的勢力に左右されることが増えた。ドル札が票に、政治ではなく商業がフォーラムに、そして選挙や議会ではなく市場が嗜好のアグリゲーターになった。発明家、投資家、興行主の物語は神話に、その登場人物は英雄になった。選挙はアイデンティティ宣言の稽古場になった。政策の不一致は政争の具へと成り下がる。専門知識は疑われ、誠実さははねつけられる。

ブキャナンは、ロマンスのない政治を願った。

だが、代わりに私たちに与えられたのは、政治のないロマンスだった。[*25]

政治のないロマンス

これはアメリカの物語だ。アメリカほどではないにしても、西ヨーロッパの物語でもある。誠実な政治議論や大胆な政策案はいまだに、カナダ、ドイツ、スペイン、その他民主主義的規範の強い先進国のいくつかで見受けられる。だがアメリカは文化的・軍事的・経済的な力を駆使して、市場原理主義を受け入れないとしても、少なくとも検討するように世界各国に強いた。実際、１９９０年代から２０００年代はじめにかけて、通商条約がその直接的な役割を果たした。

そのあいだ、地球の温暖化は進み、世界中で新鮮な水が貴重となった。数百万人が貧困から抜けだす一方で、経済停滞によって数百万人が高まる期待と富の集中にいらだちを募らせる。人の移動とテロリズムが新たな恐怖を広めるだけでなく偏見を強めるにしたがい、民族ナショナリズムの凶暴さは増していく。市場の失敗は歴史上の些事になったが、公共の失敗――形骸化した資金のない公共機関が設計上満足に機能しないため、民間アクターに肩代わりさせようという考え――が強まる。

そして企業はその声に応えた。民間刑務所が急増する。民間運営のチャータースクールが公立学校から公的資金を奪う。マッキンゼーやベインなどのコンサルタント会社が公的機関に、機能を民間企業にアウトソーシングする方法を指南する。安全保障や戦闘といった軍の役割を下請け業者が引き受ける。こうしてCSRが一般大衆の意識のなかに根ざしていき、国連ですらグローバル問題の解決にもってこいのツールだと考えるに至った。業界団体は規制を回避しながら、低賃金、劣悪な労働条件、環境悪化といった外部性に対処するようになった。[*26]

しかし、主要なグローバル問題だけでなくローカル問題への対処を民間企業に頼るのは、民主的でないし、政治的でもない。民主政治では、意見の相違と合意が行動計画や優先順位を決定する。議会は世論を調査し、集計する。企業や慈善団体が世界をよくするための行動計画を組むようになれば、大半は上層部の意志や企業経営者の個人的な利益を反映したものになってしまう。

ではここで、もっとも重いCSRを負っているアメリカの会社をとりあげよう。美術・工芸用品の小売業者ホビー・ロビーだ。

ホビー・ロビーは非公開会社のため、株主の期待に応える必要はない。美術・工芸用品の市場でマイケルズやウォルマート、ターゲット、アマゾンなどとの競争に直面している同社が対応すべきなのは、消費者の気まぐれだった。

だが、消費者の感情や世間の評判などお構いなしに、同社の経営陣らは、避妊が社会の衰退を助長すると強く信じていて、従業員に避妊対策の保険適用を認めていなかった。２０１４年、医療保険制度改革（通称：オバマケア）で避妊対策の保険適用対象とすることが義務化されると、同社はこの法律が宗教の自由を侵害していると主張して政府を訴えた。ホビー・ロビーは最高裁で勝利した。**正式に選出された議会によって策定された重要な法案でさえ無効にできる、民間企業のこれまでにない権利を生みだした**のである。

ホビー・ロビーは、企業リーダーが考える社会的責任のビジョンに沿う形でＣＳＲの理念を果たしている。そのビジョンは私の感覚とは違うかもしれないし、ほかの大手企業がもつ感覚ともずれているかもしれない。

では、いったい誰が「責任がある」とみなすものを決めるのか？　避妊を保険適用することが責任ある行為だと考える会社もあれば、避妊の保険適用を無責任で不道徳だと言う会社もあるだろう。どの会社も好き勝手に決められるようになったら、公共問題をめぐる解決策は一貫性のない、矛盾に満ちたものになる。

アルファベットやテスラなどの一部の企業は、気候変動が人類の未来にとって大きな脅威のひとつだと信じる人をトップに据える。そのため、彼らは資源（リソース）を投じて、気候変動を阻止する可能性を秘めた技術を研究・開発している。

一方、総合資源会社コーク・インダストリーズのような企業は、気候変動はたいした脅威ではなく、悪いのは資本のもっとも効率的な使い方を損ない、人々が好きなように車を運転し、食事をし、投資をし、発明する自由を奪う規制だと信じる人に率いられている。

コーク・インダストリーズは、労働組合と環境規制が公益に有害だと考える人々に対してのみ、社会的責任を負っている。テスラは、化石燃料消費による負の外部性に取り組むべきと考える人々に対して社会的責任を負っている。

この矛盾のせいで、私たちは気候変動に効果的に対処できないうえに、コーク兄弟（コーク・インダストリーズの創業一族）が考える自由の概念を守ることもできなくなっているのだ。そして、**気候変動などの課題は政治から離され、消費者の選択に影響を与える数多い要素のひとつに格下げされてしまう。** 3万5000ドル出せば倫理的に正しい貢献をしていることを証明するトヨタのプリウスを乗り回せるのに、炭素税を擁護する意味などあるだろうか？

同様に、ザッカーバーグはフェイスブックの使用がもたらす負の外部性——注意力散漫、鬱状態、ニセ情報——に政治とは一線を画した観点から取り組んでいる。これらの問題は管理と設計によって除去されるべきものだが、フェイスブックはその意図が善意に基づいているため、世のためになるものとみなされている。

このような議論で美辞麗句が並ぶ空間が、重要な問題に対する国民の熟議された意思を表明するよう国が効果的な行動をとるという期待を呼び起こすことはめったにない。会話がそこまで深まることはない。代わりに私たちは、単純で、痛みのない、無力な選択――プリウスを買うかどうか、ホビー・ロビーで買い物をするかどうか、フェイスブックをやめるかやめないか――で満足してしまうのだ。

企業に、世界を救う重荷を負わせることの意味

ＣＳＲを生んだリバタリアンたちは、それでまったく問題はなかった。消費者（市民ではない）がある課題について強い懸念を抱いていれば、望むような方法で商品を生産する会社に金を払うだろう、というわけだ。

ここで、想像してみてほしい。

４つの会社が紙製品を生産している市場があるとしよう。３社は、製造過程で出る汚染水のことなどほとんど考慮しない。ところが、１社だけは再生原料を使って紙を生産し、廃水を最小限に抑え、廃棄物を処理する。そのぶん競合他社よりも紙の単価は高くなる。

消費者のなかには少々値がはっても、責任を果たしている会社の商品を買い求める人もいる

かもしれない。やがて、責任ある会社が市場シェアを拡大していけば、残りの3社もそれに追随して態度を改めるかもしれない。

しかし、ここで問題が生じる。環境汚染の原因となる商品を少なくとも1社がどこよりも安く売りつづけるかぎり、国が製造方法や廃水に厳しい規制を課すことで実現する環境改善は望めない。それどころか消費者は、市場に行くたびに、経済学者が言うところの「探索コスト」の負担を強いられる。企業の相対的な善良さを調査・評価しつづけ、どの企業がどんな商品を生産しているのかを追跡しなければならない。

いい商品はどれだっけ？　今週は家賃の支払いがあるけど、「エコ」なペーパータオルを買うだけの余裕はある？　代わりにオーガニック牛乳を買えば「エコ」な紙製品を買わなくても罪悪感なく眠れるだろうか？

企業に世界を救うという重荷を負わせることとは、企業がその重荷を投資家、従業員、消費者に転嫁することを意味する。ひょっとするとブキャナンは、全知全能で慈善心に富む理想的な国家という考えを諦めさせたかったのかもしれない。今日、私たちは誰しも全知全能でありながら慈善心に満ち溢れていられるように懸命に努めなければならない。さもなければ、改善は見込めないのだ。

市場原理主義者のフリードマンとフリーマン（またはマッキー）らによれば、国家は脱落するという。そして国家は実際に脱落してしまっている。ただし、軍事力や監視力の保有者として、あるいは富を社会のなかで循環させる手段としてではなく、利害関係のない情報の収集者および仲裁者として、そして公益の構築者として脱落しつつあるのだ。

今後は、アドルフ・ベルレの研究を復活させ、企業、労働者、消費者、市民のあいだでマディソン主義的な関心の均衡をとるよう奨励することが最善の策となるだろう。

企業が環境を汚染したり不正をはたらいた場合には、国は企業に罰金を科し、リーダーを起訴する。規制は、最高水準の研究と専門家による合意に基づき、民間アクターが不確実性や不安定性に踊らされることなく前進できるよう明確にする。

企業が賃金を引き下げたり危険な労働条件を課したりしたら、国は賃金と安全の最低基準を設けたり、労働者が簡単に組合を結成して団体交渉できるようにすべきだ。２００７年から２００９年にかけての金融危機時の銀行のように、業界全体があらぬ方向に走ったら、市民は改革を要求し、対処を期待するだろう。

グローバル広告企業が20億人のユーザーに関する膨大な情報を利用して競争を阻み、反民主主義勢力がそのチャネルにニセ情報を蔓延させることを許したなら、民主主義国家は歯止めをかけるべく行動を起こし、企業が市民に関して学び、利用することを制限すべきだ。

彼は善意のマシンをつくったのか?

セルゲイ・ブリン、ラリー・ペイジ、マーク・ザッカーバーグ、シェリル・サンドバーグが、ジェームズ・ブキャナン、エドワード・フリーマン、あるいはミルトン・フリードマンの研究に精通していると思いこむべきではない。彼らのうちひとりでも、リバタリアン政策を支持していると信じるだけの根拠はどこにもないのだ。

実際、サンドバーグはかつて元財務長官ラリー・サマーズのもとで働いていた。彼はマクロ経済の質問に新ケインズ主義的な立場で応じていた。ただ、サンドバーグとサマーズは１９９０年代の銀行業界の無責任な規制緩和を監督した。

そして、フェイスブックの取締役を務めるピーター・ティールとマーク・アンドリーセンが体現するように、彼らはみんな、独特なリバタリアン精神が根づくシリコンバレーで働いている。つまり、世界をよりよい方向に変えるためには企業が存在しなければならないという考え方は、彼らにとってなんら奇妙なものではなく、むしろあたりまえのものなのだ。

アルファベットもフェイスブックも、ミルトン・フリードマンが認めるような形では設立されていない。両社は上場しているが、特別な種類の株式があり、特殊な持ち株制度と投票制限があるため、ペイジもブリンもサンドバーグもザッカーバーグも株主に応える必要がない。また、投資家へのリターンは目を見張るものがあるので、物言う株主が企業リーダーのビジョンと実践に疑問を呈することはない。それにブリン、ペイジ、サンドバーグ、ザッカーバーグは敵対的買収を恐れる必要もない。会社は彼らのものなので、彼ら自身が社の行動計画を決めることができる。

フェイスブックもグーグルも広く浸透しており、インスピレーションに富んでいる。このため、エンジニアや起業家をめざす人にとってはいい手本となる。国家元首でさえ、彼らの考えや意見を求める。アルファベットとフェイスブックの両経営陣はスイスのダボスで開かれる世界経済フォーラム（通称：ダボス会議）にしばしば参加している。

グーグルの使命は「世界中の情報を整理し、世界中の人々がアクセスできて使えるようにすること」ことだ。フェイスブックが長年掲げてきたミッションは、世界をつないで人類の状況を改善することだ。これほどの商業的成功と、もっとも純粋な形のCSRへの誠実な取り組みにもかかわらず、「情報」の概念はいまだに確定しておらず、人類は年を追うごとにばらばらになり、怒りっぽくなっていく。フェイスブックにとって、世界の最貧困層の人々に情報を広げ、つながりを届けるという使命を帯びた宣教師的ベンチャー Free Basics は見事なまでに失敗した。地球上の暮らしをよりよくすることはかなわなかったのだ。

2004年の誕生以来、フェイスブックは人々を結びつけるマシンとして自らを宣伝してきた。その宣言は、人々を結びつけることで暮らしはよりよくなるという前提に基づいている。結局のところ、友情は孤独よりもいいものだし、知識は無知よりもいい。そのうえ、集団的行動は個人行動よりもものごとを動かせる可能性が高い。

フェイスブックの出現以前は、集団的な目標に向けて連携したり協働したりするのは難しく感じられた。デモや抗議活動を呼びかけたり、ボイコット運動を組織したり、署名運動をしたりすることは費用も時間もかかるものだった。インターネット全般、とりわけフェイスブックが、そうした連携コストを引き下げてくれたのである。[*27]

2011年最初の数カ月間、この考えはあたりまえのように思えたし、ほぼ確実によいことのように思えた——求めているのがもっと多くの抗議活動、連携、騒乱なら。しかし、そこには前提があった。こうしたすべての連携がボトムアップでおこなわれ、社会の支配的な力はソーシャルメディアからの圧力にさらされるというものだ。

2010年から2012年にかけて世界中で起きた反権威主義的な抗議活動は、マーク・ザッカーバーグの利己心を満たすかに見えた。ひょっとしたら、彼は本当に善意のマシンをつくったのかもしれない。

「共有する力を提供することで、人々は以前とは比較にならないほどの大きな規模で自らの声を届けることが可能になっています」

エジプトとチュニジアの独裁者が大規模な街頭抗議を目にして国外逃亡をしてから約1年後、ザッカーバーグが投資家宛ての手紙に書いている。

「こうした声はこれからも増えていき、無視できなくなるでしょう。時がたてば、少数の仲介者を経なくても、政府は国民から直接提起された問題や懸念によりすばやく対応するようになることを期待しています[*28]」

当初、フェイスブックが2011年の北アフリカでの蜂起を煽ったとの見方が強かった。これは、のちに間違っていたことがわかるのだが、このときは、「世界をよりよい場所にできるかもしれないという自社の可能性」を信じて疑わないザッカーバーグに対して、もっとも強力な証拠であるかに見えた。

第5章

抗議するマシン

フェイスブックは世界を変えるか

これまでの章でも説明したように、設計と強い感情的反応を生むコンテンツを優先するアルゴリズムのおかげて、ソーシャルメディア、特にフェイスブックは動機づけにうってつけのツールになっている。

フィルターバブルや確証バイアスによって、活動を起こす際の〝われわれはひとりではない〟という確信を強める役割を果たす。それは、デモのような短期的で劇的な出来事を起こす。

「ツイッター革命」にも代表されるように、ソーシャルメディアによる革命・事件が起きているといわれているが、ソーシャルメディアは果たして、実際に革命を起こすことができるものなのだろうか？

ソーシャルメディアの特徴や過去の実例をとりあげながら、その核心に迫っていこう。

ソーシャルメディア革命

２０１０年６月６日、エジプト第二の都市アレクサンドリアで凄惨な事件が起きた。輸出入業を営んでいた28歳のハーリド・サイードがネットカフェで警察に撲殺されたのだ。事件について、警察は真相を隠し、ハーリドが麻薬取引にかかわっており、麻薬の大量摂取による窒息死だったと発表した。

ところが、事件の目撃者がその警察発表に異議を唱えたのだ。証拠動画をユーチューブにアップした。顎を砕かれ、歯をめちゃくちゃに折られた血まみれの顔写真が、フェイスブックとユーチューブ上で一気に拡散した。通信内容を当局に監視されたくない人々は、写真を携帯メールに添付して転送していた。

アラビア語の衛星テレビ局アルジャジーラがこの騒動を察知すると、すぐさま画像を同社のサイトにあげ、サイードの死はほかの世界通信社の知るところとなった。この事件をきっかけに２０１０年夏を通して、殺害の隠蔽工作と警察の腐敗に対する抗議デモがカイロとアレクサンドリアで盛りあがりをみせた。[*1]

「あの写真のことはよく覚えている」と言うのはドバイ在住のグーグル幹部、ワエル・ゴニムだ。彼はフェイスブックページの〈クッリナ・ハーリド・サイード（われわれはみなハーリド・サイードだ）〉の運営に携わっていた。

「写真の隅々まで細かく覚えている。身の毛のよだつものだった。彼は拷問され、無残になぶり殺しにされたんだ」

エジプト政府は、これまでどおり事件を隠蔽しようとしたが、できなかった。

のちにゴニムがＴＥＤトークで語ったとおり、フェイスブックの投稿画像がそれを許さなかったのだ。２０１０年当時、フェイスブックはアラビア語のサービスを提供しはじめたばかり。エジプトの総人口約８５００万人に対し、フェイスブックのユーザー数は５００万人に満たない状況だったというのだから驚きだ。

ゴニムは、政治にうるさい少数のコスモポリタン層と教育を受けたエジプト人の両方に豊富なツテをもっていた。〈クッリナ・ハーリド・サイード〉は英語版とアラビア語版があり、両ページで勇敢な抗議運動の様子と不快極まりない残虐行為を暴く画像が拡散され、あらゆるメディア媒体へと広がっていった。ゴニムは言う。

「要するに、〝そうか、自分はひとりじゃないんだ〟ということを教えてくれたんだと思います。たくさんの人が不満を抱えていて、同じ夢を抱いているのです[*2]」

植民地独立後のエジプトは報道統制を敷いてきた。政府によるメディア弾圧は人々のつながりを断つ。新聞は国家を貶める出来事や問題を決して報じず、テレビ局はほぼ国の支配下にあり、警察は反政府勢力に潜入していた。ムバラク政権に唯一対抗できる勢力は「ムスリム同胞団」だが、１９５４年以来、長きにわたって非合法組織として政府に抑圧されてきた。

抑圧的国家に大きな不満を抱く者の多くは孤立無援状態だった。単独もしくは少数で立ち上がればすぐさま標的にされ、見せしめにされるだけだった。もちろん過去にも反政府運動は起きているが、常に政府につぶされてきた歴史があった。

２０１１年1月から2月にかけてカイロ、アレクサンドリア、ポートサイドなどのエジプトの各都市で起きた大規模な反政府デモは、30年つづいたホスニ・ムバラク大統領をついに退陣に追いこんだ。

10年近く前から高まりつつあった政権への民衆の不満と警察の職権濫用に対する組織的な運動を注視していなければ、この騒乱は青天の霹靂だったろう。

では、エジプト革命ではいったい何がこれまでと違ったのだろう？　２００６年の抗議デモや２００８年のゼネストは大規模にならず、２０１１年の反政府デモがこれほどまでに拡大したのはなぜなのだろうか？

その答えはとてもシンプルに思えた。フェイスブックが使われるようになっていたからだ。

2006年と2008年時点でフェイスブックは英語表記のみだったが、2011年にはアラビア語が使えるようになっていた。フェイスブックを使って同志を募る人々にとって、〈クッリナ・ハーリド・サイード〉はビーコン的機能を果たしたのだ。

少なくともゴニムはそう考えた。彼が熱心なジャーナリストたちに騒乱について説明できたのは、のちに「1月25日革命」と名づけられた出来事がフェイスブックのおかげで起きたと報じる者が多かったからにほかならない。[*3]

エジプト人であると同時に、国際人でありITエリートでもあったゴニムはその場の勢いでつい短絡的な考えを導いた。それは、エジプト革命をもたらした根深い社会的・政治的・経済的ルーツだけでなく、メディアエコシステムの一部であるソーシャルメディアの力への正しい理解も妨げた。

2011年にゴニムは、「この革命はフェイスブック上で始まった」とCNNに語っている。「いつの日か、マーク・ザッカーバーグに会って、個人的に感謝を伝えたい[*4]」

ソーシャルメディアが革命を起こしたのか？

２００７年以降、世界各地で起きた抗議デモや蜂起に関する徹底的かつ綿密な検証がおこなわれた。そこには、成功と失敗が入り交じっていた。過去２５０年のあいだに世界で起きたどの蜂起とも違いはなかった。

時に人は抗議するために立ち上がる。そしてそのとき、自分の手が届くコミュニケーションツールを使う。政府転覆は、成功することもあれば失敗することもある。抗議運動が一度きりで時の経過とともに風化していくこともあれば、長い文化的・政治的変革プロセスの小さな一歩ということもある。

過去10年の抗議運動についての議論が、浅薄で無用のプリズムのなかに閉じこめられているのは悲しいかぎりだ。ソーシャルメディアが重要な役割を果たしたか否か、変革を起こしたかどうかと突き詰めることなど愚の骨頂だ。２００７年から２０１７年にかけて、アテネを筆頭にマドリード、カイロ、カサブランカ、イスタンブール、ワシントン、ニューヨークで起きた抗議運動が、ソーシャルメディアがなくても同じように発生したかどうか検証することなど不可能なのだから。

実際に抗議運動が起き、一部の人々は抗議運動の前、最中、後にソーシャルメディアを利用した。**ソーシャルメディアを使用することが、おそらくいちばん理にかなっていた**のだ。

ソーシャルメディアのなかでも、フェイスブックが政治的・社会的な運動に与える影響は大きい。したがって、それにつづく抗議デモにも独特な形で影響をおよぼす。

だが、**フェイスブックの存在が抗議デモを可能にしたり、デモの起きる可能性を高めたり、規模を大きくしたりするのではない**。情報や計画に共通の関心を示した多くの人々に注意喚起をうながしやすく、組織化の初期段階で生じる取引コストを下げてくれるのだ。

なかでも重要なのが、ゴニムの言葉を借りれば **〝われわれはひとりではない〟と考える意欲ある人々を説得したり騙したりする力をもつ**ことだ。権威主義国家で大規模な抗議デモが実現するのは、たくさんの人がデモに参加すると大勢が確信している場合だけ。そして、フェイスブックはそう信じさせてくれるわけだ。

その一方で、奥深い政治的な議論や組織化という骨の折れる仕事は、肩代わりするどころか、支援すらしない。[*5]

このことは、エジプトの窮状が証明している。1月25日革命の最中と直後、首謀者なしに自然と蜂起が発生したことに人々は歓喜した。イスラム教徒とキリスト教徒が肩を並べて反政府デモに参加している光景を目にして、ゴニムは誇らしかった。

その光景は、寛容で民主的なエジプトというあるべき姿を彼に提供し、高みの見物で声援を送るだけの欧米人の偏見に確実に訴えた。だが、現実はそんなに生ぬるいものではない。ムバラク政権を崩壊させた運動は、希望に満ち溢れた当初の理想からどんどんかけ離れていった。*6

エジプトは、いまや再び残忍な権威主義的政権に戻っている。だが、今度の支配者は軍だ。いまになってみれば、2011年の最初の数週間、軍が傍観を決めこんでいたことがムバラク政権崩壊のカギだったように思える。

リベラル派の国際人たちやイスラム主義者たちからなる不安定な新リーダーのもとで新政府樹立の計画が練られ選挙が実施される様子を、軍指導部はただ黙って見ていた。リベラル派が手にしていたのは、フェイスブックページと大いなる理想だけだった。

2012年の自由選挙後、実際に政権を掌握したのは、数十年前に公に組織され、ひそかに力を蓄えていた政党ムスリム同胞団だった。そしてひとたび権力の座に就くと、キリスト教徒や女性に権利を与える取り組みをことごとくつぶしにかかった。ムスリム同胞団政権とムハンマド・モルシ大統領の退陣を求める抗議デモが発生するのも無理はなかった。

2012年11月には大統領権限強化の憲法宣言を発令すると、モルシは反政府勢力やジャーナリストを投獄しはじめ、キリスト教徒を弾圧しつづけた。

2013年6月、さらに大規模な怒りに満ちた抗議デモがエジプト全土で発生した。2011年に匹敵する規模のものもなかにはあった。そして2013年7月、クーデターが勃発した。アブデル・ファッタ・エル＝シシ将軍の指揮のもと、軍が政権を奪い、ムバラク打倒に動いた反政府分子をかたっぱしから容赦なく取り締まった。以来、シシが政権を握っている。2011年のあの理想は毎日少しずつ薄れていっている。

ちなみに〈クッリナ・ハーリド・サイード〉はいまもアクティブなフェイスブックページで、英語版のフォロワー数は28万5000人を超える。反シシ関連のニュースやプロパガンダを拡散しつづけているが、いまのところ次の「フェイスブック革命」が起こる素振りをみせる者はいない。[*7]

ひとりじゃない――この確信が人を動かす

なぜ大規模なデモや騒動が起きるのか？　すでに述べたとおり、人々を街頭へと連れだすカギは、〝ほかにも十分な数の人々が街頭へ出ていく意思をもっている〟と確信できるかどうかにかかっている。

ソーシャルメディア――なかでもフェイスブック――は、その確信を強める役割を果たす。フェイスブックを通して世界を見たときにユーザーが経験するゆがみが理想的にはたらく。自分の立ち位置や希望に対する支持が実際よりも多いと、実にうまく思いこませてしまうのだ。**フェイスブックがやっていることは、フィルターバブルをつくりあげ、確証バイアスを強化しているにすぎない**。だが、これが自己達成的予言となる。広場にたくさんの人が集まると大勢の人が思えば、実際に大勢の人が集まる――これこそが、短期的で劇的な出来事へと導くフェイスブックの驚くべき力なのだ。

一方でそれは近視眼的な力でもあり、簡単に消散する。そのため、署名活動、会合運営、候補者指名、投票の実施などの骨の折れる永続的な政治活動に組織的な活気を醸成するのにはまったく向いていない。

〝気にかけている人はひとりだけじゃない〟とはっきり示すことはすべての始まりとなる。しかし残念なことに、こうした情熱はその先へと歩みを進められないことがあまりにも多い。[*8]

設計と強い感情的反応を生むコンテンツを優先するアルゴリズムのおかげで、**フェイスブックほど動機づけにうってつけのツールはないが、これほど熟議に向かないツールもない**。使い方しだいで、抑圧的政権、リベラルまたは国際的な政府に立ち向かわせることも、抑圧的政府を支持させることもできる。

かなりオープンで、成功した、民主的な共和国に住む人にとって、フェイスブックは危険なものだ。一方で不安定で、そこまでオープンでない、民主的でない環境に住む人にしてみれば、フェイスブックは短期的にはこのうえなく威力を発揮する。

国家を揺るがそうという勢力にフェイスブックはいとも簡単に乗っとられてしまうから、多くの国家がフェイスブックを禁止したりブロックしたりするのだ。このあと第6章と第7章で詳しく見ていくが、強権的な権威主義国家はフェイスブックを利用してプロパガンダを広め、人民を監視し、うまく脅威を植えつけていく。

新しい技術が、新しい世界を拓くという思いこみ

ソーシャルメディアは、大きな運動を起こすきっかけとなりうる。しかし、**大きな運動の一部であると感じるために、必ずしもフェイスブックやツイッターは必要ない**。デジタル技術が普及する前にも、世界は、歴史を変えた、無関係でありながら相互に刺激しあう出来事を次々と目撃している。

1989年から1992年にかけて民主主義の勢いはすさまじく、世界が共通の絆と共通の

大義を見出していた。情報の自由な流れが民主化のうねりを生み、そこから利益を得ることが可能となると目されていた。

１９８９年６月４日、中国の人民解放軍の兵士らが、北京で平和的なデモに参加していた何百もの人々を殺害し、何千もの人々を逮捕した。デモ隊は数週間にわたって天安門広場に集結していた。共産党の元総書記、胡耀邦(こようほう)の死に怒り、勢いづいていた。彼は国家批判に対する制限の緩和を示唆していた。

天安門事件が起きたまさにその日、ポーランドでは部分的な自由選挙がおこなわれ、労働組織「連帯」が共産党政権に勝利し、のちに世界に波及する一連の民主革命の火付け役となった。勝利の瞬間は不可能なことなどなく、民主主義・リベラリズム・資本主義が自由と尊厳に飢えた世界に着実に浸透していくように思えた。

同年11月までに、東ドイツでは独裁者エーリッヒ・ホーネッカーが失脚し、ハンガリーが共和国になり、南アフリカでは国民党がアパルトヘイト撤廃に向け動きだし、チェコスロバキアでは共産党体制崩壊をもたらしたビロード革命が起きた。

１９８９年末には、ブラジルが29年にわたる軍事独裁政権を経て初の自由選挙に至った。ルーマニアでは、独裁者として君臨したニコラエ・チャウシェスクが権力の座を追われ、１９８９年に政権は幕を閉じた。外殻が崩れだし、帝国が退廃しはじめてからわずか２年後、ソビエト連邦は崩壊した。[*9]

当時23歳のアメリカ人として私は、世界情勢についてこれ以上ないくらい楽観的だった。長年不透明だった東側諸国の話をつなぎあわせていくにつれ、新たな通信技術が果たした役割が見えてきた。たとえば、東ヨーロッパやソ連ではファックスの普及によって反乱分子のネットワークが密になり活動と意識共有が格段に上がったと言われている。

こうした話はこのうえないほど貴重だった。テクノロジー史に関する私の知識などたかが知れていたし、アメリカの若者らしく、世界中の若者が大事にするものなど、しょせんみな同じと考えていた。互いの存在を見つけていい情報を広めさえすれば、民主主義が花開くと思っていた。[*10]

このようなテクノロジー楽観主義的な話は、私の知識にうまくハマった。15世紀のヨーロッパでは印刷機の登場によって改革と啓蒙が推進されるか必要とされたし、トマス・ペインの小冊子『コモン・センス』やアレクサンダー・ハミルトンらの論文『ザ・フェデラリスト』を大量に刷って流通させる技術は、18世紀後半の共和国アメリカの誕生に必要不可欠だった。[*11]

私は、新たな通信手段や技術が急激な社会的・政治的変化の要因だったと考えるようになったが、それは間違いではなかった。ただし、テクノロジーを重視するあまり、これらの国々で長年くり返されてきた政治闘争を無視していた。**それぞれの話を特別で強力なものにした各国の歴史的・文化的・経済的な側面を無視してしまった**のだ。

新たな通信技術の登場によって民主主義と言論の自由が四大陸に突然（そして多くの場所では一時的）に広がったという説明は、あまりにも単純すぎる。[*12]

通信技術はそうした騒乱の多くの性質を形づくり、その速度に影響をおよぼしたというのが真実だ。メディアや非メディアをはじめとするいくつかの特殊な要因が重なったおかげで、１９５６年のハンガリー動乱や１９６８年のプラハの春での失敗は１９８９年に起きた数々の革命や抗議運動へとつながった。

同年６月、軍に立ち向かう中国の若者たちの勇気を世界中の人々が目撃することになったのも、テレビのニュースがグローバルになったことと衛星配信が実現したからだ。

東ヨーロッパの視聴者は、この勇気に感銘を受けるとともに、中国の容赦のない残虐性に衝撃を受けた。**世界をつなぐテレビの同時性が模倣モデルを提供した**のだ。

彼らは〝自分はひとりではない〟ことを知った。チェコスロバキアと東ドイツの人々が自宅のテレビに映る地元の蜂起の様子を目にしたとき、彼らはイギリスの歴史学者トニー・ジャットの言う「即席の政治教育[*13]」を受けていたのである。

より重要な非メディア型要因の組み合わせによって、１９８９年の一連の革命と運動が実現している。ハンガリーでは、共産党内の若者メンバーが長年にわたって体制変革を求めることで、政権の脆弱性を暴いた。東ドイツでは、1989年11月にベルリン市民に国境の自由な行き来を許したことが、共産党を極限まで追い詰めた。

移動や移住を望む声は、どんな期待よりも大きかったから実現したことだが、最大の要因は、共産主義政権を下支えしていたソ連が強権支配をやめたことだった。弱さをさらし、ハンガリー動乱やプラハの春のときのように改革運動を武力で鎮圧する気など、もはやソ連側にはなかった。1979年から始まったソ連のアフガニスタン侵攻は泥沼化し、帝国から資金とエネルギーを奪い、ソ連軍が全能ではないことを世界に知らしめていたからだ。

通信技術は関係なかったが、内政面の変革も急激だった。ミハイル・ゴルバチョフ書記長は、「グラスノスチ（情報公開）」を打ちだして新たな市民社会の成長をうながし、クラブ、会合、出版物を通じて異議を唱えられる社会づくりをめざした。これにより、ファクスよりもはるかに強力で遍在的なメディアだったテレビが自由に放映できるようになった。

ゴルバチョフは自ら、情報と報道内容に対する共産党の独占状態に終止符を打ったのだ。モスクワが弱体化しはじめると、衛星国の労働組合、宗教指導者、詩人、犯罪者らによる取り組みなど、いくつもの要因が重なって帝国の瓦解（がかい）は拍車がかかり、崩壊へと至った。*14

なぜソーシャルメディアの力を信じきってしまうのか

私たちは、さまざまな通信技術の目新しさに目を奪われがちだ。あるいは、いくつかの通信技術が一挙に到来した場合に急激な変革が起こると思いこみがちだ。

しかし、そのような思いこみによって、門戸を開いたり、中央アジアで長く悲惨な紛争を始めたりといった、明白で力強い出来事の影響力を見逃してしまう。

形、実体、勢いのある運動がすでに起きているなら、メディアはその運動を後押しするのも加速させるのもたやすい。テクノロジーには、特定の作業を簡単にする力があるからだ。

通信技術のおかげで、同じ考えの持ち主同士が互いを見つけ、低コストですばやい連携をとれるようになった。となれば変化が起きるのは必至だ。ただ、それが圧政から人々を解放するような変化を起こすとは限らないが。

ユーチューブ、フェイスブック、ツイッターが登場する頃には、すでに土壌は整っていた。電子メールとショートメールが優れた連絡ツールであるなら、同じ考えの持ち主にメッセージを配信するプラットフォームはさらに優れたものにちがいなかった。

ソーシャルメディア・プラットフォームが２００９年に起きたモルドバ暴動やイラン大統領選に対する抗議活動で果たした役割は大きいと、テクノロジー信奉のジャーナリストや批評家たちは口を揃えた。だが、どちらも「革命」にはなりえなかった。


ソーシャルメディアが革命を起こし、専制政治に打撃を与え、民主化をうながす——この考えは２０１０年末頃には根拠のないものになっていた。それでもアメリカのヒラリー・クリントン国務長官（当時）は、この考えに賛同し、アメリカの外交政策の柱として「インターネットの自由」政策の促進を宣言した。

ソーシャルメディアの力を盲信し、閉じた社会を開いて権威主義体制内の検閲を弱めようとしたのである。国務省までが、イラン政府の弱体化にツイッターがひと役買ったと触れまわった（もっとも、イラン政府は２００９年の抗議活動まではなんの問題もなく存続していたのだが）。

当時、ソーシャルメディアの普及を歓迎する人々の多くが犯した過ちを、クリントンも犯した。ソーシャルメディアを使って権威主義的な政府に立ち向かう彼らは、民主主義、人権、基本的自由をめざしていると思いこんでいたのだ。はるかかなたの地で英語のツイッターやフェイスブックの投稿を読んでいるだけでは、街頭に繰りだす人がみな同じ考えのもとに集っているかなど知りようがなかった。

エリート層が愛用するツールを人々が使っているからといって、彼らが自分と同じ願望を抱いていると考えるのはいかにも安直だ。私たちは同じプラットフォームを使い、そのプラットフォームが自由を広め、民主主義を促進すると信じる。だから、同じプラットフォームを使う彼らも自由と民主主義を求めているにちがいないという理論だ。

本当にそうだろうか。彼らは文化的に認められたいのかもしれないし、資源を手に入れたいだけかもしれない。ひょっとしたら、力にものを言わせて支配したいだけかもしれない。そして多くの場合、好むと好まざるとにかかわらず、ものごとがあまりにも複雑すぎるために本質を見抜けず失敗する。[*15]

イランに見る「ツイッター革命」の幻想

ソーシャルメディアの力を信じるのに一役買ったのが「ツイッター革命」だ。2009年6月、イランの首都テヘランで反政府デモが勃発しそうな事態を受けて、CNNは騒然としていた——。

そのわずか2年前のことだが、〈ツイッター〉と呼ばれる新サービスが、テキサス州オースティンで開かれる世界最大級の複合イベント「サウス・バイ・サウスウエスト(SXSW)」でテクノロジーとジャーナリズムの両業界から注目を集めた。

それ以降、ジャーナリストによるツイッター利用率が世界で急増していた。ツイッターは、無制限のモバイルデータプランを契約できない人に140字で最新情報をつぶやけるようにした。ツイートはフォローしたユーザーなら誰でも読める。

アメリカに拠点を置く報道機関の例に漏れず、CNNはイランへの渡航が制限されていた。また、政府がしょっちゅう記者を国外追放にしたり、スパイ容疑をかけたり、投獄したりしていたために、イラン国内に記者を派遣するのはリスクをともなった。

そんな折、英語の使えるイラン人国際派活動家の一団がツイッターを使って、反政府デモの警告を世界に向けて発信したのである。

2009年6月18日、CNNはこのツイートを引用してイランのデモのニュースを伝えると、当時ワイアード誌のレポーター（のちに編集長）を務めるニコラス・トンプソンにインタビューをおこなっていた。

CNNのアンカー、ソレダッド・オブライエンが「イランでこうした集会を組織する際のソーシャルメディアの役割を、私たちは誇張しすぎているでしょうか？」と訊ねると、トンプソンはこう答えた。

「ツイッターの役割については誇張していると思います。ですが、携帯電話、フェイスブック、ソーシャルネットワーク全般を誇張しているとは思いません」

つづいて彼は、イランでは国内向けにツイッターを利用する人は少なく、主に——ここにCNNがツイッターとイランに注目する理由があったのだが——外の世界に向けて国内事情を知らせるためだったと説明した。

「いまはまだ革命とは呼べません。ツイッターはそのきっかけですらない」

ツイッターは抗議運動のきっかけどころか、一助にすらなっていないとツイッターの限界についてトンプソンが熱弁をふるっているさなか、画面の下にこんなテロップが流れた。

「ツイッター革命——ソーシャルメディアがイラン混乱の起爆剤」

その瞬間、トンプソンが、絶妙かつ適正な分析を展開していようと、人々がどうツイッターやフェイスブック、ショートメールを使い分けているかについて丁寧に説明していようと、そんなことはどうでもよくなってしまった。

視聴者がそのコーナーでくり返し（その月に複数回）目にし耳にしたのは、「ツイッター革命」というフレーズだった。しかも、ツイッター利用にばかり注目したのはCNNだけではなかった。ありとあらゆる報道組織がそうしたのだ。

だが、イラン政府が武力で抗議活動を抑えこみ、権力をとり戻すと、イラン関連のニュースはぴたりとやんだ。CNNのプロデューサーらがツイートを読めなくなれば報じようにも報じられないのは当然だ。

過去10年のあいだ、イランでは街頭デモがたびたび起きている。だが、その多くでソーシャルメディアが利用されることはなかったという事実にアナリストらが気づくことはなかった。彼らにしてみれば、多くの人が命がけで支配政権への抗議と苦悩を暴露した事実より、数名のツイッター利用のほうがはるかに重要だったのである。[*16]

この図式は何年にもわたってくり返され、2011年初頭から中東でくり広げられた民主化運動「アラブの春」で頂点に達した。この社会不満の発露は大きいもので、ソーシャルメディアによってもたらされたものだと記者や専門家は力説するだろう。

「ソーシャルメディアは孤立した人々をつなげ、独裁政権によるメディア規制を逃れ、人々に自由と平等と民主主義のために立ち上がる勇気を与える力がある」と。

だが、そんなことは一切起こらなかった。**少なくとも、「ツイッター革命」や「フェイスブック革命」といわれることは何ひとつ起こらなかった。**

ソーシャルメディアの力を矮小化(わいしょうか)し、民衆に力を与えて下から組織化するものとして扱うことは、慎重で取り扱いに注意を要する、きわめて重要な政治的運動や出来事に関する分析の妨げでしかない。権威主義的政権はソーシャルメディア、特にフェイスブックを駆使して反乱分子を監視し、苦しめ、弾圧する。
が、ソーシャルメディアの力を矮小化してしまうと、その政府のやり口を見えなくしてしまうのだ。新しい技術への礼賛のせいで、北アフリカと中東を一変させたメディアエコシステム全体についての理解がおよばなくなっている。アラブの春で起きた数多（あまた）の蜂起のなかで失敗に終わった地は、決して分析に含まれないことを意味した。

テクノナルシシズムが生む勘違い

フェイスブックとツイッターのユーザーのみならず、インターネット愛好者全般は、通信技術は開放的かつ啓発的なものであり、インターネットプラットフォームの相対的な開放性が言論の自由、思想の自由、民主的改革へと向かわせるものでなければならないという概念を受け入れた。これこそが「**科学技術至上主義**（テクノナルシシズム）」である。

自分とまったく同じデバイスやテクノロジーを他者が重要な目的のために使っていれば、私たちは誇らしくいい気分になる。「過去」に縛られている世界の国や地域がテクノロジーの遍在時代に突入することを想像するとき、私たちは彼らを応援し、自分たちの発明が、たとえば小麦の価格だけではなく、そのすべてを変えると信じる。

テクノナルシシズムは民族中心的で帝国主義的だ。私たちと同じ道具と玩具を持ち、技能を備えれば、彼らの暮らしはたちまちよくなると思いこむのである。

ソーシャルメディアが、アラブの春や、「ウォール街を占拠せよ」からカタルーニャ独立運動にいたる世界での政治騒乱とはまったく無関係だったといいたいのではない。ソーシャルメディアが変化をもたらしたのは確かだ。ただ、**その変化は予測できる形や理想的な形で、すべてが同じ方法でもたらされたわけではない**。

ソーシャルメディアは、民主主義をうながしたり、公共圏を変容させたり、大規模な蜂起を引き起こしたりなどしない。２００９年のイランのデモにおけるツイッターの果たした役割と同様に、アラブの春の当事国以外の人々が蜂起について知る主要手段のひとつだった。**政治運動の本質をまさに複雑な方法で変えた**のである。

基本的にフェイスブックは、摩擦が少なく取引コストが低い。そのため、活動家を引きつけ結びつける。ナショナリズムを強く訴えたいとき、腐敗政権の打倒を呼びかけたいときにはこれ以上ないプラットフォームだ。

フェイスブックはそうした活動を増幅する。人々の感情に訴えるアイテムは多くの反応を生み、共有される。そしてたいがいの政治運動は、たとえ民主的規範を乱しつぶすためだったとしても、誇張と警告を駆使して訴えかけてくる。誇張はフェイスブックの得意とするところだ。[*17]

アラブの春で人々が広範囲で利用可能な通信手段を使ったのは当然のことだった。チュニジアとエジプトで少数の国際エリートがフェイスブックを利用したことは、この地域の独裁国家でその後で起きた抗議活動の本質や反応に影響を与えた。

民主主義の色眼鏡

チュニジアとエジプトの革命の前から、抗議運動ではショートメールや電子メールなどが使われていた。いちばん最初の例は1994年、メキシコでのサパティスタ運動だろう。このとき電子メールが巧みに利用された。

2000年、フィリピンのマニラでは、不正選挙と腐敗政権に抗議して、何千もの人々が通りや広場を埋めつくした。そして、ウクライナのオレンジ革命だ。2004年の大統領選挙で不正操作された開票結果に猛抗議が起き、選挙結果を覆すことに成功した。このときもショートメールが利用された。これらの抗議運動が始まりと言われている。

ここに挙げた例は、それまでの運動とは本質的に違うもので、より効果的なものだった。

明確なリーダーもヒエラルキーもない連携は、互いの存在を見つけられるかぎり、政府に反感を抱くさまざまな集団や個人から生まれる。

この発見とつながりを可能にしたのが、限界コストを抑えるうえに、これまでにない速さと、過去の抗議運動では見られなかった柔軟性をもたらした新たな通信手段だ。おかげで行動を迅速に起こせるようになり、力を結集して反撃に出られる前に権力側を圧倒できるようになった。

情報がデジタルチャネルを通じて流れるようになれば、国家による情報の独占状態が崩れ、残忍な政治的弾圧の代償は高くなる、そう考えられた。

1997年から2004年にかけて起きた蜂起（成功したものも失敗したものも含め）はある程度この説を立証したが、どの蜂起も今日一般的に「ソーシャルメディア」と呼ばれるものの助けを借りて起きたわけではなかった。[*18]

「打倒ベンアリ政権」を叫んで人々がチュニジアの首都チュニスの通りを埋めつくす直前の2010年、ジャーナリストのマルコム・グラッドウェルは、ソーシャルメディアに抗議運動を増幅させる力があるのかという問題にとりかかった。失敗に終わったモルドバ暴動とイランの蜂起におけるソーシャルメディアの礼賛をふり返り、1960年にノースカロライナ州のグリーンズボロで起きた非暴力の座りこみ抗議運動と比べた。

この座りこみ運動は長きにわたり、よく練られたもので、リスクをともなうものだったが最終的には成功した。アフリカ系アメリカ人による100年つづく人種差別撤廃闘争のなかでも、特に組織的な要素が強かった。

そこで、公民権運動が社会学でいうところの「強い絆」によって絶妙なタイミングで組織された点にグラッドウェルは着目した。この相互尊重の絆と仲間意識が、大義だけでなく活動仲間のためにも自らの安全を危険にさらす覚悟を人々に与えた。

大義のために信念を貫き、共通の運命を思い描く人々のあいだには強い絆が生まれる。そして強い絆は、グラッドウェルいわく、ソーシャルメディアが依存しがちな弱い絆よりもはるかに政治活動の優れた基盤となる。

ここでいう弱い絆とは、単に相互認識または所属感に基づく絆だ。この絆はこのうえなく便利だ。だからこそ私たちは、日常生活（会議での人脈づくりなど）やソーシャルメディア上（友達の友達がおもしろい本を勧めてくれたとか仕事を紹介してくれたとか）で、弱い絆の知り合いとたくさん結びついている。

ソーシャルメディアは多くのことに役立つとグラッドウェルは主張するが、社会的・政治的な活動はそこに含まれない。[*19]

グラッドウェルがこの記事をニューヨーカー誌に発表してから3カ月後、チュニジアの田舎町シディブジッドで、モハメド・ブアジジという名の露天商の青年が警察による嫌がらせと抑圧的な腐敗政権に抗議するために焼身自殺を図った。

これがきっかけとなり、数時間もしないうちに抗議運動が始まった。さらに、拡大する抗議の様子がユーチューブにアップされると、またたく間にフェイスブック上でシェアされる事態になり、抗議デモの報せはスマホやソーシャルメディア利用者が多く住む首都チュニスにも届いた。

カタールに本拠を置く衛星ニュース局アルジャジーラまでが、この投稿動画やデモ参加者への電話インタビューを交えて事件を報じた（同局は数年前からチュニジアでの取材活動を禁止されていたにもかかわらずだ）。２０１１年1月14日、ベンアリ大統領は政権を追われ、サウジアラビアへと亡命した。[*20]

もっとも影響力のあるライターのひとりであるクレイ・シャーキーは、組織化と行動主義におけるソーシャルメディアの変革的で肯定的な役割について長年分析をつづけている。

そんな彼が著書『みんな集まれ！——ネットワークが世界を動かす』（筑摩書房）のなかで論じているのは、デジタルメディア全般、特にソーシャルメディアは個々の声が互いを見つけ集まって、ひとつのコーラスへと変えるというものだ。安く、簡単に、そしてアルゴリズムの力を借りて同じ考えの持ち主を探せるようになれば、連携のコストは格段に下がるという。

一方グラッドウェルは、ニューヨーカー誌でシャーキーの本をやり玉にあげ、彼のケーススタディは表層的な目標にしか機能しないと指摘した。これを受けてシャーキーはチュニジアの革命前の2011年1月のフォーリン・アフェアーズ誌上で反論した。

だが、最初はチュニジア、次にエジプトで政権が崩壊するのを目のあたりにするにつれ、両方の記事が人々の意識に広く浸透していき、彼らの議論は人々の枠組みを形づくっていった。[*21]

シャーキー vs. グラッドウェル

ソーシャルメディアは、懸念を表明したいだけの人にとっては有益だが、重大な変革をもたらしたい人にとっては無益だというグラッドウェルの主張に対して、シャーキーは次のように簡潔に論破している。

「問題の改善に真にコミットしているアクターは〝アイコンをクリックするだけでどうにかなる〟とは考えていない。だからといって、そうしたアクターはソーシャルメディアを効果的に使いこなせないということにはならない[*22]」

シャーキーの論文は、公開討論によるグラッドウェルへの直接反論と銘打っていたが、それは建前で、本当のところは補足にすぎなかった。シャーキーには、ヒラリー・クリントン国務長官の掲げた「インターネットの自由」政策を批判するという大義があったのだ。

同政策は、権威主義政権下の活動家たちがその検閲と監視に対抗するためのツール開発に資金を支援していた。彼いわく、「手段」というクリントンの指針を「政治的には受けがいいだろうし、行動主義的だ。だが、ほぼまちがいなく判断を誤っている」と批判した。

同政策は情報へのアクセスを重視するあまり、市民同士がコミュニケーションをとるツールやプラットフォームではなく、20世紀の放送メディアの枠組みに基づいているように思えたのだ。[*23]

シャーキーによれば、「インターネットの自由」を「民主化に向けた環境設備のツール」とみなすほうが権威主義的国家と闘う人々やアメリカの利益にかなうという。彼はこう書いている。「この概念に基づけば、民主体制の変革をはじめ、特定国における社会の前向きな変化が、強固な公共圏の形成を育んでいく」

対話は、市民が組織力を備え、政治腐敗や嫌がらせを暴き、変化の根拠を訴える際に現地の言葉を使って現地の課題を扱えるようにする。検閲済みのニューヨーク紙の記事やひそかに入手した『コモン・センス』を読んでも、これらが実現されるわけではない。

彼は、政治的状況の特異性や地域ごとの懸念にも気を配り、すべての抑圧国家をひとくくりには扱わない。それでも根っからの楽観主義者である彼は、メディアの特異性だけは考えからはずし、ソーシャルメディアの定義をかなり広くとらえた。

ソーシャルグリッドをマッピングし、社会的目的で使われるショートメールや電子メールと、アルゴリズムによるソーシャルなつながりを利用するためにつくられたフェイスブックとを一緒くたに扱ったのだ。

この混同は最悪だった。というのも、フェイスブックが運動の支持集めに効果的である点と圧政者に乗っとられやすい点を見落とし過小評価するという過ちを犯すはめになったからだ。[*24]

グラッドウェルもシャーキーも、おおむね正しかった。

ソーシャルメディアには限界がある。幅広い関心の発露を、独裁者の打倒だけでなく効果的で規律ある政党の結成に至る激しい強力な活動へと発展させるという点で果たせる役目は小さい。さらにソーシャルメディアはデータに基づく同類性を育む。強い・弱いに関係なく、幅広い人々にメッセージを拡散する。

しかし、グラッドウェルは現実よりもソーシャル理論を優先することで間違いを犯した。一方シャーキーは、特定のアメリカの公民権運動の戦略と、モルドバやイランなど腐敗した権威主義的国家との闘いで生じやすい問題とを比較することで、通信（コミュニケーション）と対話（コンバセーション）の違いを見落とした。

ソーシャルメディア、とりわけフェイスブックは、対話を育みはせず、断言を好む。深い熟議の余地などなく、浅い反応しかない。断言と反応には政治力がある。ソーシャルメディアではより強い断言、より激しい反応、より強烈な反発以上のものを生まない。

グラッドウェルとシャーキーは、ソーシャルメディアに影響をうけた政治運動はリベラルで知識の豊富なアメリカ人好みのものになると考えた。ニューヨーカー誌の読者なら公民権運動家らの勇気をしのぶだろうし、フォーリン・アフェアーズ誌の読者ならイランに宗教色のない民主主義が訪れることを願うだろうというわけだ。

だが、ふたりが思いもしなかったことが起きている。

ミャンマーでは、仏教徒のナショナリストがイスラム系少数派のロヒンギャ族を大量虐殺（ジェノサイド）するためにフェイスブックを利用した。アゼルバイジャンでは、イルハム・アリエフ大統領率いる腐敗政権がフェイスブックとインスタグラムを巧みに使って、プロパガンダを広め市民を監視している。まさか、フェイスブックが情報を管理し操作するようになるとはふたりは思いもしなかったのである。[*25]

ニューメディアの登場は抗議運動史において常に重要な要素ではあるが、結果を見たときに決定的、または不可欠な役割を果たしたことはめったになかった。

国際衛星放送は、１９８９年の東ヨーロッパ諸国で起きた共産主義体制崩壊にはひと役買ったが、その4年前の１９８５年のブラジルでの民政移管でも、１９８９年6月の中国の天安門事件でも力を発揮していない。

天安門広場の映像は東ヨーロッパ革命の引き金になったかもしれないが、その逆はなかった。抗議運動と革命は複雑なプロセスだから、ほかの要素を排除したり実験をしたりして、あるメディアが歴史的事件に与えた相対的影響を測ることなどできない。

要するに、**人々は通信したいときに身近にある通信手段を使うにすぎない**という事実を受け入れるほかないのだ。

これは、興味深いことでも奥深い事実でもない。フィリピンの活動家たちが２０００年にショートメールを選んでいなければ、あるいは２０１１年9月に「ウォール街を占拠せよ」の活動家たちがフェイスブックやツイッターを使っていなければ、じっくり検証する価値もあったにちがいない。

とはいえ、これらのツールが可能にすること、邪魔すること、好む通信内容、妨害する通信内容に細心の注意を払うべきなのはまちがいない。そして、政情にはそれ以上に注意を払うべきなのだ。

ソーシャルメディアの重大な課題——ゴニムの後悔

ワエル・ゴニムは悔やんでいる。寛容で民主的なエジプトという夢が途切れてしまったからだ。フェイスブックはもはや自由と平等と尊厳を勝ちとる運動を後押ししてくれそうにない。

２０１５年、ゴニムは再びＴＥＤトークに登壇しているが、聴衆に楽観主義の精神を伝えることも、テクノロジーに言及することもなかった。彼は言う。

「私はかつて、『インターネットさえあれば社会を解放できる』と言いましたが、それは間違いでした[*26]」

ゴニムは、２０１１年のアラブの春は、フェイスブックの大きな可能性を示した一方で、「重大な欠陥も明らかにしました。**独裁者を倒すために私たちをつないだツールが、私たちを分裂へと導いたのです**」と述べた。

ゴニムは、２０１１年の1月から2月にかけて抗議活動家たちを団結させた唯一の要因はムバラクへの抵抗だったという。

「私たちはコンセンサスの形成に失敗し、政治闘争は著しい二極化を招きました。ソーシャルメディアはデマや噂、エコーチェンバー、ヘイトスピーチを助長して、状況を悪化させただけでした。

まさに最低最悪の状況で、オンライン上の私の世界は荒らし(トロール)と嘘とヘイトスピーチだらけの戦場と化しました。私は、家族の安全も脅かされつつあると感じるようになりました」

つづいて、現在のソーシャルメディアが直面する「5つの重大な課題」について挙げている。

❶人々の偏見を裏づける噂に対処をすること
❷エコーチェンバーやフィルターバブルに穴をあけること
❸画面を通じて交流する——そしてしばしば嘲る——人々の人間性を認識すること
❹深い理解を阻むスピードと簡潔さ、速さと短さに対処すること
❺ソーシャルメディアは相互の対話よりも断言を好むと認識すること

ゴニムはこれらの課題に解決策を提示しなかった。けれども、こうした課題を特定しえたのは、2011年以降、エジプトでフェイスブックユーザーが激増し、平和的で寛容な未来への希望の光が薄れていくのを目にしたからこそだった。[*27]

第6章

政治のマシン

フェイスブックは政治も動かすのか

イギリスのＥＵ離脱（ブレグジット）や２０１６年のアメリカ大統領選でのトランプ当選のニュースは、みなさんの記憶にも新しいだろう。

どちらも、事前の予想を大きくひっくり返したこと、そしてその裏ではソーシャルメディアが大きな影響を与えていたのではないか、という点で注目を集めた。

ここでは、ビッグデータと政治の関係性について掘り下げていきたい。

ソーシャルメディアはどの程度、私たちの民意を変えることができるのだろうか？

アメリカ大統領選でおこなわれた広告戦略は、本当に効果があったのだろうか？

イギリスのEU離脱が与えた衝撃

最初の驚きは、2016年6月23日にやってきた。イギリスのデービッド・キャメロン首相（当時）が保守党内の強硬な反ヨーロッパ派にうまく丸めこまれ、EU離脱の是非を問う国民投票を実施したのだ。

イギリスはEU設立時からの主要加盟国だ。それもあって、保守党議員全般はもちろんのこと、国民の大多数が反対するものとキャメロンは考えていた。しょせん保守党である。冷静沈着なビジネス界もEU離脱によって金融、通商、労働環境はひどい混乱状態に陥ると言うだろうし、保守党左派は労働者の自由な往来を守るために支持者を集めるだろう、と高をくくっていた。

とはいえ、保守党内には声の大きい強硬派の攪乱者たちもいたし、極右政党のイギリス独立党（UKIP）も勢力を拡大しつつあった。

キャメロンは、イギリスの伝統文化の衰退と、貧しい東・南ヨーロッパからの移民流入に起因する労働市場の脆弱性をめぐる絶え間ない苦情から離れて前進するには、国民投票しか選択肢はないとの考えに至った。有権者が隣人を恐れておらず、開放は利益をもたらすと考えていることを一度証明してみせればいいと思ったのだ。

だが、キャメロンは見込み違いをしていた。3000万人超が参加した国民投票の結果は離脱派51・9%に対し、残留派48・1%だった。このEU離脱派の勝利は、社会に衝撃を与えただけでなく、数カ月前から世論調査をしてきた人々をも驚かせた。

投票の数週間前になっても世論調査は落ちつかず一貫性が見られなかったが、残留派が僅差で勝つだろうというのが大方の予想だった。予測精度の高いイギリスのブックメーカーも残留派勝利の確率を88%と予想していた。しかし、世論調査が僅差で揺れ動いていたさまが、実は結果をかなり正確に予測していたこと、少なくとも離脱の可能性が高いことの証だった。[*1]

国民投票の後、保守党政府の動きが慌ただしくなった。キャメロンはすぐさま辞任し、すったもんだの末、テリーザ・メイが首相に就任した。メイはもともと残留派だったが、有権者の意思を尊重してEU離脱に向けたおおまかな計画に着手した。

国内のビジネス界や金融界のリーダーたちは、離脱にともなう混乱と経済・労働市場の損失に備えはじめ、銀行を含む大手企業が相次いでフランクフルトなどの都市への移転を検討しはじめた。

一方、評論家やジャーナリストは原因探しに奔走した。世論調査がはずれたにせよ、有権者の多くが経済的利益を犠牲にしてまでも離脱を支持したことに困惑した。ブレグジットによる影響の議論は残留派に有利にはたらいているように思えたし、長年世論を動かしてきた主要機関も残留を支持していたからだ。

メディアや、イングランド、スコットランド、北アイルランドの都市部の有権者は圧倒的に残留派だった一方で、イングランド北部と中部、ウェールズは離脱派が大勢を占めた。

なぜ離脱派は、有権者をうまくとりこめたのだろうか？[*2]

トランプ大統領誕生の衝撃

イギリスのブレグジット選択をうけて、アメリカ国民は不安にかられた。２０１６年11月8日におこなわれるアメリカ大統領選挙で、同じことが起こるのではないかという悪い予感が頭をよぎったのだ。

とはいったものの、世論調査ではヒラリー・クリントンが常に優勢だったうえに、大方の予測も、一般投票によるトランプ勝利の可能性はほぼないと見ていた。対抗馬のドナルド・トランプを容赦なく打ち負かすはずだと、高をくくっていた。

しかし、悪い予感は的中した。トランプ勝利の衝撃はすさまじいものだった。世界最古の民主主義国家という神話に浸かっていた多くのアメリカ人にとって、大統領選の結果は憂慮すべきことであり恥ずべきことだ。一般投票の得票数で負けた人物が大統領に就任するのは、今世紀に入って2度めだったからだ。なんと奇妙で不条理な選挙制度なのか。

この制度は、黎明期のアメリカ合衆国で建国者たちが奴隷制度を維持させるためにつくった妥協の産物だった。それでも5度の例外を除けば、有権者の支持をいちばん集めた人に報いる制度のはずだ。


今世紀1度めの「下剋上」は2000年の大統領選挙で起こった。ジョージ・W・ブッシュはおよそ50万票差でアル・ゴアに負けたにもかかわらず政権の座に就いた。

これは、最高裁がフロリダ州での票の再集計違反の判決を出したためだった。フロリダは、両候補の支持層が拮抗する接戦州であり、勝利を決定づける選挙人投票数も大きい州である。アメリカ全土とフロリダでの選挙結果が似通っていたことは誰にとっても意外ではなかった。

しかしながら、2度目の2016年の結果は予想外だった。そもそも接戦になるはずではなかった。実際、僅差ではなく、クリントンのほうが一般投票数で300万票近くトランプを上回っていた。

では、なぜ接戦になったのか？　それは選挙人獲得数にある。選挙人票は、州ごとに人口に応じて3～55票が割りあてられる。その選挙人の獲得数でトランプはヒラリーを打ち負かしたのである。


トランプはテレビCMや有権者への戸別訪問といった、昔ながらの政治広告や選挙運動に力ネをかけなかったにもかかわらず、どういうわけか勝てると思われていなかったウィスコンシン、ミシガン、ペンシルベニアの3州で逆転勝利を収めた。もっと意外だったのは、これらが、4年前の大統領選では民主党のバラク・オバマ大統領の獲得州だったことだ。

トランプは、ウィスコンシン州で2万2000票差、ミシガン州で1万700票差、そしてペンシルベニア州で4万4000票差で勝った。この3州で選挙人票を得たのだ。言い換えれば、3州合わせてたったの7万6700票。つまり、ふたりの明暗を分けたのはそれだけの差だったのだ。[*3]

アリゾナ、ノースカロライナ、フロリダなども同じく接戦州だった。フロリダは11万2911票差でトランプが勝った。ヒラリーがフロリダとノースカロライナをとっていれば、彼女がいまごろ大統領だったはずだ。

しかしトランプは、選挙運動によって接戦州を押さえ、獲得選挙人票で304対227というまずまずの差をつけることに成功していた。[*4]

では、どうしてそんなことができたのか？　クリントンほどカネをかけず、選挙政治の定番儀式もおこなわず、そのうえ専門家や熟練ジャーナリストに何が起きているか悟られずに何をやってのけたのだろうか？

選挙とは複雑なものだ。（事実上50の異なる選挙がおこなわれる）アメリカ大統領選くらい複雑で動きの激しいものは、数百、場合によっては数千もの要因がからんでくる。

それでもひとつだけ明らかな要因がある。トランプ陣営が率直に認めているとおり、**フェイスブックの存在**だ。

トランプは、フェイスブックのおかげで、接戦が見こまれる州の有権者に向けて驚くほど的確に広告を打つことができた。クリントン支持を思いとどまらせる広告もあれば、トランプ支持にまわりそうなごく少数の有権者の背中を押す巧みな広告もあった。

それらが功を奏したのだ。トランプの手にかかれば、フェイスブックは強力な選挙ツールとなる。

だが、ここで疑問が浮かぶ。フェイスブックが各有権者にターゲットを絞るために、外部コンサルタントから詳細なデータセットを手に入れる必要があったのかどうかだ。

トランプが大統領選を左右する主要3州をもぎとるために必要なすべてのツールをフェイスブックが提供したのだろうか？　もし国政選挙が討論ではなく誘因に左右されるというのであれば、将来アメリカ民主主義はどうなるのか？　フェイスブックのアルゴリズムが説得という技術と科学を支配したとき、民主主義はどうなってしまうのだろう？

サイコグラフィック・プロファイリング

イギリスのＥＵ離脱とトランプ当選は、ある企業の名前が世に出たことで説明がつくかに見えた。２０１６年9月27日、選挙コンサルティング会社ケンブリッジ・アナリティカ（ＣＡ）のアレクサンダー・ニックスＣＥＯ（最高経営責任者）が「ビッグデータとサイコグラフィックスの力」と題した講演をおこなったのだ。

同社は、イギリス大手のストラテジック・コミュニケーション・ラボラトリーズ（ＳＣＬ）グループの子会社で、ヘッジファンドを経営する富豪でコンピュータサイエンティストのロバート・マーサーから出資を受けていた。

そのマーサーの友人、スティーブ・バノンがＣＡの副社長を務めていた。バノンは２０１６年の夏にＣＡを去ると、ぱっとしないトランプ陣営に加わり、選挙運営を一手に引き受けた。そして、ブレグジットで暗躍したのだった。

「本日、選挙プロセスにおけるビッグデータとサイコグラフィックスの力についてお話しする機会を得られたことを光栄に思います」とニックスが語りかけたのは、政府と官民パートナーシップの促進を奨励するヨーロッパの世界情勢フォーラム、コンコルディア・サミットの聴衆だった。その講演で彼は、テキサス出身でほぼ無名のテッド・クルーズ上院議員の大統領予備選において、いかにCAが貢献したかについて語っている。[*5]

クルーズは、トランプを筆頭に、父と兄が元大統領で元フロリダ州知事のジェブ・ブッシュら有名な対立候補に太刀打ちできそうになかった。そんな彼が、ブッシュにも、トランプに挑んだどの候補者にも負けずに予備戦を勝ち抜いたのは、CAのデータと助言に従ったからだとニックスは主張した。

クルーズの選挙運動は1年以上にわたったが、2016年5月のインディアナ州の予備選でトランプに惨敗した。クルーズ撤退後、バノンはマーサーを説得してトランプ支援に回らせた。トランプ陣営のデジタル戦略チームは、すぐにCAの新たなパートナーを迎え入れる準備を整えた。[*6]

通信会社の多くは、いまだにオーディエンスを人口動態や地理で分類する。しかしこうした識別指標は、商品や政治はもちろんのこと、世界に対する個人の意見をおおまかにしか予測できない、とニックスは指摘する。

「同じくらい、ひょっとするとそれ以上に重要なのが**サイコグラフィックス**（心理学的属性）、すなわち**パーソナリティの理解**です」

サイコグラフィックスに基づくプロファイリングを使えば、マーケティングや選挙運動で各個人を的確に狙い撃ちできる。サイコグラフィック・プロファイリングは、次の5つの要素で人のパーソナリティを判別する。各要素の頭文字をとって**「OCEAN（オーシャン）」モデル**と言われる。

❶ **開放性（openness）：新しい体験をどのくらい受け入れるか**
❷ **誠実性（conscientiousness）：秩序と安定性、あるいは変化と流動性をどのくらい好むのか**
❸ **外向性（extroversion）：どのくらい社交的か**
❹ **協調性（agreeableness）：自分の意見よりも他人の意見をどのくらい優先するか**
❺ **情緒安定性（neuroticism）：どのくらい心配するか**

CAの真の狙い

つづいてニックスは、まったく裏打ちのないものだったが、こんな大胆な発言をした。

「何十万のアメリカの有権者（のパーソナリティ診断）を分析することによって、私たちはアメリカの全有権者のパーソナリティを予測できるようになりました」[*7]

これほどの大言壮語は衝撃的だった。しかも、サイコグラフィックスの可能性は警戒すべきものだった。ニックスの発言が本当なら、そしてサイコグラフィックスのデータがアメリカの全有権者の政治的傾向を正確に当てられるなら、政治運動において単一あるいは限定的な問題、偏見、情報不足などをもとに有権者を操作できてしまうことになる。

選挙が接戦の場合、結果を覆すことも不可能ではない。対立候補を支持する数千人を説得して、寝返らせたり、そしてこれも貴重な選挙戦略なのだが、投票に行かせなくさせたりできるのだ。

「予備選挙の候補者のあいだでよくとりあげられる問題に憲法修正第2条があります」とニックスは切りだすと、個人が銃器を保有・所持する権利を保障していることを説明してこうつづけた。

「ターゲットとなる人々のパーソナリティがわかるなら、メッセージを微妙に変えて、重要な聴衆により効果的に響くようにします」

つまり、**パーソナリティごとに広告戦略を変えればいい**と言っているのだ。

たとえば、心温まる家族思いの有権者を狙い撃ちたいなら、孫と狩りに行く楽しさを思い起こさせるような動画を届ければうまくいくかもしれない。ある候補を支持させるために、有権者によっては少し左寄りに攻めたほうがいい場合と右寄りに攻めたほうがいい場合もあるだろう。

豊富なデータと鋭いサイコグラフィック・プロファイリングがあれば、企業や選挙事務所は有権者に応じたメッセージをつくることが可能だとニックスは説明した。*8

くり返すが、このニックスの発言が本当なら、これが意味するところは重大だ。深刻な問題がいくつも浮かびあがってくる。

はたして、大量のターゲティング広告を一人ひとりに届けられるプラットフォームなど、そもそもあるのだろうか？

テレビとラジオは番組を垂れ流すだけだ。選挙運動ではニューヨークとテキサスあるいはダラスとヒューストンで動画広告の内容を変えられるが、それ以上に細分化することはできない。ラジオは決まった音楽番組やニュース番組を聴く人が多いという点で精度が高く広告費も安上がりではある。新聞や雑誌は届くまでに時間がかかるうえに動きが鈍く、物語や誇張の使用には限界がある。

ほぼすべての有権者に絶大な操作力をもつ文章や動画の広告をきわめて的確に届けられる唯一のプラットフォームといえば、それはフェイスブックしかない。

では、先ほどの戦略を実行するために、ＣＡはどうやって個人情報を集めたのだろうか？

多くは、購入履歴や人口統計学的特性に基づいた世界中の消費者情報をもつ個人データアグリゲーターから購入したにちがいない。ＣＡがこうした民間会社から購入したデータと、有権者登録情報や投票歴などの一部の公的データしか持ちえなければ、標準的で十分に開発された技術というニックスの主張は根拠に欠けており、精査に耐えないだろう。

トランプが勝利宣言をした翌日、ニックスはまたしてもこう豪語した。ＣＡのプレスリリースで「データ駆動型コミュニケーションというわが社の革命的アプローチが、トランプ新大統領の驚異的な勝利に大きく貢献したことに興奮しています」と述べると、こうつづけた。「これは最先端のデータサイエンス、最新技術、磨きをかけたコミュニケーション戦略の適切な融合がもたらす絶大な影響を証明しています」

サイコグラフィックスという言葉は使われていなかった。だが事情通にしてみれば、〝革命的アプローチ〟が何を言わんとしているのかなど一目瞭然だった。クルーズ陣営で成功したとニックスが豪語するテクニックを、ＣＡがトランプ陣営でも使ったということだ。[*9]

ニックスは気づかれないようにやったつもりかもしれない。だが、トランプ当選の衝撃からひと月もしないうちに、データと政治の結びつきを人々は思い知るはめになった。

2016年12月、スイスのウェブサイト〈ダス・マガジン〉にある記事が掲載され、ヨーロッパで注目された。その関心が一気に高まったのは6週間後、アメリカのウェブサイト〈マザーボード〉でその記事「世界をひっくり返したデータ」[*10]が紹介されたときだった。

世界をひっくり返したデータの登場――始まりは、あるアプリ

記事は、マイケル・コジンスキーという研究者の話から始まる。ケンブリッジ大学でサイコメトリクス分野の研究に携わっていた若者だ。

彼は1980年代に同分野の研究を始め、OCEANモデルを考案した。

このモデルは、今世紀に入るまでは、研究者が5つのパーソナリティに分類できるのは、長々としたアンケートに答えることに個人が同意した場合にかぎられていた。言い換えれば、サイコメトリクスは研究参加者に対してしか使えなかったのである。入手したサンプルデータをもとに、研究者は予測可能なモデルを生みだしたが、良質なデータに恵まれず、モデルの検

証や改良はなかなか進まなかった。

その潮目が変わったのは、〝フェイスブックが使える〟とコジンスキーが思い当たったときだった。[*11]

フェイスブックユーザーは喜んで「性格診断」を受ける。なぜなら、たいして害はないように思えるし、楽しいからだ。タブロイド紙も嗜好や行動から「あなたの性格を明らかにする」おもしろい記事を投稿する。

しかも、パーソナリティ診断は一大産業でもある。多くは見かけ倒しで経験的裏づけもないが、従業員の能率をあげたり、管理職の管理能力を伸ばしたり、人事担当者が採用をしやすくしたりするのに使われてきた（就職適性検査などがそうだ[*12]）。

そこでコジンスキーは、ユーザーが喜んでシェアしてくれそうなフェイスブック用性格診断アプリをつくり、ユーザーの許可が得られれば「いいね！」の記録や性格診断の回答を収集しようと考えた。そうすれば、何百万の性格診断の回答と「いいね！」の記録とを結びつけることが可能になる。

実際、人々は進んで性格診断を受けてデータを提供した。そして、予想以上のデータが集まった。ユーザーが社会的・政治的交流の深い監視を許可しているという真意を理解していたかどうかは定かではない。それでもデータは、大学の施設や教室といった不自然な環境ではなく、より〝自然な〟状態、つまりオフィスにいながら、バスに揺られながら提供された。彼は（いまでは使用禁止になっている）このアプリを使うことで、ＯＣＥＡＮの５つだけだったパーソナリティ分類を、もっと細かくその人となりを見分けられるようにしたのだ。

そしてこれは、属性予測に驚くべき威力を発揮することが判明した。コジンスキーと共著者らは２０１３年の論文で次のように述べている。

「このモデルを使えば、88％の確率で性的指向（同性愛者と異性愛者の男性）を、95％の確率で肌の色（アフリカ系アメリカ人と白人系アメリカ人）を、85％の確率で支持政党（民主党と共和党）を正しくあてることができる[*13]」

この記事は、コジンスキーの研究についてざっと説明したあとに、ある不穏な出来事に触れている。コジンスキーの同僚が近づいてきて、ＳＣＬに性格診断と属性予測モデルの使用許可を与えてほしいといってきたというのだ。ＳＣＬが政治コンサルティング会社だと知ったコジンスキーは、使用許可も与えず、協業も一切拒否した[*14]。

イギリスのＥＵ離脱という予想外の結果が出たあと、コジンスキーは、ＣＡがＯＣＥＡＮ分析とフェイスブックのデータを使って何百万もの有権者のパーソナリティを特定するモデルを生みだしたと豪語していることを知る。そこでは、ＣＡがコジンスキーのスキームを盗用したとは、述べてもいなければほのめかしてもいなかった。

イギリスのオブザーバーとアメリカのニューヨーク・タイムズの両紙は、ＣＡの情報源を数カ月にわたって調査したあとの２０１８年3月、約８７００万人分の有権者データを提供したのはケンブリッジ大学の研究者、アレクサンドル・コーガンだとすっぱ抜いた。

記者らは、ＣＡの役割と目的を案じた同社の元データ・サイエンティストを見つけだし、接触していた。「彼らは文化戦争を起こしたがっていました」と語るのは、内部告発者のクリストファー・ワイリーだ。「ＣＡはその文化戦争を闘うための武器庫となるはずでした」

そして、コーガンが学術的研究のためと偽ってフェイスブックのユーザーデータをコピーすると、そのアクセス権をＣＡに売ったことを暴露した。

同社は有権者の行動を予測するモデルを構築し、アメリカのみならず世界中の選挙戦でこのモデルが使用できると信じさせた。流出データの規模や内容が報じられ、データを不正流用したＣＡに対してフェイスブックが懲罰的対策を一切とらなかったことが明るみに出ると、いまだかつてない、予想だにしない政治的かつ商業的な圧力がフェイスブックにのしかかった。

ツイッター上では、「フェイスブックのアカウントを削除しよう」と呼びかける動きが活発化し、欧米の議会や規制当局はフェイスブックのデータ流用問題の調査に乗りだした。

そしてＣＡはというと、ＣＥＯが豪語したメソッドの点でも、選挙運動での同社の取り組みの点でも悪評にまみれ、会社の評判はガタ落ちした。[*15]

CA陰謀説のお粗末さ

英語版記事が出たあと、サイコメトリクスと選挙運動との結びつきを弱めようとする動きが強まり、批判が次々と噴出した。

なかでも痛烈だったのは、クルーズ陣営の職員たちがCAのスキームは無用の長物だったと一刀両断したものだろう。同社のデータと助言はあまりにもお粗末で、共和党支持者をクルーズ支持者と勘違いすることが半数におよんだという。

2016年2月16日、サウスカロライナの予備選での敗北後、クルーズ陣営は同社を解雇し、その3カ月後に選挙戦から撤退した。トランプ陣営のデジタル戦略チームも、CAのこけおどしに気づいた。共和党による従来の基本データのほうがはるかに信頼性が高く有用だとわかったのだ。その共和党のデータは、一般公開されている有権者記録や過去3年間の有権者からの回答が下敷きになっていた。[*16]

サイコグラフィックスをめぐる道徳的混乱の余波がつづくなか、政治科学者のデービッド・カープはこう書いている。

「サイコメトリクスに立脚するターゲティング広告は、概念としては単純極まりないが、実践するには複雑すぎる。そしてCAがサイコメトリクスを有権者の投票行動に適用するにあたって実践的な難題を解決した証拠は見当たらない」

さらに、ニックスの主張から次のような解釈も導きだせそうだ。どんな選挙運動でも、サイコグラフィックス分類の莫大な組みあわせに応じて、広告を数百件から数千件にまであつらえられる。これには、ライター、プロデューサー、編集者からなる何百人規模のクリエイティブチームが昼夜を問わず働いて、さまざまなバージョンの広告を試し、有権者ごとにすばやく内容やコメントを変える必要がある。

この際、銃を持つ権利の擁護、中絶の反対、移民入国の反対といった具合に、有権者を少人数にざっくりと分類してターゲットを絞っている可能性がある。

だが、**こうしたターゲティングは、10年以上も前から有権者データの蓄積に基づいておこなわれている共和党・民主党のやりかたとなんら変わりない。**

カープいわく、「簡単に説明すれば、CAは由緒あるシリコンバレーの伝統を踏襲したにすぎない。構想段階や開発段階のもの（事実上のベーパーウェア）を顧客に大々的に販売宣伝して売りつけ、その後、ありふれているが使える商品を提供するのだ。ここでの違いは、トランプを政権に就かせた秘密の方程式を見つけようとするわれわれの合同捜索に、CAのマーケティングが引っかかったことだ[*17]」。

ほどなくして、ニックスとCAは過去の大言壮語をひっこめた。最近では、トランプ陣営のサイコグラフィック・プロファイリングに同社は関与していないと発言を変えている。どういうわけか、ブレグジットにも一切かかわっていないと言いだす始末だ。

ニックスが言うには、トランプ陣営にはもっと一般的なコンサルティングとデータ分析を提供したそうだ。その一般的なコンサルティングですらトランプ陣営の幹部陣から感謝されていない。なんとお粗末なことか。

サイコメトリクスに翻弄される人たち

それでもマーサー、バノン、トランプという邪悪な徒党による悪事を追いつづけ、彼らが個人データやパーソナリティ情報をもとに選挙人票を奪いとり、クリントン支持の有権者の意思を無駄にしたと訴えつづける人もいる。

2017年3月下旬、ニューヨーカー誌は〈ダス・マガジン〉の記事を詳述したジェーン・メイヤー記者の記事を掲載した。メイヤーは、極右政治の要因としてロバート・マーサーの出現を深く掘り下げて説明し、〈ダス・マガジン〉の誤りを暴いたカープにも触れた。

この記事は、サイコグラフィックスによる有権者のターゲティングに関する主張が世界有数の雑誌に載るやいなや、政治科学者のツイッターをフォローしていない読者のあいだに一気に拡散してしまったのだ。[*18]

ヒラリー・クリントンも、CAのサイコメトリクスの話にすっかりだまされたひとりだ。選挙大敗後の2017年5月、インタビューを受けた彼女は、率直かつあけすけに語っている。テクノロジー・ジャーナリストのカラ・スウィッシャーとウォルター・モスバーグに向かって、「私は、自分の下したすべての決定に責任を負います。ですが、そのことが負けた理由ではありません」と述べると、2012年にオバマ陣営に開発されて成功を収めたデータツールを模倣したと話した。

「相手はまったくでたらめなコンテンツを使って、極端にパーソナライズされた形で、場合によってはあからさまに、場合によっては秘密裡に、そのコンテンツを配信しました」

さらに共和党が2012年の敗北をうけて、選挙で引き分けるか、おそらく勝つためにデータインフラの改良に動きだしたことを説明すると、こうつづけた。

「そこへちょうどCAが現れたのです」[*19]

イギリスでもCAによるサイコメトリクスの話は消えるどころか、しだいに注目を集めるようになった。

2017年3月4日、ブレグジットとCAとの関連性を報じる記事の第一弾がオブザーバー紙でとりあげられ、ニックスの記事が引用された。選挙専門のキャンペーン誌の2016年2月号に掲載されたもので、「最近、CAはイギリスのEU離脱（あるいはブレグジット）を主張する最大グループ〝リーブEU〟と手を組んだ。有権者への理解を深め、意思疎通を図れるようにするためだ」とニックスは書いている。

「適切なメッセージが適切な有権者にオンラインで届くようにすることで、われわれはリーブEUのソーシャルメディア上の運動をすでに強化した。また、離脱キャンペーンのフェイスブックページは、1日あたり約3000人のペースで支持者を増やしている[20]」

粘り強い記者でエッセイストのキャロル・キャドウォラダーはそれ以来、オブザーバー紙向けに一連の記事を提供し、政治に関する巨大データの影響力の増大について書きつづけた。そして、多くの人が行き着いたロバート・マーサー、CA、EU離脱キャンペーン、トランプ陣営とのつながりを発見した。

また、EU離脱キャンペーンへのCAのコンサルティングサービスに対して「現物出資」の可能性が浮上したことで、その合法性に強い疑問の声をあげている。彼女は、データ業界に対しても非常に手厳しかった。自らの目的のために政府を操る人々に膨大な個人情報を提供していた。

さらに、デイリー・テレグラフ紙のジャーナリストであるジェイミー・バートレットが、C

Aとブレグジット運動とトランプ陣営とのつながりに魅了され、シリコンバレー、データ、それらが私たちの生活にどのような影響をおよぼすか、長いビデオレポートを制作している。

だがバートレットもキャドウォラダーも、**サイコグラフィック・ターゲティングがブレグジットとトランプの選挙運動に貢献したことを証明できていない。**

2017年6月、BBCの報道番組「ニュースナイト」のレポーターであるロバート・ゲートハウスが同じ問題を深掘りしている。彼のレポートは、サイレント映画のおどろおどろしい催眠術の映像から始まっており、イギリスの政治ではなんらかのマインドコントロールがはたらいていることを示唆している。

最終的にはサイコグラフィックスの有効性を完全否定しているものの、サイコグラフィックスの暗部に焦点をあてたレポートになっている。つまり何が言いたいかというと、レポーターが食いつかずにはいられないネタなのだ。

だからといって、こうしたジャーナリストのはたらきが無駄だったかといえば、そうではない。なぜなら、ジャーナリズムの後押しをうけて、イギリスの個人情報保護監督機関がEU離脱キャンペーンでの個人データの使用について（CAとの関連性も含め）調査に乗りだすことになったのだから。

ただし、サイコグラフィックスによるプロファイリングと操作が強力であり世にも恐ろしいものとして扱うことで、ゲートハウスもバートレットもキャドウォラダーも、政治とガバナンス（統治）におけるビッグデータの使用というきわめて深刻な問題を見えなくしてしまった。[*21]

選挙の結果を変えたのは誰だったのか？

ニックスは新規事業を軌道に乗せるため、これまでの実績を豪語したが、マーサー、ニックス、SCL、CAが有益なモデルを生みだせたのかどうか、本当のところははっきりしない。サイコグラフィックスが2012年のオバマ対ロムニーの大統領選や2016年のクリントン陣営に用いられたデータ重視の標準技術よりも奏功したという証拠もない。

EU離脱派とトランプ陣営の勝利は、エリート層やアナリストたちにとって思ってもみない事件だった。それゆえに彼らは、この複雑なシステムを説明する特効薬があるにちがいないと思いこみ、血眼で探しまわった。

しかし、**特効薬などあるはずもなかった**。あったのは、離脱派とトランプの両方に作用した数々の力学（票が投じられるまでは認識すらされていなかったが）と、フェイスブックだけだった。

にもかかわらず、ＣＡが世間の耳目を集めた。ここ10年ほど学界を沸かせてきたフェイスブック、データ、監視、政治に関する公的問題をはらんでいたからだ。

ＣＡの陰謀説にどっぷりはまる前に、ここで本筋に戻ろう。

８７００万を超えるアメリカのフェイスブックユーザーを標的にしたＣＡの収集データが、フェイスブックから盗まれたものでも、セキュリティ上の欠陥や「データ漏洩」のあとに削除されたものでもないことを理解しておく必要がある。

実際の話はドラマチックではないが重要だ。そして古いうえに根深いものでもある。話は、連邦取引委員会（ＦＴＣ）がフェイスブックを調査して懲罰を与えた２０１１年にさかのぼる。

ソーシャルメディアの研究者は少なくとも２０１０年頃から、その搾取的な慣行について警鐘を鳴らしていた。そして２０１２年の大統領選で、オバマ陣営がＣＡと同じようなデータを用いたことが判明する。ある アプリを使って有権者や潜在的な支持者をあぶりだしていたのだ。

この事実に人々は初めて怒った。これは、当時もいまも変わらず問題だ。だが当時オバマ・ストーリーは希望のひとつであったし、ＩＴを駆使した選挙戦が賞賛を集めていたこともあって、学界の声はかき消されてしまった。

その当時、フェイスブックが最盛期を迎えていた点も見逃してはならない。2011年のエジプト革命以降、世界を変えるかもしれないという（誤った解釈だが）フェイスブックへの非常に好意的な評判が膨らむにしたがい、利用者数も世界中で増えつづけていた。

さらに2010年から2015年にかけて、フェイスブックはデータを吐きだしつづけた。クイズや診断に答えたユーザーのプロフィールだけでなく、「友達」の記録もアプリ開発者の手に渡っていた。

そうしたアプリはたいてい魅力的で気のきいた機能を備えており、人気のゲームなどが多かった。ゲームをした覚えがあるなら、知らないうちに自分や「友達」に関するデータを他社に渡すことを許可していた可能性がある。

ユーザーの同意があれば、アプリ開発者が機密性の高いユーザーデータを利用できるようにする――これが2015年までのフェイスブックの方針だった。「友達」のデータも流出する可能性があることも、CAのような第三者が入手データを好き勝手に使うこともユーザーは一切知らされていなかった。

FTCはこれを問題視し、フェイスブックの調査に乗りだした。2011年の報告書では、個人データの共有と用途に関してユーザーの信頼を裏切る行為の数々を暴露している。

第三者によるアプリは操作に必要な情報だけにアクセスできると謳っていたものの、実情はほぼすべての個人データにアクセスできた。「友達」のみなど、限られた相手にしかデータ共有しないよう制限をかけられると言いつづけてきたが、外部アプリが「友達」とのやりとりの記録を吸いあげることを防げてはいなかったのだ。

この結論は、とんでもないものだった。これほど愛されていた企業がユーザーに嘘をつき、搾取していたわけだから、アメリカ国民と議会はもっと警戒すべきだった。

ＦＴＣとの同意に基づき、フェイスブックは消費者の個人情報保護について虚偽報告をすることを禁じられた。プライバシーの優先権を書き換える場合には、消費者から明確な同意を得なければならなくなり、アカウント削除から30日後以降は誰もアクセスできないようにすることも義務づけられた。

とりわけ重要だったのは、**ユーザーのプライバシーを第一におき、アプリ開発パートナーと自社製品を積極的に取り締まることを課せられた**ことだ。コーガンやオバマ陣営、アプリ開発者などの第三者を取り締まる責務と、ＣＡのような外部企業が個人情報を流用しないようにする責任も負わされた。

以降、フェイスブックは責務をちゃんと果たしている。２０１５年、同社は「友達」データの共有を廃止した。ユーザーへの裏切りが判明してからずいぶん経ったあとだったが、２０１６年の大統領選が本格化する前のことだった。時を同じくして、同社が世界中の主要な選挙運動にコンサルタントを送りこみだしたのは、決して偶然ではない。

2016年に入ると、フェイスブックは有権者をターゲティングするようになった。となれば、フェイスブックが新たな政治コンサルタントとして話題をさらうのも当然だ。**有権者の嗜好や行動にまつわる貴重なデータをすべて握っている**のだから。すべてのターゲティング作業を担ってくれるうえに、よりうまくおこなえるなら、CAもオバマのアプリも必要ない。

長くなったが、これが、CAの陰謀説に飛びつくべきでない主たる理由だ。CAが売っているのはいんちき万能薬で、効果があったと言っている選挙陣営はない。ニックスCEOですら、トランプ陣営がサイコグラフィック・プロファイリングを採用しなかったことを認めている。フェイスブックがやっかいな仕事を肩代わりしてくれるというのに、そんな怪しいものを使う理由がいったいどこにあるのだろうか。CAはデータの魔術師として売りこもうとしたが、彼らはカモになりそうな人をひっかけて小銭をせしめようとしているにすぎない。[*22]

私たちは、データ駆動型の有権者ターゲティングにもっと警戒すべきだろう。豊富なデータの絞りこみと有権者の操作を請け負う産業は、SCLグループやCAとは比べものにならないほど大きく、すべての大陸で急成長しており、いたるところで民主主義をむしばんでいる。フェイスブックは内部でデータ分析をおこない、ともに手を組む選挙運動は権威主義者やナショナリストの候補者を支持するものが大半を占める。**フェイスブックによる民主主義への影響は、その弱体化**なのである。[*23]

立候補者は有権者をセグメント化することによって、感情に強く訴える小さな問題で関心を引こうと資源配分する。選挙運動では、政府や社会の一般的な展望を打ちだしたり、求心力のある構想を伝えたりする必要などない。そもそも、やぶ蛇になるおそれすらある。いまだにおこなわれてはいるものの、それはゲームの本質ではない。

サイコグラフィックスの強力な黒魔術がなくても有権者ターゲティングさえあれば、ジャーナリストや規制当局の目をかいくぐってわずかでも介入できてしまう。トランプの選挙運動では、フェイスブックやインスタグラムのようなプラットフォームを介して、1日で消えてしまうような、小さくて安い広告が打たれていた。これが透明性を阻害した。

そして実際に起きたことだ。CAやサイコグラフィックスの話ほど広まってはいないが、これこそが真実なのである。

政治工学の功罪

2000年以降、アメリカの政党、選挙陣営、コンサルタントは、コミュニケーションや説得や組織化の手法を変革し、民主共和国の精神を脅かすふたつの力——政治工学と管理される市民――を試してきた。

選挙運動に継続的かつ永続的な成果をもたらすには至っていないが、その力の介入がもたらす弊害はすでにはっきりしている。**公益や社会のより大きなニーズの排除**だ。

政治工学は社会工学と似ている。**市民に関するデータ**（独自の消費行動記録、国勢調査情報、有権者記録、投票データ）**を収集し、アルゴリズムツールを開発して、カスタマイズされたメッセージに揺さぶられそうなところへ資源（リソース）を効率よく集中させる。**標的になった市民は、情報が処理されていることもプロファイリングされていることも一切知る必要がない。

コンサルタントはこうしたデータとメッセージの有効性の記録をひもづける達人なので、サイコグラフィックスに頼る必要もない。つまり選挙運動では、揺るぎない全体的なテーマやメッセージを持っていなくても市民を動かせてしまうのだ。

そのうえ、瞬時に戦術を変えることもできる。商業マーケティングではこの手法が主流だ。少なくとも1960年代以降の政治コンサルタントは、（政治コミュニケーションだけでなく）商業マーケティングの世界でも働いた経験をもつ者が多く、民間からツールや戦術を借用することが頻繁にあった。だが、**政治コミュニケーションと商業マーケティングの相乗効果が健全なものであったためしは一度もない。**

政治コミュニケーションは常にマーケティングに追随した。マーケティングがデータ駆動型になるにつれ、追いかけるように政治コミュニケーションもそうなった。マーケティングがソーシャルメディアに移行すれば、政治コミュニケーションも移行した。マーケティングが詩のようなものから工学のようなものへと変化すれば、政治も同じく変化した。

民間部門のマーケティングの変化はやっかいである。というのも、情報が新たな文脈へと漏出するにしたがい、自分に対する評価を管理するすべがなくなるからだ。

一方で、**政治コミュニケーションの変化は民主共和国と市民の自立性の原則を弱める**。市民は、意図的に誤った方向に導かれ、混乱させられる可能性がある（そして実際そうなっている）し、綿密に用意された課題や懸念に反応するように、ひいては、社会のより大きなニーズを無視するように仕向けられてしまう。

こうやって政治文化はカスタマイズされてきた。公益――あるいは私たちの共通運命――というテーマ別のつながりは非効率なものだが、政治工学は、その非効率性を排除する。すると、幅広い支持を求めようとしなくなり、ごく限られた人口統計的な特性にまたがる問題に対処できなくなってしまう。また政治工学は、動機と行動主義の力を増幅・加速し、政治的な立場や候補者を強力に後押しする。

こうしたテクノロジーや戦術のおかげで、活動家や利益団体（政党など）はカネと時間をかけずに、大した努力もせずに、行動を呼びかけられる。

当然ながら、運動や政党に資金力があればあるほど、政治工学が効果的にはたらく公算が大きい。だが、それには代償がともなう。**国家**（ポリス）**が集い妥協し協業する能力を低下させてしまう**のだ。政治はどんどん冷酷で不透明なものへとなっていく。*24

ハイパーメディアの出現で変わる政治

フェイスブックが現れ、そのあらゆる側面を支配するようになる前から、21世紀のメディア環境は、すでに危険な形で生活に溶けこんでいた。

フェイスブックがまだ若者の心をつかもうと、ライバルとしのぎを削っていた2006年、オックスフォード大学のフィリップ・N・ハワード博士は、新たな政治的メディアエコシステムのことを「**ハイパーメディア**」と呼んだ。

ハワードは政治の裏側を観察し、消費者データを集め、人口動態や地理に加えて関心事ごとに有権者を細かくセグメント化してプロファイルし、セグメントごとにすばやく戦略や戦術やメッセージを変えて届けるしくみを知った。そして、市民と、政治および政府とのかかわり方が大きく変わると考えるようになった。

ハイパーメディアは差別を助長する。望ましい反応を得られそうにないセグメントには選挙活動資金をあてなくなり、排除・無視するようになる。

さらに問題なのは、カスタマイズされたメッセージを有権者が受けとるようになると、公益や共通運命といった政治的な会話が生まれなくなることだ。ハイパーメディアは、選挙運動で主要な政治的立場を隠すだけでなく、「戦略的にあいまいに」する。そのため、**ターゲットを狭めたメッセージは、潜在的な支持者を動機づけるだけでなく、彼らが反対しそうな政策から目を逸らす役目も果たす。**すべてがほかのあらゆることから目を逸らさせるものになるのだ。

これが、単一論点(シングルイシュー)の選挙運動と候補者を増長する(単一論点しか見ない有権者もしかり。というのも、彼らは自分向けのメッセージしか目にしないからだ)。ハイパーメディアは、かつては消えていた政治家の台頭を許す。彼らは政党がもつ従来の濾過(ろか)機能では排除しきれない。

以上がここ10年のあいだに世界で起きている現象であり、なかでも衝撃的だったのが、アメリカで起きた、トランプ大統領の誕生だったのである。[*25]

政権は、ハイパーメディアによる選挙運動を通じて市民を「管理」することができる。情報やプロパガンダの流れを操り、的確に狙い撃ちする。そこには大衆や国家(ポリス)はなく、ニーズに応じて結びついたり離れたりできる部族があるだけだ。政治的コミュニケーション文化がすばやい反応と一時の喜びに見返りを与えるため、奥深く誠意に満ちた政治の発展や公益のための集合的な犠牲の奨励といった望みは雲散霧消してしまう。

膨大な情報が身近にあっても、それらが耳障りで、混乱や矛盾を生むにつれ、市民権は「希薄」になっていく。すると、報道機関をはじめ政治関係者からの接触はたやすく頻繁になる。だが彼らは、市民にむかって時間を割いてほしいとか、仲間の市民グループと直接触れあいたいとか、他者のニーズや課題の複雑なニュアンスを理解してほしいなどとは言ってこない。

政治的交流は、クイズ、世論調査、クリック、シェア、コメント、「いいね！」、メール、オンライン署名、テキストメッセージ経由の寄付、より多くの関心の要求という形がとられる。「浅はかな市民は、自分が生きていくために必要な政治内容をＩＴを使って区別するため、労力をかけて政治生活を解釈しようとはしない」とハワードは書いている。「政治的ハイパーメディアは遍在的で集合的なニーズを否定し、多様で個別のニーズを受け入れるように設計されている」。

くり返すが、これは運動や組織にとってはすばらしいことだ。**わずかな費用と時間をかけるだけで、意欲のある人を見つけ、動機づけることができる。**だがその一方で、熟議を必要とする民主主義が損なわれる。[*26]

さらに、市民がハイパーメディアをどうとらえるかについても考えなければならない。

20世紀後半、多くの年月をかけて民主主義の健全性を注視してきた人が懸念していたのは、権力が市民の影響から遠くへと逃れ、資金によって首都へと集中していくにつれて、市民の不満が高まることだった。

ハイパーメディアは、これとは逆の効果をもたらすこともできる。しかし長い目で見たときに、ハイパーメディアを使った結果が、必ずしもいい結果になるとは限らない。ハイパーメディアを通じて力を得て動機づけられた市民は、地位の軽視や低下に敏感になるように条件づけされる。地位の低下は最大の動機づけ要因である。

市民は、根強いエリート層を脅かす課題や候補者を支持するように、また大衆受けのいい約束でだましつつ独裁者のごとく統治する扇動政治家を支持するように丸めこまれてしまう。どちらの傾向も(あるいは両方同時にでも)、ハイパーメディア化した環境で生まれる。

だが、あからさまなレトリックを生み、認識される現実のバブルを分離するハイパーメディアのせいで、国家(ポリス)の分断は加速する。中立地帯で会談をおこなったり、選挙候補者同士や武力衝突する者同士の仲介をしたりすることがほぼ不可能になるのだ。

ハイパーメディアは持続的で、警戒すべき、疲労困憊させる、破壊的なものだ。そして、集合思考を抑えこみ、公開討論の場を空洞化させ、異なる視点や価値観の相手とのかかわりではなく、真実をめぐるショーにしてしまう。[*27]

ハイパーメディアの普及が市民にもたらすのは、社会的関心と政治の問題に対する感情的なつながりの感覚である。

権力者に向かって、あるいは市民同士で「言い返す」ことができるフェイスブック、ツイッター、ユーチューブ、オンライン投票など、デジタルな手法やプラットフォームが生まれる前、市民は往々にして自分には社会的影響力がないと感じていた。

ハイパーメディアは、国家（ポリス）のセグメントの欲求に応じることによって、自分が権限をもっているかのように市民に錯覚させる。彼らはようやく耳を傾け、目を向け、気にかけてくれる存在が現れるかもしれないと期待する。この権限付与に似た感覚が本当の権限付与に当たるなら、民主主義はより豊かなものになる。

しかし、すべての状況を踏まえると、ザッカーバーグがＳＮＳをつくった２００４年以降、豊かで強固な民主主義をかなえた国は数少ない（チュニジアくらいだ）。

感情の表明に応じるように権力者が絶えず感情を表明し、絶えずフィードバックを提供しつづけたことが、政治の貧困を生みだし、政府にとっては人が重要であるという心からの願望を踏みにじって悪用した。[*28]

有権者の操作が明るみになったことで、ＣＡが邪悪な心理学的技術を広めているという悪夢のような話を人々は鵜呑みにした。だが、こうした操作モデルは20年近く前から存在した。フェイスブックの台頭によって、やっと完成しただけのことだ。

そして、２０１６年の大統領選前、政治工学が人口統計や有権者習慣（投票頻度、政党の登録と登録期間など）の公的記録に頼っていた点も見逃してはならない。

二大政党は強力なツールを開発して独自データを用いようとしたが、うまくいかなかった。当時の政治工学はデータ集約型で、２０１０年代はますますその傾向が強まった。だが、政治運動にかぎっては依然として古いデータを使っていた。

しかし、その状況は２０１６年に一変する。ＣＡのおかげではなかった。トランプ陣営には有権者を動かすために、もっと不透明な別のパートナーがいたのだ。フェイスブックである。[*29]

ザッカーバーグの次なるゴール

これまで政治工学と市民の管理の傾向について学者たちが分析したことの多くは、選挙運動中や公益団体内で起きており、電話で、街頭で、従来のメディアや広告システムを通じておこなわれていた。

だが、フェイスブックが広告パートナーに対してユーザーデータの抽出・分析・展開のしかたを制限した２０１４年頃から、何かが変わりはじめた。政治への介入がはじまったのだ。そしていまやフェイスブックは政治工学と市民の管理を担っており、まるで市民を操ることがある種の市民義務であるかのごとく自慢している。

2014年、ハーバード大学法学部教授のジョナサン・ジットレインは、ニュー・リパブリック誌の記事のなかでこう言っている。「フェイスブックが支持政党を明確にしている人物――マーク・ザッカーバーグかもしれないし、彼の後継者かもしれない――に率いられていると想像してみてほしい」と。

ザッカーバーグは、自分の、自社の国内政治へのかかわり具合を隠さない。2010年、フェイスブックは選挙実験をおこなった。自社のサービスで有権者の投票率を押しあげるための社会的刺激(「友達」も投票しています、あなたも投票しましょう、といったメッセージ)の活用法を探っていたのだ。さらに、幾度となくオバマ大統領を招待してスピーチを頼んでいる。

こんなリーダーの率いる企業が、世界で10億人のユーザーに関する膨大で貴重な個人および政治データを握っていると考えると恐ろしい。勝利を左右する地区、投票区、州で有権者を動揺させたり動機づけたりしないわけがないし、激戦選挙ではフェイスブックが決め手となることだってありうるからだ。

にもかかわらず、私たちはその手の操作の規模を知る機会はほとんどない。フェイスブックには、どんなデータを握り、どう使うのかを公にする義務もなければ、説得材料としてデータをどう使おうと規制上の制限もない。結局のところ、フェイスブックの中核ビジネスは広告販売である。**説得こそが、フェイスブックの目的**なのだ。

この操作を防ぐのは、ユーザーの信頼という価値観に対するフェイスブックの信念しかないとジットレインは言う。だが、操作がひそかにおこなわれ、かつ操作がおこなわれていないと信じる理由が見当たらない場合、誰も説明責任を負わない（厳格な守秘義務契約を破る意思のある従業員は除く）。

ジットレインは、イェール大学ロースクールのジャック・バルキン教授の考えに賛同する。バルキンはフェイスブックやグーグルなどの会社を法律で規制すべきと語る。「情報受託者」として扱い、ユーザーに害をおよぼさない形でしかデータを扱えないようにするのだ。

弁護士、医師、フィナンシャルアドバイザーらは、クライアントの利益を守るよう法律や職業規範によって義務づけられている。それと同じように、フェイスブックもクライアントに配慮するよう法律によって定められれば、政治的またはその他の操作からの明確で、公開された、強制力のある保護を生みだす必要に迫られる。[*30]

2014年、フェイスブックは強い決意のもとに政治広告の分野に参入した。収益性の高い市場をテレビやラジオから奪いにかかったのだ。過去50年にわたって政治広告は高額であるのがあたりまえだったため、大規模な選挙運動においては運営コストを押しあげる主な要因となっていたからだ。

フェイスブックは意図を隠そうともせず、有権者ターゲティングの能力を公言し、2016年の大統領選に備えて話を聞いてくれそうなジャーナリストにシステムを説明してまわった。

さらに、マーケティングに取り組む企業に加わると、政治コンサルタント、政党、選挙陣営が彼らと密接に連携するようにうながし、選挙運動と企業両方の利益を最大化しようとした。

政治のプロたちにむかって〝全国のテレビ局よりもうちを使ったほうが安上がりで効果的ですよ〟と訴えたのだ。結果、党派を問わず、主要な大統領候補や議会選挙候補の大半がフェイスブックの申し入れを受けた。[*31]

政治のプロたちは長年、有権者ターゲティングができる理想的なデータシステムを待ちわびていた。消費者行動データ、国勢調査情報、有権者記録、政党の記録と政治的交流（寄付やボランティアなど）の記録を統合させ、推定しうる行動指標を使って国内の全有権者をコーディングするシステムを。

今まで、独自データや商業データは古くて、高額で、信頼性が低く、別のデータと統合させるのが難しかった。しかしフェイスブックはこの問題を解決してくれる。

政党や選挙陣営の管理下にある独自データは有権者の人種、宗教、性的指向を予測できないが、フェイスブックならできる。フェイスブックユーザーなら、こうした属性以上の情報を登録しているのがふつうだからだ。当然ながらユーザー側は、そのような意思表示や所属表明が選挙運動に使われているであろうことなど、微塵も想像していないだろうが。

以上が、コジンスキーが得た重要な洞察だ。彼は性格診断を通じてフェイスブックからこうした情報を引きだしたのである。

フェイスブックを介したデータは、社会科学者や心理学者が喉から手が出るほど欲しい、きわめて膨大で幅広く、信頼性の高いものだったのだ。

しかし、フェイスブックはもはやデータを流出させはしない。貴重すぎるのだ。広告主や選挙運動にはデータを使わせるが、常に広告システムの管理下で使うという条件を課している。[*32]

トランプ大統領はこうして生まれた

トランプ大統領が生まれた本当の理由を、ここでお話ししよう。ここまで読んできたなら、すでに想像がついているかもしれないが。

２０１５年夏、トランプが大統領選出馬を表明したとき、陣営に共和党の古参議員はほとんどいなかった。

指名候補者はほかにも16人いた。２人を除いた14人は過去にも公職についた経験があったが、1人を除く15人は出馬したことすらなかった。候補者のなかでもジェブ・ブッシュの資金力が飛び抜けており、百戦錬磨の選挙顧問を抱えているように見えた。

資金力も人材もなく、支持政党をころころ変えてきたトランプは、理念の矛盾（女性が安全かつ合法的に中絶する権利を支持したかと思えば反対した）に、あからさまな人種差別もあいまって、篤志家や選挙アドバイザーたちから警戒されていた。そのため、政治経験の豊富な者などほぼおらず、旧友や忠実な支持者で陣営を固めるほかなかった。

資金も経験も不足しているが、忠誠心には事欠かないトランプは、娘婿で不動産業の後継者でもあるジャレッド・クシュナーにデジタル戦略の立案を任せた。選挙後、クシュナーは「ともに仕事をするＩＴ企業のひとつで働く知人に声をかけて、フェイスブックのマイクロターゲティングの使用方法について手ほどきを受けた」とフォーブス誌に語っている。

無駄のない戦略を実行するためにふたりは、トランプの会社でここ数年インターネットマーケティングを手がけてきたブラッド・パースケールを抜擢した。

クシュナーもパースケールも選挙運動の経験はなかった。だが、それが幸いした。クシュナーはコンサルタントや政党指導者のように固定観念に縛られていなかった。パースケールはフェイスブックのしくみに通じていたため、デジタル戦略にフェイスブックを利用した。*33

パースケールによるデジタル戦略は、フェイスブックに月7000万ドルを支払い、

❶ソーシャルメディアとユーチューブを使って候補者を宣伝し

❷グッズ販売で選挙運動を支え

❸支持者から寄付を集める

というものだった。パースケールは、フェイスブックがこの3つのタスクを最小限の人員でこなせることを経験から知っていた。彼は選挙後に、「フェイスブックは、私たちの資金調達基盤を固めるための唯一無二のプラットフォームだった」とバズフィードに語っている。

そして実際、フェイスブックなどのオンラインサイトから2億5000万ドル以上の寄付を集めた。[*34]

フェイスブックやトランプ陣営のウェブサイトを通じて寄付をしたり、「アメリカを再び偉大にする」と書かれたグッズを購入したりした人々は、必然的に、名前、住所、メールアドレスを陣営側に教えることになる。

フェイスブックには、「**カスタムオーディエンス**」機能というものがある。広告主が顧客メールアドレスのファイルをフェイスブックにアップロードすると、フェイスブックユーザーのアドレスと照合する。広告主はフェイスブックユーザーのなかから既存顧客を見つけだすこと

ができ、的確にメッセージを届けられるのだ。

トランプ陣営がこの機能を使う場合、その対象は有権者だ。カスタムオーディエンスは過去の献金者に直接寄付を求めやすくもする。パースケールがこの機能に目をつけ、重要州の支持者と強い絆を結ぼうと考えるのも当然だろう。

トランプがフェイスブックライブに登場することを事前に告知することも、何キロも旅してトランプの集会に参加しようとはたらきかけることも、投票日には投票に行くようながすこともできるのだ。


そこでトランプ陣営は、支持が低そうな、対立候補を支持しそうな人を最小で20人程度の集団に絞って、投票に行かないよう説得に乗りだした。投票日の数週間前、「現在3つの大規模な投票抑止作戦が進行中です」と、陣営スタッフがブルームバーグ・ニュースに明かしている。

トランプ陣営は、予備選挙でクリントンの対抗馬だった、穏健な民主社会主義者のバーニー・サンダースを支持する白人左派およびリベラル、さらに若い女性やアフリカ系アメリカ人の有権者に向けて、**投票に行かないよう説得にかかっていた**のだ。

入念にターゲティングしたメッセージをフェイスブックに掲載した。ヒラリーがかつて環太平洋パートナーシップ協定（TPP）を支持していた事実が左派に疑念を抱かせることもあるだろうし、夫のビル・クリントン元大統領のかつての不倫騒動が若い女性の支持離れを引き起こすかもしれない。

クリントン政権下での投獄者数の急増の原因を、犯罪法を後押ししたヒラリーと結びつけることで、アフリカ系アメリカ人の支持を弱めようと画策した。反応がいまいちだとわかれば、すぐに別の動画に変更する。ひとつのテーマごとに何十ものバージョンを試した。

それでも、これらの有権者がトランプ支持にまわるという幻想は抱いていなかった。そんな見込みはなかったからだ。ただ、いくつかの重要州でクリントン票がわずかに予想を下回る程度に、コア支持層のあいだに疑念のタネをまければ、それで十分だった。

選挙期間中、トランプは全国規模の世論調査でヒラリーに8パーセンテージポイント以上引き離されることが多かった。逆転勝利するには、ぎりぎりの票数を押さえて狙った州を確実に勝ちとる——これしかなかった。

トランプ陣営の悪名高い作戦がある。南フロリダのハイチ人移民の家族らに狙いを定めたトランプは、2010年のハイチ地震後、ビル・クリントンが大統領としても救援活動の責任者としても、ハイチ支援に尽力しなかったことを思い起こさせたのだ。

トランプは、たった11万2000票差でフロリダ州を失った。わずかな票差ですんだのはヒラリー支持の数千人が投票に行かなかったせいだとしたらどうか。これこそが安価なフェイスブック広告の成果だといえよう。[*35]

カスタムオーディエンスは、収益性の向上に弾みをつけるために2014年に開発された。当初は靴や化粧品といった販売会社向けの機能だった。それがのちに選挙運動にも使われるようになった。パーソンズ美術大学のデービッド・キャロル教授はこう述べる。

「この能力の最悪の使い方、つまり説明責任のない評価できない政治広告のことはまったく考えていなかった」

このような広告は大規模につくられ、最小20人程度の集団をターゲットにし、そして消え去ってしまう。だから決して検証されたり討論されたりすることはないのだ。[*36]

新たなコンサルタントたち

2016年の大統領選で、フェイスブック、ツイッター、マイクロソフト、グーグルの各社は、主要候補のデジタル対策本部にスタッフを送りこんだ。

政治コミュニケーション研究者のダニエル・クライスとシャノン・マクレガーは、これら選挙運動に携わったスタッフを取材してまわった結果、これら企業がスタッフを送りこんだのは、サービスの利用方法に関する基本ガイダンス（マイクロソフトの場合は主にクラウドソフトウェア、サーバーのインストールと設定）をするだけにとどまらないことを突き止めた。

彼らは共和・民主両党で事実上無給のコンサルタントとして働いていたのだ。

なかでも、フェイスブックとグーグル（ユーチューブを所有し運営している）の影響力は群を抜いていた。グーグルの検索ベースの広告は、関心を生み、カネを集める実証済みのやりかただ。

ユーチューブは世界でもっとも強力な政治動画のソースで、選挙広告、一般人による政治がらみの動画、主なニュース番組からの抜粋などの宝庫だ。動画は、ツイッターとフェイスブックに簡単に埋めこんだり共有したりできる。特にフェイスブックは、アメリカ有権者のあいだにしっかり根づき、強力な広告ターゲティングサービスを有しているため、２０１６年の大統領選ではもっとも重要かつ強力な相棒となった。

各社は、民主・共和の政治で経験を積んだ実務家で構成された党派チームを編成し、同じ政治的所属の陣営や政党に助言をおこなった。

陣営スタッフや党員は、似た考えの持ち主を信頼するものだ。選挙戦のさなか、情報が錯綜し、候補者の順位が目まぐるしく入れ替わるにつれ、送りこまれたスタッフは雇い主に親近感を抱くようになる。その結果、彼らは**自社サービスを宣伝するという自らの利害とクライアントの目標とを融合させ、コンテンツと戦略に基づいて助言するようになっていく。**

トランプ陣営では、特にこれが顕著だった。

ヒラリー陣営のデジタル戦略チームは巨大で、その多くが政治経験を豊富に積んでいたため、戦略やコンテンツの問題が浮上すると専門家の判断を信頼した。

一方、トランプ陣営には古株の政治通などいなかった。そのため、フェイスブックのスタッフによるガイダンスやフィードバックに頼るほかない。「指標」を押しあげるコンテンツと、陣営の目標を推進するコンテンツの区別がなくなった。

「IT企業にとって、これはより多くの収益を意味していた」とクライスとマクレガーは書いている。「選挙陣営にとって広告の実績がよいということは、ターゲット集団に対するメッセージがより関心を呼び、より多くの人がメーリングリストに登録し、より多くの寄付が集まることを意味した」

この相乗効果は明確なうえに抗いがたかった。フェイスブックが積極的な政治的役割など果たしていないと否定すること、そして選挙運動を特別扱いせず、ほかの広告やマーケティングのクライアントとまったく同じように扱うことで、フェイスブックのスタッフは実質的に大きな利点をトランプ陣営にもたらした。[*37]

2016年の大統領選にとって、そしてトランプにとって、フェイスブックは有権者層を形づくる積極的なパートナーだった。資金調達やメッセージの作成と配信、ボランティアの募集、グッズ販売、そしてなにより有害な投票抑止活動の道筋をつくったのだ。

加えてフェイスブックは、政治コンサルタントと配信窓口を兼任していた。フェイスブックにしてみれば、この作業は、**利益相反というよりも利益の相乗**だった。

前述したとおり、フェイスブックは、感情的な力が強い、消化しやすい、画像重視（動画ならなおよい）のコンテンツを好むように設計されている。そして、文脈から切り離されたソーシャル、パーソナル、エンターテインメントベースのアイテムの混合物が私たちの視野を奪うように流れていく。

これだけでも、政治をおこなううえでは考えうるかぎり最悪の場だ。フェイスブック提供のツールを導入したトランプの成功と、フェイスブックが今後もこれらのツールをアップデートするだけなく、新ツールを加えていくだろうという事実は、次の大統領選がこれまで以上にフェイスブックに依存し、影響を受けるものになるということを示している。

声音（こわね）、気質、純粋にキャラクターの強さだけとっても、トランプはフェイスブック文化の理想的な体現者だった。傑出した公的権力を発揮する場としても、自らの発言に対する反応を知る場としても、ツイッターを習慣的に利用しているが、準備も検証もないまま思いつきでする発言は、益よりも害しかもたらさない。

アメリカ人の暮らしにも精神にも深く根を張ったフェイスブックは、トランプの性分にぴったり合った。フェイスブック上で、トランプが短く強烈な言葉で怒りをぶちまけたり賛辞を送ったりするのをスタッフは見ている。だが、フェイスブックと10年間絶え間なくじっくりつき合ってきたおかげで、アメリカ人はトランプ流の世界を経験する心づもりはできている。

まるで、トランプがフェイスブックのために設計され、フェイスブックがトランプのために設計されたかのようだ。フェイスブックは、アメリカがトランプに対応できるよう備えさせたのだ。

しかしトランプは、大義の兆候であると同時に、崩壊の象徴でもある。ヒラリーが選挙人票を獲得して勝利していたとしても、私たちはやはり同じ問題に直面していたにちがいない。それは、**フェイスブックによって育まれ増幅した政治文化の民営化、空洞化、破壊という問題**である。トランプ退任後、アメリカと世界に残されるのは干からびた政治エコシステムだ。そして世界は、フェイスブックへの依存度を強めるだろう。

フェイスブックが勝利し、民主主義は敗北するのだ。

ANTI-SOCIAL MEDIA
HOW FACEBOOK DISCONNECTS US
AND UNDERMINES DEMOCRACY

第7章
ニセ情報のマシン
フェイスブックが吐きだすフェイクニュース

「フェイクニュース」という言葉を聞いたことのない人は、おそらくいないだろう。世の中が大きな混乱の真っただ中にある現在、その影響を感じている人も多いはずだ。

広告収入で儲けることができるようになり、またそれぞれが簡単に（しかも痕跡がほとんど残らない形で）情報を発信できるようになった。それにより、フェイスブックをはじめ、多くのプラットフォームでニセ情報を使った話題づくりが悪用されるようになった。

こういったニセ情報は、どんな仕組みで、私たちにどんな影響を与え、何をもたらしたのだろうか？　そして、フェイスブックはどのように悪用されてきたのだろうか？

ダークポスト広告による民主主義への攻撃

2016年9月、フェイスブックはある事実を明らかにした。それは、ロシアに拠点を置くいくつかの広告アカウントがアメリカの有権者に向けてターゲティング広告を出していたことが判明したということだ。そしてその目的は、ヒラリー・クリントンへの支持を弱めるプロパガンダを流すことだった。

すると突如、ロシアがアメリカ民主主義にどの程度干渉しているのかについてさまざまな憶測が飛び交いはじめた。CAはロシアとかかわっているのか？　広告アカウントがターゲットを絞るために使ったデータはいったい誰が提供したのか？　これらの広告とトランプの選挙運動とのあいだには関連性があるのか？

議論と憶測はロシアに関するものが大半を占めていたが、一方で**アメリカの民主的な慣習や規範の崩壊にフェイスブックが荷担し、利益を得ていたことが明らかになった。**

悪意ある外国勢力がアメリカの有権者に干渉しようとする厚かましさに頭を悩ますのは当然だ。だがそれ以上に、フェイスブックがこうした操作をいとも簡単にできるようにし、健全な民主主義に備わっているべき説明責任と透明性から政治広告を除外してしまうことに、私たちはもっと懸念を示すべきだろう。

当時、フェイスブックのセキュリティ責任者だったアレックス・スタモスは、あるブログ記事にこう書いている。「2015年の6月から2017年の5月にかけて、私たちのポリシーに違反する約470の偽アカウントおよびページに関連する広告支出はおよそ10万ドル、件数にしてざっと3000広告におよぶことが判明しました。これらのアカウントとページはすべて相互につながっており、いずれもロシア国内で運営されていた可能性が高いことがわかっています」

広告の大多数は特定の候補者に関する具体的な言及はなかったものの、「社会の分断を煽るような社会的・政治的メッセージをばらまくことに専心し、その内容はイデオロギー関連のすべての領域、たとえばLGBTや人種、移民、銃規制の問題にいたるさまざまなトピックにおよんでいました」と書かれていた。

これがフェイスブック経由のロシア介入の唯一または最後の発覚かどうかは、この記事からはわからない。どれほどのユーザーが問題の広告を目にしたかもわからない。ただ、フェイスブックの広告システムを研究する専門家によれば、10万ドルという広告費から考えると、発覚した今回だけでも、2300万人から7000万人が見た可能性があるという。*1

フェイスブック初の「情報活動」に関する報告

スタモスは2017年4月に発表された報告書にこの情報を補足した。報告書は大統領選直後のフェイクニュースやさまざまなプロパガンダの拡散をめぐる論争が高まるなかで書かれ、熟議と民主的慣行を損なう目的の怪しいコンテンツがフェイスブックで大量に配信されたと結論づけた。

「私たちの使命は、人々に共有する力を与え、より開かれた、よりつながった世界をつくることです。しかし一方で、このようなオンラインのコミュニティで起こりうるリスクを認識し、防ぐための措置を講じることも重要です。

現実には、すべての人が私たちと同じビジョンを共有しているわけではありません。なかには、そこにつけこもうとする人もいるでしょう。ですが、私たちのプラットフォームを真の市民参加を実現するための安全で安心な環境を保つことで、新たな情報エコシステムを建設的に形づくる手助けをしたいと考えています」

報告書は、国家や非国家アクターによる「情報活動」の具体的な数も例も示さず、いくつかあったと言うにとどめている。「新たな情報エコシステムを建設的に形づくる」ために、ボットアカウントを認識できるよう機械学習を導入する以上の具体的な取り組みは提示していない。

「簡単にいえば、アカウントの乗っとり、マルウェア、金融詐欺といった従来の悪質行為から、市民の会話を操作して人々を欺くといったより微妙で陰湿な不正利用までを含む、セキュリティの焦点を拡大する必要が私たちにはあります」[*2]と述べた。

報告書は、トランプ陣営がロシア政府またはその命をうけた連中と共謀した証拠がフェイスブックの内部データにあるのではないかと政府当局が疑いはじめたころに発表されたが、「情報活動」に関するフェイスブック初の情報公開だった。スタモスによると、具体的な問題点は広告業界で言うところの「**ダークポスト広告**」だった。

これは、ごく少数の選ばれしオーディエンスにだけ表示される広告で、**ニュースフィードの投稿に紛れてわかりにくいうえにすぐ消えてしまう**ものだ。フェイスブックはこれを「非公開ページ投稿広告（UPPA）」と呼んでいる。安価で使いやすく、効率がよく、有効性も高く、反応もいいと申し分ないので広告主に人気のサービスだ。

フェイスブックによるフィードバックは豊富で瞬時なため、広告主は新しい広告を調整して効果を上げたり、メッセージをもっと細かいところまでカスタマイズしたりできる。ビジネスとして使われているかぎり、非常に便利なサービスだ。[*3]

報告書発表から1週間後のこと、ロシア工作員が、反移民運動への参加をうながす目的でイベントページを展開したことをフェイスブック側が認めるに至った。別の報告書では、テキサス州のアメリカ合衆国離脱を煽るフェイスブックページも、ロシア工作員によるものだったことが明らかになっている。

それに先立つこと3カ月前、ロシア政府支配下にあるシンクタンク、ロシア戦略研究所が入念な計画を策定し、大統領選に介入しようとしていたことをロイター通信が報じていた。

ロシア政府は、ソーシャルメディアと国営の国際報道機関を通じてプロパガンダ運動を展開し、対ロ柔軟路線をとりそうな候補者に投票するようアメリカの有権者にはたらきかける計画を提言していた。選挙戦が進み、ヒラリー圧勝が濃厚になると、同研究所は不正投票に関するデマ情報を拡散させ、アメリカの選挙制度への信頼を失墜させるほうへと方針転換することを提案した。

2016年11月末、ワシントン・ポスト紙はインターネット専門家たちの警告をとりあげ、ロシア拠点の組織や企業がアメリカ民主主義の信頼を損なう目的でフェイスブックに虚偽情報のタネをまいたと報じていた。

これら過去の報道も手伝って、最終的にフェイスブックは真実を明かさざるをえなくなった。だが、2017年9月時点でフェイスブックが明かしたのは、数ある嫌疑のうちのほんの一部でしかない。[*4]

「安くて簡単に誰でも打てる」広告の代償

結局のところ、特定のオーディエンスをターゲティングするためのデータをロシア側に提供したのは誰なのか？

この答えは簡単だ。ロシア工作員はトランプからもＣＡからも助けを借りる必要などなかった。**フェイスブックがターゲティング作業全般を肩代わりしてくれる**からだ。

商業広告と政治プロパガンダの違いがわからないフェイスブック幹部陣は、政治広告キャンペーンに関する詳細、あるいはそれに基づくデータの開示を拒否しつづけてきた。

プライバシー部門の副責任者ロブ・シャーマンは、２０１７年6月にロイター通信にそうしたデータについて語っている。企業秘密に相当する「機密」情報のため厳重に保持しており、「多くの場合、（広告主は）フェイスブック上に広告を掲載する条件として、私たちのサービスを使ったキャンペーンの展開方法について詳細を開示しないように求めるでしょう[*5]」。

言い換えれば、**フェイスブック上で政治広告を打つ者は、フェイスブックのサービスを毎日利用している私たちよりもはるかにプライバシーを尊重されている**ということだ。私たちのウェブ利用履歴、購買履歴、位置情報、友人や親族とのやりとりは、広告主の利益のために吸いあげられる。この広範囲におよぶ監視は人類史上、類を見ない。
フェイスブックは、これまでにない儲かる広告システムを生みだし、民主的な熟議と説明責任を育むうえで大切な報道機関から何百万ドルもの収益を奪った。選挙陣営や利益団体が新聞やケーブルテレビで広告を打てば、社会の幅広いセグメントの目に触れる。しかし、広告ひとつだけでも掲載・放送するのは高価で、それが数パターンともなればなおさらだ。より安く広告を打てるフェイスブックが使われるのは必然ともいえる。

説明責任や透明性といった伝統は、フェイスブックにとってはどうでもいいことだ。バージニア州に住むラテン系の20～30代の家持ちの男性をターゲットにした広告は、それ以外の人には表示されないし、たちまち消えてしまう。

嘘やデマ情報を宣伝するのも簡単だ。広告の主張に反応する暇も、疑問を感じる暇もない。広告を出した組織や陣営を批判したり、反論広告を打ったりすることもできない。そして現代の政治科学者や未来の歴史学者たちが分析できるような選挙運動のテーマ、主義主張、戦略にまつわる公的記録は一切残らない。
濫用の可能性を挙げればきりがない。たとえば、ある候補者に重大な違反行為の濡れ衣をきせる広告を投票日直前の48時間だけ打って、当の候補者は何が起きたのかすら知るすべがない、ということも起こりうる。人種的・性的な憎悪をかきたて、深刻な被害が発生する前に対応する間を誰にも与えないかもしれない。

これは、さして驚くことではない。**フェイスブックを使えば、安くて簡単に誰でも広告を打てるのだ。**だからこそ、フェイスブックは経済的に急成長し、世界20億人のユーザーの関心を引いて2016年に276億ドルもの収益をあげることに成功したのである。[*6]

ノースカロライナ大学ジャーナリズム・メディア専門のダニエル・クライス准教授は、フェイスブック、ツイッター、ユーチューブなどのサービスが政治広告の記録を保管し、規制当局や研究者、ジャーナリスト、一般大衆が広告を検証したり暴露したりできるようにすべきだと主張する。

これは賢明な案で、検討の余地がある。だが、政治広告ではひとつの広告を何百パターンもつくれること、そして膨大なプロパガンダが従来の選挙運動や政党からではない人々や企業から吐きだされるという事実を踏まえれば、クライス提案の保管効果は限定されてしまうだろう。

さらに、法的強制力がないため、企業側にはこのような記録保管に合意して協力する理由がない。加えて、自国の選挙運動がようやく習得しはじめたシステムを改革しようと議会が動く公算も低い。[*7]

フェイスブックは、人工知能（AI）と機械学習を用いたよりよいフィルターシステムを導入して、ボットアカウントや偽アカウント（身分や関心を詐称する人々が作成するアカウント）、その他フェイスブックのサービス規約に抵触するアカウントを特定できるようにすると誓った。

しかしこうした技術は、そもそもの問題を引き起こした技術の仲間だ。そして、フェイスブックの言葉以上の説明責任はない。

人間は、被害をうけてからずっとあとにならないと問題のアカウントを見直さないという事実は、プロパガンダの応酬戦が熾烈を極めるなかでも変わらない。

そんななかでも、改革はヨーロッパとイギリスのほうが進みそうだ。２０１７年、イギリス個人情報保護監督機関は、ＥＵ離脱の国民投票と国政選挙（２０１７年）でフェイスブックが果たした役割と市民データの使用についての調査に乗りだしているからだ。[*8]

ニセ情報は巧みに広まる

広告だけではない。ニセ情報はソーシャルメディアを通じ、たやすく、そして巧みに広まる。民主主義への世界規模の攻撃がインターネット上で起きている。オックスフォード大学のインターネット研究所の学者らは、フィリピン、インド、フランス、オランダ、イギリスなどの国々で、プロパガンダを広めるボランティア軍団や「ボット」、自動プロフィールをフェイスブックやツイッター上で追跡している。

ロシア工作員らによるフェイスブックを使った不正介入はすでに周知の事実だ。ロシア発のデマ情報は過去2年間でフランス、オランダ、イギリスの有権者のソーシャルメディアフィードに広がった。

ボランティア軍団が権威主義的政党のために暗躍し、フェイスブック、ツイッター、インスタグラム、ワッツアップをデマ情報、プロパガンダ、批評家やジャーナリストへの脅迫で満たした。[*9]

ニセ情報にはさまざまな形と動機がある。広告収入を得るためにただクリックを集めることを目的としたものもあれば、政党、政府、非国家的アクターが政治的圧力を生み、民主的な機関への信頼を損ない、民主的熟議をはばむことを目的としたものもある。単に、そのデマ情報を広げることを愉しむだけのものもある。乱雑すぎて、この現象を単一の分野や主題として議論するのは難しい。

ニセ情報の調査には、民族誌学、データサイエンス、デジタル・フォレンジック（電子情報の科学捜査）をはじめとした幅広い学術的・ジャーナリズム的ツールがいる。フェイスブックはそのグローバルな規模や、豊富なユーザーおよび広告データを持っているがゆえに、世界中の人々に与える影響を正確に評価できるはずだ。

だが、ずっと前にニセ情報の流れを止めることができたのに何もしなかったこと、あるいは（こちらのほうが可能性は高いが）問題を修正するためにフェイスブックにできることは何もないということがデータによって明らかになった場合、フェイスブックはどこよりも失うものが多い。

そのため、周りでごそごそかぎまわらせたまま、**フェイスブックは沈黙を保ちつつ、かなり深刻な脅威とおぼしきものを解明しようとしている**のだ。[*10]

フェイスブックだけがニセ情報の温床となっているわけではない。4Chanや8Chan（5ちゃんねるの海外版）といったプラットフォームも、数多くの嫌がらせやニセ情報を生みだしたことで知られている。

それ以外にも、レディット、ブログ、極右団体のウェブサイトも頻繁にニセ情報を発信している。マケドニア地域では暴利をむさぼるウェブサイトが生まれていて、何千ものいんちき話をでっちあげ、フェイスブックやツイッターを介して読者を自分のサイトに誘導しては、広告収入で儲けていた。

ツイッターではボットが蔓延し、嘘の話やニセ情報を拡散したり、権威主義的リーダーを批判する者に嫌がらせをして注意を逸らさせたりしている。

ニセ情報の温床と、それらが与える悪影響

ニセ情報がどんなふうに機能するのか。これを把握するにはエコシステム全体に目を向けなければならない。

この手のコンテンツをプッシュする人は、まずはレディットや4Chanなどのエコシステムの末端から手をつける。発信がしやすく、似た考えの持ち主同士でさまざまなメッセージをやりとりして手応えを試せるからだ。ツイッターで受けのよさそうなハッシュタグをつくったり、すでに人気のハッシュタグに新規コンテンツを追加したりもする。

ユーチューブに動画を投稿すれば、ツイッターやフェイスブックを介して簡単に再配信もできてしまう。また、独自サービスを優先するグーグルの検索アルゴリズムのおかげで、それ自体が強力なソーシャル配信プラットフォームになる。

ツイッターで頻繁に目にするようになると、既存のオンラインニュースやコメントサイトの編集者たちの目に留まる。バズフィード、ブライトバート、サロン、ハフポストといったサイトの多くは、最新の話題や論争につながる活気あるコンテンツに飢えている。

だから、編集者は若くて低賃金の記者を熱心にたきつけ、話題がどんなものであってもホットテイク（記者が十分な取材をせずに大急ぎで書いた記事）や狡猾なコメントで互いに共鳴しあう

ようにさせるだけでなく、主張を弱めたり主張の誤りを暴露させたりもする。

こうしたニュースサイトが記事をますます膨らませると、記事の重要さや真偽など、もはやどうでもよくなってしまう。近年設立されたこれらのニュース組織は、見出しから画像の配置、文体にいたるまでをソーシャルメディア向けに最適化した。

まだアイテムに気づいていない場合は、ガーディアン紙、BBC、FOXニュースなど既存の報道機関が、すぐにその日の話題に食いつき、同じようにそれをバージョンアップさせるかもしれない。

こうして、一見もっともらしいコンテンツはメディアエコシステムの連鎖の頂点に行き着く。世界最大にして最強のメディアシステムであるフェイスブックは、連鎖がつながればつながるほど、ニセ情報を増幅する役割を果たす。

そして、コンテンツがハフポストやブライトバートの階層にたどり着くころには、多くのフェイスブックユーザーはそのコンテンツにすっかり魅入られている。

ニセ情報の主張を鵜呑みにする人は喜んでシェアする一方で、ニセ情報にうんざりしている人は嫌悪感をもってシェアする。**伝えたい気持ちが共感であろうと嫌悪であろうと、コメントやシェアは同じはたらきをし、同じ結果をもたらす。**

フェイスブックは否定的なコメントも前向きなコメントも「意味あるエンゲージメント」と

みなし、メッセージを増幅して、さらに多くのニュースフィードに流しこみ、より頻繁にフィードの上方に表示されるようにするからだ。その効果は同じく、無秩序の蔓延だ。ニセ情報の生みの親は、あまりのたやすさに高笑いするのだ。[*11]

メディアエコシステムには人間と機械、思考とアルゴリズムが含まれる。そして「これを読め」「これについて報告しろ」「これをシェアしろ」「これにコメントしろ」「これをクリックしろ」と一連の明確で罪のない選択肢を通じて機能する。

インターネット研究の第一人者であるダナ・ボイドによれば、私たちが構築した情報エコシステムのなかでは、情報がソーシャルネットワーク（技術的にも個人的にも）を介して飛び交うことができる。

数年にわたってゲーム、女性蔑視や白人至上主義の集団、ポルノ関連のインターネットサブカルチャーから生じるニセ情報や嫌がらせの数々をつぶさに見てきたボイドは、フェイスブックが導入を約束した技術的介入では、この現象に歯止めはかからないと警告する。

フェイスブックは、現象をよりいっそう後押しする。だが、それは私たち、なかでももっとも孤立した人たちから生まれてくる。アテンション・エコノミーを構築したのは私たちだ、とボイドは言う。だから、私たちは予期してしかるべきだったのだ。人々や集団がアテンション・エコノミーを情け容赦なく悪用することを。[*12]

アルゴリズム以外にも、他者に見せる自分を演じるという、まさにそのことがニセ情報拡散の可能性を増幅する。アイテムを「共有する」という行為は、ソーシャル的かつパフォーマンス的なものだ。**共有することはアイデンティティの表明となる。**たとえば、サン・アントニオ・スパーズやFCバルセロナにまつわるアイテムを共有すれば、私は特定の輪のなかに入ることになると同時に、ライバルチームのファンからは切り離される。敵対するマテリアルを共有する行為は、私を誰かとつなげると同時に、誰かから切り離す。だが、たいていの場合、それは私の友人ではなく、フェイスブック上の「友達」の輪に入る。

ザッカーバーグは、人々をつなげるためにソーシャルネットワークを築いたつもりだった。**しかし実際は、分断を招くはめになった。**コメント、「いいね！」、シェアといった小さな肯定を望むあまり、もっとも多くの反応を引きだすアイテムを投稿するようになる。どのような素材ならコミュニティを満足させ、称賛を呼ぶかを学んでいく。フェイスブックもそういうコンテンツに見返りを与え、もっと遠くに、もっと速く、もっと頻繁に届けていく。

デマで憎しみに満ち、まったくばかげた内容かどうかなど、コミュニティにとってはどうでもいいことだ。むしろ、**論争を呼んで分断を招くコンテンツのほうが、アイデンティティの証としては価値が高くなる。**

結果として「友達」を失うはめになっても、いやむしろ「友達」を失ったからこそ、どぎつかったり虚偽だったり憎しみに満ちたコンテンツは、投稿者が人間関係よりもアイデンティティの証のほうを重視していることを証明するものとなる。*13

「フェイクニュース」成功の秘訣

大統領選も大詰めになり、ジャーナリストたちは正当なニュースを装ったつくり話がフェイスブック上で拡散していることに気づいた。アイテムすべてではないにせよ、多くがトランプの支持拡大、あるいは支持固めを目的に虚偽ニュースを拡散していた。

ヒラリー、イスラム教、メキシコ系移民にまつわるでっちあげ話もあった。最悪だったのは、「ローマ教皇フランシスコがトランプ支持を表明」というニュースで、多くの人にシェアされた。

ジャーナリストたちはすぐさま、そして残念なことに、これを「フェイクニュース」と名づけた。バズフィードとその看板記者クレイグ・シルバーマンは、この「フェイクニュース」現象に関する記事を数多く執筆している。シルバーマンは、こうしたサイトの台頭を少なくとも2014年から追いつづけていた。

「フェイクニュース」成功のカギのひとつは**記事の設計**にある。**コンテンツをすばやく共有するというフェイスブックの習慣とアルゴリズムの両方に対応するようになっていた**のだ。

まず、強力な動機をもつ小集団ユーザーの信念をいっそう強める。議論を呼ぶ、ばかげた投稿は信じる者には賞賛されて共有されるし、信じない者には否定され、コメントされ、議論されたうえで共有される。「友達」のページに明らかなでっちあげ話を見つけて反応すれば、さまざまな陣営のあいだで怒りに満ちた論争が長くくり広げられるおそれがある。

ご存じのとおり、フェイスブックの設計はこの種のエンゲージメントを増幅させる。記事はこうやって拡散したのだ。

バズフィードは、こうしたはたらきを深掘りするのにうってつけの企業だった。バズフィードはもともとニュース投稿、ライフスタイルの特集、まとめ記事、クイズなどに、同じレベルでのエンゲージメントを生むために設立されたからだ。[*14]

これに対して、右派寄りメディアは黙っていなかった。ただちにシルバーマン、バズフィードは、「フェイクニュース」という言葉の信頼を失墜すべく動いた。

保守派のナショナル・レビュー誌はシルバーマンの調査手法に疑問を投げかけた。またブライトバートは、シルバーマンがキャリアに箔をつけるために、「フェイクニュース」をめぐる道徳的混乱を引き起こそうとしているというでっちあげ話をつくりだした。[*15]

こうした努力にもかかわらず、「フェイクニュース」という言葉は消えずに生きつづけた。

さらに、2017年1月頃になると、トランプの政権移行チームと支持者たちがこの言葉を使いはじめた。検証と修正という伝統にのっとった専門組織の生みだすニュースを「フェイクニュース」呼ばわりしたのだ。

言うなれば、**トランプらはこの言葉の意味を引っくり返すことで、「フェイクニュース」とつく現象の真剣な検証を不可能にした**のである。

フェイクニュースという言葉でよかったのか?

2017年1月初旬、ワシントン・ポスト紙のコラムニストであるマーガレット・サリバンは、フェイクニュースという言葉は、使いものにならないうえに意味をなさないと言い放っている。

「『ピザゲート』よりも早く、『フェイクニュース』はまったく異なる数々の意味をもたされてしまった。リベラル派のたわごと。中道左派の言い分。あるいはただ単に、観測筋が耳をふさぎたくなるようなニュースになってしまった[*16]」

「ピザゲート」とは、アメリカの極右ニュースサイトやソーシャルメディアで広まった奇妙な話のことだ。

ヒラリー陣営の選対本部長ジョン・ポデスタの私的メールが告発サイト〈ウィキリークス〉に流出した。このなかにワシントンDCのピザ店の地下でおこなわれている児童買春の関与を示唆する内容があったという噂が流れ、拡散した。

そしてその嘘を信じた男が、実際にライフルを持って問題のピザ店に乗りこむ事件に発展した。ありもしない地下室に囚われているはずの子どもたちを救出しようとしたのだ。[*17]

「フェイクニュース」という言葉は、そもそも問題を的確に言い得ていなかった。フェイスブック上の問題あるアイテムがそろいもそろって虚偽だったわけではない。真実をわずかに含むものもあれば、信頼のおける報道機関へのリンクが貼られているものもあった。

だが、政治的な情報操作でその真実をふくらませたり、事実と違った話にでっちあげたりしたものが多かった。これはプロパガンダの古典的手法であり、なにも目新しい現象ではなかった。**ただ、もっとも肥沃なメディアによるただならぬ増幅という一点においては先例がなかった。**

正当な専門的な報道の慣行や機関を弱体化させようという勢力にゆがんだ意味で使われてしまったせいで「フェイクニュース」という言葉が本来の役回りを果たせないのであれば、どんな言葉なら実情を言い当てられるというのだろう?

データ・アンド・ソサエティ研究所のキャロライン・ジャック調査員は、ニュースフィードに流れるさまざまな問題ある報告や加工画像を説明する最適な方法を探すために問題を明確にして分類しようと動きだした。

彼女の「嘘の辞書――問題情報を見抜くための用語集」と題された報告は、「プロパガンダ」「アジプロ（扇動と宣伝）」「誤報」といった言葉の長所と短所をひとつずつ説明している。彼女によると、「ニセ情報」とは「**意図的に人を欺き誤解を招くために発信される情報**」という。それだけではない。ニセ情報にはフェイスブックユーザーにとって抗いがたい魅力をもつという追加すべき特徴がある。それはつまり、アルゴリズムの有する情報流通力を示すものでもある。

結局のところ、**もっとも信じがたい物語ほどもっとも感情的に強力**なのだ。たとえ文字どおり「信じられない」内容であったとしてもだ。

ニセ情報を流す動機はおもしろ半分、利己心、単なる悪意からかもしれない。どうやら「ニセ情報」がもっとも正確かつもっとも幅広い現象を説明できる言葉といえそうだ。*18

「フェイクニュース」を特定し、フィルターにかけ、揉み消すことに必死になるあまり、ニセ情報にまつわるもっと大きくて根深い問題が見えにくくなってしまった。アメリカをはじめ世界各国で長年機能してきた市民民主主義的規範を狙った攻撃と比べれば、「フェイクニュース」

など取るに足らない問題だ。

笑い、血、利益など理由はなんであれ、ニセ情報の垂れ流しは、市民の規範や機関への信頼を損なうという共通の狙いのもとにおこなわれる。ニセ情報は都市国家(ポリス)を分断・弱体化させる。たっぷり時間をかけてたくさんのニセ情報を浴びれば、信頼なんてものは滑稽(こっけい)でしかなくなり、真実はどうでもよくなり、正義は部族間の復讐や報復行為と同義になる。

ジャーナリストのピーター・ポメランツェフによるプーチン政権下のロシアに関する暴露本「なにひとつ真実はなく、すべてが可能である」のタイトルのとおり、社会は臆病で利己的な状態になっていくのだ。[*19]

権威主義者の脚本

メディアシステムを設計して、権威主義的リーダーと反民主主義的運動を支持したいと思っても、フェイスブックには到底かなわないだろう。

ケイティ・ピアースは、アゼルバイジャンや旧ソ連諸国のソーシャルメディアの利用について研究しているが、解放と民主主義の促進という大義のために尽くすというフェイスブックの考えに水を差す。

1980年代から、クリントン国務長官による「インターネットの自由」政策の促進までの時期を通じて、評論家や政治家らは口を揃えてこう言っていた。「デジタルメディアの導入によって、これまで権威主義的リーダーが権力維持のために使ってきた情報統制システムに亀裂を入れられる」、と。

その説によると、反体制派と新生の市民社会運動（教会、労働組合、人権団体）とを同盟や民主社会からの情報と結びつければ、反体制派がより大きく、勇敢に、効果的に成長するだろうということだった。

ロナルド・レーガン大統領さえ、インターネットが世界的に認知される10年も前に「**全体主義という名のゴリアテが、マイクロチップという名のダビデによって倒される**」と言っている。

しかし、この説は経験的精査に耐えないとピアースは論じる。ソーシャルメディア、とりわけフェイスブックは、市民社会が効率よく組織されることを意図して設計されているのはまちがいない。だが、**権威主義者が反体制派よりもよいリソースを悪用できるようにも設計されているの**だ。[*20]

権威主義的政権によるフェイスブックなどのソーシャルメディアサービスの悪用は次の5つ。

❶市民社会運動や抗議運動の出現に応じて対抗運動を組織する

❷反体制派や批判者よりも優れたリソースや専門技術をもっているため、思いどおりに公開討論を組み立てることができる

❸市民が直接訴えたり抗議したりしなくてすむように、苦情を申し立てられる場としてソーシャルメディアを利用させ、場合によっては運営する（そうすることで、政権内の汚職や無能さへの鬱憤ばらしをさせる。中国政府が市民にウィーチャットを使わせているのがいい例だ）

❹エリート層を集めて支持を集める[*21]

❺反体制派の活動家やジャーナリストの監視と嫌がらせをおこなう

このなかでいちばん悪質なのが❺だ。

ソーシャルメディア、特にフェイスブックの活動団体や活動家個人のプロフィールページに偽の「友達」を潜ませることなど、わけないことだ。そして、そこから豊富な個人情報と組織情報にアクセスしていくのである。

また、活動家やジャーナリストの恥ずべき写真や動画をでっちあげるのもわけない。そうやって信用を傷つけたり、少なくとも妨害工作をしたりして、改革に向けた取り組みを台無しにしていくのだ。

有名人にまつわる世間を賑わすアイテムがフェイスブックにあがったとたん、一気に広まる。申し開きすることは、拡散に拍車をかけ、影響力を強めるだけでしかない。

「アラブの春」では、ソーシャルメディアが反体制派に果たした役割について世界の目が注がれた一方で、バーレーンとシリアの両政府はこれらの戦術を駆使して抗議運動の芽を摘みとることで、民主革命を成功させたチュニジアやエジプトの二の舞を演じずにすんだのである。[*22]

プーチン政権もこれらの戦術を極めており、国内だけでなく国外に向けても駆使した。アメリカにおいて、フェイスブックのニュースフィードに表示されたトランプ支持や移民排斥関連のマテリアルの多くは、サンクトペテルブルクを拠点にする会社、インターネット・リサーチ・エージェンシーから発信されていた。

同社は人材を雇って、ロシア政府に有利にはたらくニセ情報を生みだしては広めている。実質上国営メディアのRTやスプートニクは一丸となって、報道・政府・市民社会の組織や機関への信頼を弱めるために反移民、反イスラム、反体制の情報をドイツ、イギリス、フランス、ウクライナ、アメリカにばらまいた。

一方ロシア国内では、プーチン支持派が批判者、反体制派、ジャーナリストに向けて口汚い嫌がらせのメッセージを拡散させる。こうした取り組みが成功したことで、他国の権威主義的リーダーのあいだではロシアのやり口が手本となり、欧米諸国では大問題となったのである。

だが、権威主義寄りのソーシャルメディアの扱い方に長け、誰よりも早く利用した人物がいまやふたつの国を支配している。インドとフィリピンだ。[*23]

モディの巧妙なソーシャルメディア戦略

まずは、インドについてだ。インドのナレンドラ・モディ率いるインド人民党（ＢＪＰ）の台頭と統合は歴史的な出来事だった。ＢＪＰは当初ゆるやかな連立政権を組んでいたが、２０１４年の総選挙で議会の過半数を押さえて圧勝し、政権を奪取した。

この勝利は世論調査員や批評家を驚かせた。勝因はインド国民会議派内で蔓延する腐敗によるところが大きいと言われている。だが、モディによるソーシャルメディアの熱心な活用も勝因のひとつとして評価されている。[*24]

ＢＪＰ、つまりモディ首相が掲げる「ヒンドゥー至上主義」は長年、女性の伝統的役割、イスラム教徒が大半を占めるバングラデシュからの移民の規制、欧米流のバレンタインデーの禁止、牛肉の食用禁止などを主張してきた。

書物浄化、インドの多神教の歴史や容認の伝統を語る歴史学者への嫌がらせ、ヒンドゥー教徒の男性は強く敵意をもってアイデンティティを守れという呼びかけもおこなっている。

モディがグジャラート州首相時代の２００２年に起きた暴動では、イスラム教徒の大量殺害も起きており、彼の役割をめぐって論争が巻き起こった。アメリカとイギリスは、モディが首相に選出されるまで入国を禁じた。[*25]

暴力的なナショナリズムを標榜する勢力を組みこみたいモディにとって、フェイスブックは理想的なプラットフォームだった。ジャーナリストや国際的な観測筋の目をかいくぐって毒を吐くメッセージを飛ばすことができ、反イスラム感情を煽るメッセージは、人々のイスラム批判の意識を高めることができたからだ。

モディはこうした恐るべき選対ソーシャルメディア・チームを編みだすのみならず、政権奪取後も専門家とボランティアから成るソーシャルメディア・チームをＢＪＰのもとで運営しつづけた。

同チームは、ＢＪＰ政策を推進するプロパガンダを拡散するとともに、ジャーナリストや市民社会活動家、反イスラム政策の批判者、政敵らの評判を落とす命も帯びていた。

ジャーナリストのスワティ・チャトゥルヴェディは、著書『I Am a Troll』（未訳書：私はトロール）で、アメリカに住みながらＢＪＰの掲げるヒンドゥー至上主義に魅せられた女性の物語を紹介している。

インドに帰国した女性は、ＢＪＰのデジタル本部のソーシャルメディアワーカーとなる。当初は、ワッツアップ経由で親ＢＪＰと反国民会議派党のアイテムを喜んで広めていたが、しばらくすると、否定的なメッセージが残酷なうえに根も葉もないものばかりだと気づく。

「それは少数派、ガンジー一族、攻撃対象リストに載っているジャーナリスト、リベラル派……反モディ派とみなした人に対する憎悪と敵意のとめどない点滴注射のようなものでした」と女性はチャトゥルヴェディに語ると、こうつづけた。

「バルカ・ダットのような女性ジャーナリストへのレイプ脅迫を目にして、これ以上（ソーシャルメディア担当責任者の）指示には従えないと思いました」。女性はほどなくBJPから離れた。[*26]

フェイスブックは、モディの選挙運動にスタッフを送りこみ、BJP幹部と協働している。インドのフェイスブックユーザー数は2018年にアメリカを約3000万人上回る2億5000万人に達して世界一となった。アメリカの2億2000万人のユーザーはアメリカの総人口の6割以上を占めるが、インドは総人口の4分の1にも満たない。

それはつまり、フェイスブックの現在だけでなく未来もインドにあるということだ。モディのフォロワー数はトランプの2倍近い4300万人を誇り、世界のどの指導者もかなわない。[*27]

インド野党もBJPの成功に倣って、同様のソーシャルメディア・チームを立ちあげた。いまや他人を貶めたい一般人、政治家、企業に向けてサービスを提供する独立「トロールファーム（荒らし牧場）」が乱立する事態となっている。

彼らは、対象者が性行為、薬物使用、宗教的冒瀆にふけっているフェイク動画を作成する。BJPが政治的地位を固めるなか、インドの政治文化はソーシャルメディアを通じた嫌がらせと脅迫によって劣化しつつある。[*28]

Free Basicsがもたらす抑圧――フィリピン、カンボジア、ミャンマーのケース

つづいて、フィリピンの例を紹介しよう。

フィリピンのロドリゴ・ドゥテルテは、ソーシャルメディア軍団を存分に活用し、長年務めたダバオ市長から大統領へと躍進した。大統領選を通して、ドゥテルテとその支持者たちは、敵意に満ちた人格攻撃、脅迫、嫌がらせをおこなった。

2015年当時のフィリピンは、無料ネットサービスFree Basicsの普及を歓迎した。これは、スマホで日常的にソーシャルメディアに参加している1億人の市民の半数は、フェイスブックを使っても月々のデータ通信料に反映されないことを意味する。一方、信頼のおけるニュースサイトにアクセスすれば通信料がかかることになる。*29

「今日、私たちはフィリピンにおいてInternet.orgのサービスを開始できたことで、世界をつなげる夢にまた一歩近づきました」と、ザッカーバーグは2015年3月に書いている。

「いまではフィリピンのすべての人がスマートネットワークを使って、医療、教育、仕事、コ

ミュニケーションのネットサービスに無料でアクセスできます。この写真はマニラで運転手をしているジェイミーですが、彼はフェイスブックとそのインターネットを使って、ドバイに移住した愛する家族と連絡をとることができています」

すてきな愛情溢れる投稿だ。フェイスブックは少なくとも事実上、そしてフェイスブックの規約に基づいて、ジェイミーの家族の距離を縮めた。

ザッカーバーグはこのサービスを開始することで、無辜（むこ）のフィリピン人に残虐行為と苦境が襲うことなど気にも留めていない様子だったが[30]――。

フェイスブックを悪用したドゥテルテの政治戦略

Free Basics のおかげで、フェイスブックはフィリピンで独占的な地位を占めることになり、それは、ドゥテルテにとっては願ってもないタイミングだった。

２０１５年に選挙運動を開始したドゥテルテは、手始めにソーシャルメディア担当責任者とチームを、カネを払って雇った。

チームはすぐさま、Free Basics が可能にした新たな接続性を活用する。ソーシャルメディア・チーム、５００人ものボランティア、何千ものボットは、嘘の話をでっちあげては広めてジャーナリストらの信頼を傷つけ、ニセ情報の効果を倍増させるために偽アカウントも使った[31]。

ドゥテルテのソーシャルメディア軍団は4グループに分けられ、ターゲットが割り振られた。外国で働くフィリピン人、ルソン島の住民、ビサヤ諸島の住民、ミンダナオ島の住民だ。各グループは、ドゥテルテ陣営本部の指示に従って、その日の物語を伝えるために独自のコンテンツを制作した。

彼らはしばしば、ドゥテルテに批判的な大学生に狙いを定めると、グループ内で当該学生の携帯番号を共有し、攻撃をしかけた。ある学生には殺害予告の投稿が表示され、別の学生のもとにはレイプ脅迫が届いた。

ドゥテルテは大統領に就任すると、ジャーナリストとの記者会見や面会を避け、代わりにツイッターやフェイスブックで発信をするようになった。[*32]

こうしたことを可能にしたのはフェイスブックだ。2016年1月、フェイスブックは3人の従業員をマニラに送りこみ、さまざまな大統領候補やそのスタッフにサービスの最適な使用方法を教えた。

ドゥテルテ陣営のスタッフは、ウェブページのセットアップ、青いチェックマークの認証バッジのとり方、フォロワーを集める方法などの基本を学び、ほかの大統領候補者とは一線を画すソーシャルメディア・チームをつくりあげた。

毎日、陣営では翌日のメッセージをつくり、ボランティアらがそのメッセージを本物と偽物両方のアカウントに投稿する。なかには、何十万人もフォロワーのついているアカウントもあった。

フェイスブックは、ドゥテルテ陣営が侮辱や暴力的な脅迫を拡散しているという苦情を受けると、すぐさま対処した。すると、ドゥテルテ陣営はフォロワーにでっちあげ話を流すように指示した。

たとえば、ローマ教皇フランシスコの写真の下に「教皇もドゥテルテを賞賛」という言葉が躍っていた。真実はもはやどうでもよくなった。インド、ロシア、ウクライナ、ひいてはエストニアでの政治に目を光らせてきた人々にはおなじみのパターンだった。荒らし(トロール)軍団主導のプロパガンダが政治上の話題をさらった。政策や選択や歩み寄りをめぐる議論は不毛になった。対立候補、ジャーナリスト、市民社会のリーダーはドゥテルテの大胆なやり口と厚かましさに唖然とするしかなかった。

2016年4月、投票日まで残すところ1カ月になって、フェイスブックの報告書ではドゥテルテをこう呼んでいる――「誰もが認めるフェイスブック上の話題の王」。フィリピンのフェイスブックページ上でおこなわれたすべての選挙関連の話題のうち、ドゥテルテのものが64%を占めた。[*33]

ドゥテルテ勝利後、フェイスブックは政権との連携を強め、暴力的かつナショナリズム色の強い政策の推進に手を貸した。マラカニアン宮殿でおこなわれた就任式では、独立系報道機関による式典取材を禁止した。式典はフェイスブックで生配信された。ジャーナリストなど必要なかったのだ。

フィリピンは1億人の人口を擁し、資源が豊富で、多言語を操るグローバル人材が世界で活躍し、反植民地運動の豊かな歴史を誇る。ドゥテルテの台頭によりフェイスブックは、そんなフィリピンで唯一の重要なメディアサービスの地位を盤石なものにした。[*34]

ドゥテルテがソーシャルメディアを通じて支援者と直接対話したことは効果的だった。当選後、ドゥテルテは公然と自警主義的な文化を広めてきた。麻薬撲滅政策を推進し、密売人や常習者と目された人々が警察や自警団によって次々と殺害された。死者数は６０００人とも７０００人とも言われている。

フィリピンの政治的文化の衰退は以前から始まっていたが、もっとも深刻な事態はフェイスブックがFree Basicsを導入し、ドゥテルテがそれをフル活用したときに訪れたのだった。[*35]

２０１７年11月、フェイスブックはフィリピン政府と新たな提携を発表した。地震や台風の被害で標準ケーブルがたびたび破損していたため、ルソン海峡を迂回する光海底ケーブルを敷設することになったのだ。

フェイスブックは海底ケーブルに出資し、政府は地上局を建設する。フィリピンはしばらく前から、東アジアと北米を結ぶ大容量の光海底ケーブルのハブをめざしていた。ドゥテルテ政権の主要なプロパガンダと嫌がらせのプラットフォームとして機能しながら、密接で有益な提携を結んだことで、フェイスブックはドゥテルテの恐怖政治の拡大に荷担せざるを得なくなった。[*36]

カンボジアでの「悪用」

ドゥテルテと同様、カンボジアの独裁者フン・センもFree Basicsの力を利用して対立候補を貶め、自身のイメージアップを図ることで、フェイスブック上でスターとなった。フン・センは独裁者の見本のようだった。信奉者を集める。独立系報道機関がフェイスブック上で国営プロパガンダと競合できないようにする。フェイスブックがインターネットと同義に扱われるようにする。

フン・センをよく見せる一方で、対立候補や批判者を脅迫し貶めるアイテムを拡散させるために、トロール軍団を展開する(フン・センの場合、インドとフィリピン——まさにこうした手法を実践済みの国——に拠点を置く企業が雇われた)。

とりわけ重要だったのが、スタッフらがフェイスブックのスタッフと協力して批判の声を押しつぶし、フン・センのフェイスブックページが生みだす影響を最大化したことだ。[*37]

２０１７年10月、フェイスブックはカンボジア、スロバキア、スリランカ、ボリビア、グアテマラ、セルビアのユーザーページで報道機関の提供するニュース表示のしかたを変更し、専門および独立系のニュースアイテムは広告、個人の投稿、ミュージックビデオと一緒の主要ニュースフィードに流れなくなった。

代わりに、フェイスブックページ上の独立した、見つけにくいタブに置かれることになった。結果は予想どおり。上記の国々において、フェイスブックから独立系のニュースサイトへの移動は激減した。フェイスブックの変更のおかげでフン・センはさらに好ましい成果を得た。

この変更に怒りを覚えたセルビア人ジャーナリストのステファン・ドジチノビッチがニューヨーク・タイムズ紙に、「やあ、マーク・ザッカーバーグ。私の民主主義はきみの研究所ではない」と題した論説を書いている。

「主要なテレビ局、大手新聞社、組織的な犯罪組織が運営する放送局なら、フェイスブックで広告を打つことも、オーディエンスにリーチする方法を見つけることも、難なくできるだろう。苦境に立たされるのは、私たちのような小規模な反体制派の報道組織だ」

この変更をおこなったすべての国で、フェイスブックはメディアエコシステムを支配していた。**フェイスブックの設計やアルゴリズムのわずかな変更ですら、国全体の政治的命運を変え**

かねないのだ。

ザッカーバーグは、人々を結びつけるツールとしてInternet.orgとFree Basicsを世に送りだした。この善意に満ちた考えがもたらした有害な結果は火を見るより明らかだった。騒動のあと、フェイスブックはこのジャーナリズムの実験を中止した。だが、研究所として小さく貧しい国を使いたがる傾向は、世界の平和と安定を望む者すべてにとっては懸念材料である。[*38]

ミャンマーも、暴力的で抑圧的な国家権力に屈する

フェイスブックが暴力的で抑圧的な国家権力にいかに力を与えたか。もっとも憂慮すべき例といえば、数十年にわたる軍事的支配からようやく脱したばかりのミャンマーをFree Basicsが変えたものだろう。

1960年以来初の自由選挙が実施され、人権活動家アウン・サン・スー・チーが権力の座に就くほんの1年前の2014年、ミャンマー初の携帯電話会社がデータ通信を確立した。政府も、携帯電話の急速な普及を政策面で後押しした。さらに、2016年までにフェイスブックがFree Basicsを導入し、フィリピンと同じようにミャンマーでもフェイスブックとインターネットを同義として扱われるようにした。

それはつまり、インターネットを使うことと、フェイスブックを使うことが同じ意味になるということだ。そのほかのサービスはすべて有料であるのに対して、フェイスブックは無料で使えるのだ。

ミャンマーは歴史的に、成熟したプロフェッショナルなメディアシステムやプロフェッショナルなジャーナリズムの伝統を築く時間が与えられなかった。そのせいで、フェイスブックの混沌とした性質がどこよりも顕著に表れた。

長く抑圧的な軍事政権下にあった国が大きく変わるとなれば、フェイスブックは贈りもののように見えて当然だろう。ミャンマーの人々は、自由にニュースを読み、噂話を共有し、ミュージックビデオを楽しみ、冗談を広げ、そしてもちろん憎しみを拡散できるようになったのだから。[*39]

軍事政権下では、噂話がニュースの大半を占めるだけでなく、議論の中心になっていた。フェイスブック上でもそれは変わらず、仏教ナショナリストたちは仏教徒を排除しようというイスラム教徒の世界的な陰謀の噂を広め、イスラム教徒経営店での不買運動や異教徒間での結婚の禁止、ミャンマー在住のイスラム教徒への権利の制限を呼びかけた。

結果、2015年、ミャンマーの各都市で反イスラム暴動が勃発した。2017年になると、過激派仏教徒が軍の後ろ盾をうけて西部のイスラム系少数民族ロヒンギャの集団虐殺(ジェノサイド)をおこない、多くのロヒンギャが隣国のバングラデシュに逃れる事態となった。

だが、そのバングラデシュも大量難民を受け入れるだけの余裕はなく、多くのロヒンギャ難民はそのまま西へ進んでインドへとなだれこんだ。

世界がロヒンギャ迫害に目を向けはじめた２０１７年９月、ミャンマーの指導者アウン・サン・スー・チー国家顧問は自身のフェイスブックページへの投稿で、集団虐殺は根拠がないと一蹴すると、「テロリストら」による仕業だと非難した。

その後、彼女はインドを訪れてモディ首相に支援を要請した。モディは、イスラム教徒の脅威をめぐっての彼女の評価に賛同した。[*40]

ミャンマーにおけるロヒンギャ迫害のような残虐行為は、いまに始まったことではない。人類史上、常に起こっている。そして、２０１１年のアラブの春同様、人々はその都度手の届く通信技術を使うにすぎない。そう考えれば、権威主義者、宗教的偏見の持ち主、民族ナショナリストがフェイスブックを使ってニセ情報をばらまいているという事実も当然のことなのかもしれない。

とはいえ、フェイスブックのどの機能や構造が権威主義者やその支持運動に悪用されているのかを慎重に見極めなければならない。フェイスブックは、権威主義的リーダーやナショナリズムが人々の感情を高ぶらせ、現実・仮想にかかわらず敵に対して誹謗中傷や嫌がらせを組織できるようにした。かつてない事態だ。

フェイスブックの遍在性と利便性は、ケニア、フィリピン、カンボジア、ミャンマーなど、数世紀にわたる植民地支配を経ていまだに苦しんでいる国々で、もっとも破壊的な力に理想的なプロパガンダ拡散システムを提供する。

フェイスブックは憎しみを好むわけではない。
ただ憎しみがフェイスブックを好むのだ。

おわりに

ナンセンスのマシン

合理的な政策が出現するという希望は残されている。だが、反合理的、権威主義的、ナショナリズムといったうねりは、フェイスブックの後押しをうけてさらに勢いを増し、必要な運動と熟議の実現は早まるどころか年々遠のいている。

思想家アーレントの言葉をかりれば、種としての人類は、聡明でもあるが愚かでもある。モノをつくるのに長けている一方で、ものごとを熟考してから実行に移すのはとても苦手だ。

しかし、今こそ立ち止まって考えるべきだ。そして、グローバルな立場をとって狭量な寡占化に抵抗し、情報エコシステムを改革するのであれば、すぐにとりかかったほうがいい。もうそこまで暗闇は迫っているのだから。

地元についたハッシュタグという火種

２０１７年8月、私の住む町バージニア州シャーロッツビル（人口４万５０００人）にハッシュタグ（#）がついた。「#Charlottesville」になったのだ。

すると、私のフェイスブックのニュースフィードは、自宅からわずか２マイル（約３キロメートル）圏内で起きた事件の画像や洞察でいっぱいになった。州外や海外に住む人々が、白人至上主義者と反人種差別主義者の住民との衝突の意義について尊大に語った。

地元の田舎町が国際ニュースやソーシャルメディアから集中砲火を浴び、知り合いや愛する人が攻撃され、態度を明確にする過程で、町自体がシンボルとなり物語の中心になるのを見るという経験は、奇妙なもので心の底から不安を覚えるものだった。

私は、地元と自国を悼み、隣人の身の安全を案じつつ、フェイスブックがもたらすさまざまな社会的・知的・政治的な影響について思いめぐらせながら本書を書き終えた。[*1]

白人至上主義者のジェイソン・ケスラーは、8月12日にシャーロッツビルで計画中のデモに関する詳細と参加者募集をフェイスブック上に載せた。

白人至上主義者のリチャード・スペンサーと同じく、ケスラーは長年ユーチューブ、フェイスブック、ツイッターなどの主要ソーシャルメディアを巧みに使って一定の尊敬を得ようと努力するなかで、人種差別主義者のクリーンなイメージを打ちだすことに成功していた。

一方で、白人至上主義者団体同士の組織的なやりとりは、こうしたソーシャルメディア上でおこなわなかった。そちらは支持者、新人候補、一般大衆、警察、ジャーナリスト向けの建前のメッセージで、本音のやりとりは4Chanやレディット、チャットアプリ〈ディスコード〉といった悪意に満ちたソーシャルメディアやディスカッションのプラットフォームでおこなわれたのだ。[*2]

これらのフォーラムは、事件の数カ月前から、しだいに勢いを増す運動が吐きだす大胆な主張に激しく揺さぶられていた。見下されたとか不満を感じる若い白人男性が、そこに慰めと絆を見出したのだ。

事件前に一部の白人至上主義者たちが妄想を膨らませ、「抗議者たちを轢(ひ)く」ことをはじめとするあらゆる暴力行為の話で盛りあがっていたことが、ディスコードのチャット内容が漏れでたことで判明している。

そして8月12日、反人種差別を訴える人だかりに車が突っこみ、32歳のヘザー・ハイヤーが命を落とした。このほかにも、少なくとも19人が負傷し、重傷者も出た。事件の前夜と当日、拳、こん棒、バットをふりまわす白人至上主義者によって多くの人々が被害にあった。[*3]

SNSで人々が焚きつけられる

参加者限定のクローズドチャットアプリ、暗号や省略や独自の言葉でやりとりするレディットフォーラム、人種差別主義者が作成したユーチューブの動画とそのコメント、ツイッターのスレッド、フェイスブックのページやグループなど、さまざまな種類のSNSが、白人至上主義者を集め、やる気にさせ、注意喚起し、組織化するために活用された。

自分たちの主張を下層メディアからたたきあげて、ブログやブライトバートのようなプロパガンダサイトへと出世させていき、最終的には主要メディアソースに届けるすべを身につけた。必要とあれば、自らの意図や所属を隠す巧妙な技も編みだした。たとえば、過激な人種差別主義者だと非難されれば、ただ皮肉っぽいふりをしているとか、ただおもしろ半分にきわどい発言をしているだけだと主張した。[*4]

反人種差別主義者らも同じプラットフォームを使って活動し、一部は白人至上主義者のディスカッショングループに潜入して計画などの情報収集をした。

近年、ソーシャルメディア上でのアメリカ白人至上主義者の動きが過激さを増しているおかげで、彼らの動向を把握しやすくもなっていた。8月12日に直接抗議をしただけでなく、住民たちは何カ月ものあいだ、人種差別のうねりについて議論を重ね、対処法を練った。

2017年は5月から7月にかけて極右系イベントが同地で開催され、それが8月11、12日の行動へとつながったのだ。

住民は教会やコミュニティ会議、町内会だけでなくフェイスブック上で計画や対処法を話し合った。同じ考えをもつ住民のような地域レベルでの利用ならフェイスブックほど有用なものはない。地域住民やその他の地域の人が書いたものを読んだり、こうしたイベントへの最善策について情報や視点を共有したり、「反ファシズム」思想家――なかには有色人種を擁護するために暴力に走る人もいた――の美徳と悪徳について討論したりした。

7月に起きた白人至上主義の秘密結社、クー・クラックス・クランの集会をうけて、市議会や宗教組織、市民団体、バージニア大学のリーダーたちは、町の内外における正義について話し合う場を住民に提供する代替プログラムを8月12日に計画した。

この市民活動の多くは、フェイスブックを通じて組織された。しかし当日の朝、武装した白人至上主義者が暴力行為を始め、バージニア州知事に緊急事態を宣言させる事態となったため、代替プログラムは即刻中止されるはめになった。[*5]

「アラブの春」と同様、こうしたイベントを計画・組織する際のフェイスブックの役割は誇張されやすい。

くり返すが、シャーロッツビル事件でも、同じ考えの持ち主とつながりたい人々がもっとも効果的な手段を選んだにすぎず、フェイスブックは数あるツールのうちのひとつでしかなかった。取り立てるほどのことでもない。ケスラーはフェイスブックの公開ページで8月12日の計画をアナウンスしたが、そうしなければならなかったわけではない。

ただ、彼がフェイスブックを選んだことから見えてくることがある。**一定数の支持を得られ、主流派からそれなりの注目を集められるだろうという彼の勝算と自信**だった。

事件直後、多くのソーシャルメディア会社が白人至上主義のプロパガンダ配信を削除すると発表した。だが、こうした動きもしょせんうわべだけで望み薄だった。

人間関係の多様化と対立する価値観の働きを考えれば、グローバル規模でコンテンツをフィルタリングしモデレートするなど無理な話だ。規模を踏まえれば、ほんのわずかでも状況を改善しうるというふりすらフェイスブックにはできない。フィルタリングの強弱をあげつらって、同社の責任を問うのはお門違いも甚だしい。

問題は、フェイスブックの概念そのものが20億人超のユーザーによって増幅されているという、その一点なのだ。*6

立ち止まって考えることの大切さ

シャーロッツビル事件でのフェイスブックの役割をたどるのは難しいが、それでも取り組む必要がある。

私の住むアメリカという国では、単一民族国家を標榜するおぞましい声が日増しに強くなっている。与党はもはや過激分子を拒絶できず、メディアエコシステムはとにかく不穏で派手な主張をする者に見返りを与え、白人至上主義者の主張に真剣に耳を傾ける。既存のフィルターがすべて無用の長物となったせいで、白人至上主義に肩入れする男が大統領に就任する始末だ。だが、こうした問題を生んだのはフェイスブックではない。フェイスブックは、私たちの真実への思いと正義感を揺さぶり、集合的国家運命の感覚を壊すことで、問題を増幅させ常態化させただけなのである。

なによりフェイスブックはこうした問題を考えられなくしてしまう。それでも私たちは、個々に対応策がないわけではない。アプリを削除したり、スマホの電源を切ったりすればいいのだ。

だが、フェイスブックが集合思考に与える害から逃れるすべはないのが実情だ。困難に直面したり脅威を知らされたりしたとき、フェイスブックはもっとも簡潔かつ浅薄な方法で自己表現をするよう、私たちに呼びかけてくる。それに乗せられて私たちは怒り、笑い、愛情を示すアイコンをクリックして終わりにする。

また、フェイスブックは私たちを欺き、大きくて印象的なことに個々の寄付を募ることで問題が解決できると思いこませるが、長い目で見たときに寄付金がどんな変化をもたらすのかは結局わからずじまいだ。

そして、「はるか遠くの出来事や人々にとって私たちはかけがえのない存在であり、数回クリックすれば変化を起こせる」と信じこませることで、ますますフェイスブックにのめりこませる。**合意された事実と共有された議題で最大の難問にむかって団結して取り組めなくしてしまう**のだ。

この問題は、アメリカ、オーストリア、ハンガリー、インドにおける民族的または宗教的ナショナリズムという迫りくる脅威をはるかに超えている。問題を集合的に考え抜くことができなくなると、私たちの暮らしは集合的に脅かされるのである。

データの洪水におぼれる人々

２０１７年9月上旬、５００万人超の人口を抱えるアメリカで4番めの大都市ヒューストンが水没した。巨大ハリケーンの端がヒューストンの１００マイル（約１６０キロメートル）南をかすめたのだ。都市は大洪水に見舞われ、２００人以上の死者が出た。

同じ頃、人口約１９００万人のムンバイはモンスーンの豪雨に見舞われて、排水処理システムが追いつかず被害が拡大した。バングラデシュも１２００人以上の犠牲者を出し、４１００万人が避難生活を余儀なくされた。南アジアでは4カ国を襲った洪水のせいで、２００万人近い子どもたちが学校に通えなくなった。

同年7月、ナイジェリアのラゴスも集中豪雨にともなう洪水被害を受けた。夏の終わりには、ベヌエ州で数十万人が洪水により避難生活を送っている。

そして、新たな大型ハリケーンがプエルトリコ、ドミニカ共和国、ハイチ、キューバ、バハマ諸島、フロリダを襲い、さらなる苦しみを人々に与えた。*7

人的被害の情報と救済支援の声は、フェイスブックのニュースフィードにも定期的にあらわれた。多くは、私の家族や友人が多くいるテキサス南東部のことだったが、ナイジェリア、バングラデシュ、ムンバイへ関心を引くものも少なからずあった。

洪水被害にあった人々に寄付する機会はたくさんあったが、一方で、次々と流れる画像や証言に無力感は強まるばかりだった。

被害者全員を助けようという集合的な意志と想像力が私たちにあるのか？　別の場所で甚大な災害が起こる可能性を減じることはできるのか？　それとも、原因を究明して脆弱性の解決策を考えることから逃げて、ただ集中的な災害支援を漫然とくり返すほかないのだろうか？

２０１７年の夏の終わり、世界各地を襲った嵐の頻度と強度が増した。人類が招いた気候変動のせいであることに疑いの余地はない。人類が招いたとは、機械が生みだしたという意味でもある。

人類は数々の機械を発明・改良・展開した。その燃料となる炭素系材料は熱を分散させる地球の能力を抑えこむわけだから、海水温は上昇し、海は荒れ狂う。それだけではない。大気は湿度で重くなり、風も強まる。

そして内燃機関のおかげで、農業は効率があがって生産能力を伸ばし、人の移動はたやすくなって都市に人が集中する。結果、めぐりめぐって私たちの力を弱めるのだ。

ラゴス、ムンバイ、ヒューストンなどの大都市やその周辺での暮らしを可能にした内燃機関は、極端な気候をもたらした。気がつけば、私たちはなんとも抜き差しならない状況にいる。種の存続が危ぶまれる事態だ。

私たちは今日、１日あれば地球の裏側に移動できるし、どんなに離れていても画像や音声を瞬時に伝えられるし、情報が寸断されることなく考えや主張を広められる。さらに、ゴーグルをつけてコンピュータにつなぐだけで空を飛んだり、セックスをしたりできる。カネだって即座に動かせてしまう。

これだけのことができるのに、巨大な嵐や地震に備えて大都市の生活をよりよくし安全を守るために世界が手を携えて真剣に話しあうことができないでいる。感染症の世界的大流行（パンデミック）が起きる前に公衆衛生対策を練ることも、二酸化炭素の排出量を減らすことも、世界的倫理観をとりもどし民族的ナショナリズムを拒むこともできない。というのも、今日、恐怖心を悪用して権力を得ることがわけないことになったからだ。

つまるところ、私たちは無力で弱い。

ポンペイのヴェスヴィオ火山噴火やインドネシアのクラカタウ火山噴火を彷彿させる脅威に直面していると思いがちだが、今回はこれまでの「自然」災害とはわけが違う。人類が生みだした道具や技術が、私たちを一掃しようとしているのだ。

私たちは無限の才能をもっているのに使いこなせていないし、データを無限に処理できても知恵をはたらかせることができていないのだ。

この問題が、第二次世界大戦後にドイツ系ユダヤ人の思想家ハンナ・アーレントを悩ました。ふたつの世界大戦後に全体主義がヨーロッパとアジアを覆うにつれて、「文明」と技術の「進歩」にまつわる私たちの仮定は間違いだったことが明らかになった。

種としての人類は、聡明でもあるが愚かでもある。**私たちはモノをつくるのに長けている**（アーレントの言うとおり、人間は工作人（ホモ・ファーベル）である）。特に、個人向けの使い捨て用品、殺害や迫害目的の技術を生みだすのはお手のものだ。

一方で、**ものごと――とりわけ集団的苦境の打開策――について熟考してから実行に移すのはとんでもなく苦手だ**。プーチン、モディ、エルドアン、トランプらの出現以来、全体主義に関するアーレントの古典に再び注目が集まるのも納得できる。

願わくは、社会、思想、行動に対するアーレントの考えを再発見してもらいたい。死に直結する困難に直面したときの人間の無能さを指摘しており、今日にもあてはまる内容だ。

彼女の重要な洞察のひとつに、力のない人々が忙しくて、行動――人類に対する重大な犯罪に荷担するような行動――のもたらす大きな影響について考える暇さえないときに、全体主義が根づくというものがある。

彼女は「**立ち止まって考える**」という言葉を好んだそうだ。明確に考えるためにはいったんすべての動きを止めなければならないというのが彼女のモットーだったからだ。[*8]

私たちは市場や文化を通じて、潜在的な消費者や有権者の前に非常に魅力的な広告を並べ、儲けに意識を集中させつつもリスクを分散・移転させる新たな金融資産を生みだすことに技術的・数学的な能力を集中させてきた。集合知性の無駄づかいもいいところだ。

問題の打開策を集合的に考えられないようにしながら、知的ジャンクフードとでもいうべきものを提供する人々に富と力を与える。データの洪水に溺れそうだと私たちは文句を言う。だが、スマホから目を離せないのは私たちだ。多くは街中が汚水で溢れるのにも気づかずに溺れていくのだ。

非合理的な現在に対する合理主義者的な道筋

ここに痛烈な皮肉がある。私たちは、世の中を便利にし、決定や行動を合理化してくれる複雑なシステムを生活に採り入れた。それは人類の偉業の集大成だ。数学、冶金学、言語学、論理学、物質科学、行動心理学、経済学の力を結集させ融合してきた。

これらは科学革命と啓蒙主義の大きな成果に数えられる。だがまたしても、市場と政治の力が啓蒙時代の産物を新たな啓蒙主義に敵対させたのである。*9

これらの最新技術システムは、すぐさま満足を与えてくれるものを好む市場の力によって増幅されるように設計されているため、重要な問題について熟議する努力を損なう。もっと違う設計もあったはずだし、もっと広く討論や議論をおこなってから本格展開してもよかったはずだし、厳しい規制を設けて性急な投資と導入を押しとどめることもできたにちがいない。**問題は、技術の応用、純粋な科学や科学的手法にあるわけではなく、科学や技術に対する私たちの非合理的な考え方にある。**

技術を崇拝しすぎるあまり長期的な代償を考えず、その即時的な見返りや利便性を暮らしにもちこんでばかりいると、ばかを見ることになる。逆に、実証されていない科学、それ自体のための知識の探求を無視したり軽視したりすれば、これまたばかを見ることになる。にもかかわらず、私たちはその両方をやってきてしまった。

生活から多くの摩擦をとり除き、身近な世界からバーチャルな世界へと視点を移したことで、これらのシステムは暮らしを楽にしてきた。しかし、こうした技術の継続的な日常使いは、麻薬のごとく神経をむしばんでいく。

画面を通して誰かとつながっていないと不安になり、短時間の楽しみや気晴らしのつもりが、気が休まらずに疲れきってしまう。スマホやタブレットの悪影響を突きつけられても、ほんのつかの間、「やれやれ」と首を振ったあと、いつものように不快感を忘れさせてくれる何かを探してニュースフィードをスクロールしてしまうのだ。

さらに、こうした商品は比較的安く手に入り（それなしの生活のほうが代償は大きい）、加えてたくさんのサービスが名目上は「無料」である。そのため、私たちは安易に、なんのかかわりももたない何百もの企業に、自分自身をトラッキングさせプロファイリングさせることを許してしまう。ひいては、国家にも情報を与えるはめになるのだ。

私たちはまるでデータを生産するために、フェイスブックに依存するように飼いならされた家畜のようだ。

「データは目に見えない強制と支配の網へと編みこまれている。言うまでもなく、広告主やその他の利害関係者に売れば莫大な利益をもたらす」と語るのは、ゲーム設計者のイアン・ボゴストだ。[*10]

発明によって解き放たれた悪意

世界的な遍在性によって実現したフェイスブックの成功は、さらなる成功を生む。現時点で中国やイランといった一部の国を除いて、フェイスブックの輪に入らないことは社会的代償をともなう。

フェイスブックを使えないことで、甥っ子誕生や市民集会の知らせが届かないかもしれない。

個人的代償は小さいかもしれないが、ものごとを見逃してはならないという社会的なプレッシャーは、フェイスブックユーザーに囲まれている人の日常生活に大きな影を落とす。

フェイスブック以外にもソーシャルメディアサービスはある。だが、フェイスブックほど広い範囲で多くの機能を備えるサービスはないし、なによりこれほどの重要性をもつサービスもない。規模が大きいというだけで、誰もが参加する理由になる。同じような偏見をもつ者同士がつながり、偏見の対象者との対立が生じる。

虐待や嫌がらせは、フェイスブック上ではありきたりのことだ。それなのに、フェイスブックは被害者や標的者みずからにその憎悪や脅迫に対処しろという。

残念なことだが、理解できなくもない。フェイスブックはとにかく大きすぎるのだ。卑劣な行為も多様すぎて、何百万の不正行為を予期して規制できるだけの人員を配置したりコンピュータコードを用意したりできない。

そのグローバルな規模が数々の危険を招き、自ら生みだした問題に効果的に対処することを難しくしている。大きすぎて手なずけられないのだ。企業の社会的責任というイデオロギーがあだとなって、ザッカーバーグは自らの発明によって解き放たれた悪意を認められずにいるのである。

こんなはずではなかった。計画になかった事態だった。フェイスブック誕生前、魅惑的な「インターネット」物語が世界を席巻していた。この新たなネットワークと、それを構築し、そこに乗せるものを構築した人々は、啓蒙主義の原則にのっとって集合的に力を注いだ。その力の使いみちはおもに進歩のためだった。

進歩か、イノベーションか

進歩は、18世紀啓蒙主義のなかでもっとも強力な思想だった。そのため、アメリカ合衆国憲法の起草者は、議会に対して著作権と特許法によって「科学と有用な芸術の進歩を促進する」べきだと進言しているくらいだ。

ところが、20世紀後半になると「進歩」は流行後れになる。今日、「イノベーション」という名のもとに、人は技術への投資や保護を呼びかける。いまや進歩をうながすのは恥ずかしい行為でしかない。ダム、高速道路、国立公園、国公立大学など、20世紀の巨大プロジェクトは、現代の私たちからするとピラミッドやタージ・マハルくらい現実離れしている。

イノベーションは、多くの点で進歩とは異なる。大幅な改善という規範的な主張はない。壮大なトップダウン方式ではなく、いくつもの小さな動きから生まれる。

知りうる未来の壮大な設計や道筋を示すこともない。未来に関することも一切主張しない（ただし、いまはちょっと手が届かないが、未来には必ず存在することだけは主張する）。

そして、強力な中央集権国家が立案する壮大な計画政策からではなく、商業界から常に生まれるように思われる。いま、国家に求められているのは革新であって、大きな問題を解決したり、市場の失敗を正したりすることではない。イノベーションの究極のゴールは革新につぐ革新なのだ。

イノベーションは、今日いたるところにある。ハーバード・ビジネス・レビュー誌を読めば、この言葉を何度も目にするだろう。

大小問わずどこの大学も新たな「イノベーションセンター」を自慢し、学生だけでなく図書館や研究室でもイノベーションの開発プログラムに力を注いでいる。猫も杓子もイノベーションを期待されている。政策やテクノロジーの見識を疑う人は、すぐさまイノベーション反対派として排除される。

グーグル開発のNgram Viewerによると、書籍での「イノベーション」の使用頻度は、インターネットが人々の暮らしに浸透してドットコム・バブルが始まった1994年に急増した。

１９９７年、ハーバード・ビジネススクールのクレイトン・クリステンセン教授が、著書『イノベーションのジレンマ』（翔泳社）のなかで「破壊的イノベーション」という言葉を使用してからというもの、それが官民双方の経営論の中心議題となった。

都合のいい事例だけを採用して歴史的複雑さをまったく無視した内容の同書は、ハーバードの歴史学者ジル・レポールを筆頭に、多くの学者に完膚なきまでにこきおろされている。

それでも、クリステンセンの影響力はいまだ健在だ。おとぎ話のなかにはあまりにもうまい話があって、大人になっても信じることをやめられないのだ。イノベーション、とりわけ破壊的なイノベーションは、批判の影響を一切受けない、宗教じみた概念になりつつある。[*11]

国際連合児童基金（ユニセフ）のリーダーたちでさえ、ユニセフ・イノベーションを立ち上げずにはいられなかった。

「これは世界中の個人から成る学際的チームで、ユニセフの活動を強化するテクノロジーや習慣を特定し、試作し、拡大する任務を負います。世界中の子どもたちの生活をよくするイノベーションを構築し大規模展開していきます」

このミッションが、ユニセフが過去60年間継続してきた、そしていまも継続しつづけているほかの活動と何が違うのか、私にはよくわからない。ただ、ユニセフ・イノベーションのウェブページはたしかに、標準的なユニセフのウェブページよりも多くのバズワードを駆使する。

「２０１５年、イノベーションは世界中の子どもたちの現状にとって必要不可欠です」とウェブページにはある。

「都市化、気候変動、雇用機会の不足、教育制度の破綻、格差の拡大、デジタル格差など、課題はかつてないほど大きく、急速に迫ってきています」[*12]

当然ながら、この歴史的主張を実証することはできない。しかし私たちは、人類史上もっとも重要で、もっとも性急な、もっとも危険に満ちていながら、もっとも機会に恵まれた時代に生きていたい、そうであってほしいと思っている。だから、テクノロジーは常に「かつてないほど速く動く」必要がある。

そしてもちろん、法と政策は「テクノロジーに追いついてはいけない」。このような考え方があるので、ここ数十年は大げさに表現されることが多かった（過去20年に経験したいわゆる「革命」を思い出してみるといい）。

しかし、今日使われる言葉は、圧倒的におとなしい表現になっている。慎ましさは美徳だ。多くの点で、進歩ではなく、慎ましさに焦点があたりつつある。奴隷制度、強制労働収容所、大量虐殺、ホロコーストなど、一度に大量の命を奪う非人間的な残虐さを目の当たりにして、21世紀を迎えるころには、進歩は定義可能で不可避であるという考えは維持できなくなっていた。

イノベーションと同じように「進歩」も、真逆の政策でおなじみの引用句となりがちだ。

歴史学者デイヴィッド・ブリオン・デーヴィスは、奴隷制度拡大の支持派と反対派の双方に進歩の主張が使われたと書き、進歩思想の3側面を次のように特定している。[*13]

❶歴史的変化は偶然によって起こるものではない、または歴史的出来事は自然科学の原則を反映する意味のあるパターンに編みこまれるという信念

❷歴史の全体的な軌跡がよりよい方向に向かっていくという信念

❸未来が人間の理性に対する信頼を通じてであれ、神の導きによってであれ、必然的に過去に基づいて改善していくという予測

イノベーションの狭量な主張は、進歩の壮大なる自慢と比べれば多少はましだろう。とはいえ、イノベーションが私たちの種としてのゴールになってはならない。

私たちはまさにいま、気候変動、広範な人への虐待、政治的自由に対する脅威、感染症などの大きな問題に直面している。エボラ出血熱、ＨＩＶ、レイプ、人種差別、融けゆく極冠などに対して、対処（ごくごく控えめなものだが）していけるという考えに合意するのは、知的根拠がないわけでもない。

イノベーションのささやかなビジョンと、壮大な進歩の傲慢さのあいだのどこかに、集合的運命というビジョンが横たわっている。正しい投資と強いコンセンサス、そこに忍耐も加われば、より公正で安定した世界を生みだせるはずだという自信もある。

20世紀から21世紀へと急ぐ過程で、その瞬間はあっという間に過ぎ去ってしまった。その瞬間をとりもどさなければならない。

インターネットとその不満

インターネットのおかげであらゆることがよくなる、と私たちは聞かされてきた。イノベーションは私たちを救い、取引はより公平になり、決定はより合理的になり、市場や企業の競争は激しさを増す。国家はより人道的になり、社会はもっと自由になる——だが、**これらは幻想だった**。初期のぼんやりとした、理論的な主張のときですら、この幻想はいとも簡単に蹴散らされ無視されてしまった。

だが、その幻想には、説明力（ものごとはこういうものです）も、予測力（ものごとはこうなります）も、そして向上心（ものごとはこうあるべきです）もあった。

その幻想によれば、もっとも合理的な人間が、中央集権化したり腐敗したりすることのない通信システムを構築したのだそうだ。それは、規制されたり監視されたりもしなければ、すべての人に平等に接する。

人々は、新たな考えや事実とつながることができるため、迷信や偏見を打破する。その開放性、設定しやすさ、拡張性は大胆で創造力のある人々を引き寄せ、その上にすばらしい構造を構築し、そのなかで豊かなコミュニティを維持することができるようにする。

たくさんの本やエッセイが、この幻想をとりあげ褒めそやした。1990年代、私のような人間なら誰しも、これらの話を鵜呑みにして、このうねりに乗っていただろう。

裕福な国に暮らし、教育を受けた国際人なら、その信条の清廉潔白さをすっかり信じていただろうし、この幻想を何百万、最終的には何十億というユーザーとドルとに変えていったはずだ。私は、この幻想を支えるシステムが私のような人間を利するものだということを見抜けずにいた。[*14]

この幻想は、啓蒙時代の前提を実現させた。対話、熟議、議論、情報、相互認識、コミュニケーションはよい決断を下すための理想的な場を生む。

18世紀の喫茶店はインターネットに太刀打ちできなかった。インターネットはラジオやテレビのようにチャンネル数による制限も受けないし、新聞、雑誌、書籍のように市場参入の障壁も高くない。アイデンティティの証は覆い隠されるか、すぐに見当違いだと切り捨てられるので、古い偏見は時の経過とともに消え、人の考えや主張の価値観だけが重要になる。

幻想とシステム自体が、学術的かつ科学的な文化から生まれ出てきた。つまり、その文化の最高の特性を引き継いでいる可能性が高い。すべてが相互評価にさらされ、偶発的で、コンピュータサイエンス用語でいうところの「ベータ」状態なのだ。

インターネットに組みこまれているように思えた本来の自由は、20世紀最後の10年と21世紀最初の10年における工学、政策、投資判断の多くを決定づけてきた。具現化された技術的無政府主義が世界に広がりはじめていたのだ。そして、それは輝かしい未来を約束した。[*15]

インターネットは描くことや指し示すことができる物体であったことはない。インターネットとは、個別のデジタルネットワーク間の関係を示しており、いわばネットワークのネットワークだ。

だが、固有名詞としてのインターネットという呼び名は、その幻想の力を支えるうえで重要だった。インターネットによる相互のつながりは、ネットワークとその利用者の力を強めたわけだから、効果がなかったわけではない。

それでもインターネットは、私たちの頭のなかで形づくられたものとなり、まるでインターネットが世界において独立したもの、場所、力であるかのごとく語る。こうした先入観がなければ、ネットワーク化されたデジタルメディアの台頭はもっと慎重におこなわれていただろうし、批判的な目にもさらされていたはずだ。

だが現実には、誰もがインターネット、ひいてはイノベーションやその未来に対して賛成か反対かの二者択一を迫られることになった。つまるところ、賛成・反対以外の選択肢がなかったのだ。

メディア理論家ピエール・レヴィは、著書『ポストメディア人類学に向けて――集合的知性』（水声社）のなかで、インターネットの幻想を見事に表現している。

欧米人がダイヤルアップ式のモデムをばかでかいデスクトップコンピュータにつなぎ、白黒のモニターでオンラインメディアの愉しみを味わいはじめたころ、レヴィはこう問いかけた。

「そうなると、われわれの新たなコミュニケーションツールは何に使われるというのだろう？社会的にもっとも有益なゴールは、まちがいなく、集合的知性や想像力を培う過程で精神的能力を共有する道具を手に入れることだろう。そうすると、相互接続ネットワーク上のデータは、生きているコミュニティの集合的頭脳、あるいはハイパー大脳皮質として技術的基盤を提供するものになる」

レヴィは、**知識を大量の紙の文書にとどめておく生活から解放されれば、創造性にあふれた楽園が手に入る**と約束している。知識は導かれるものであって照合・収集されるものではなく、純粋にソーシャルなものになる。

グーグル誕生の3年前、フェイスブック誕生の9年前の時点ですでにレヴィは、両社の正当化を予測していた。*16

インターネットの幻想が崩される

この幻想の多くはそのまま残り、花開くはずだった。だが、歴史、アイデンティティ、同盟、推定、偏見、権力をもつやっかいな人類が、それを阻んだ。

幻想の核となる倫理に同意していなかった人々がインターネットに手をつけると、自らの欲求や習慣に応じてこの媒体の姿を変えた。インターネットは利用者しだいでよくも悪くもなった。当然ながら人々の日常生活や前提も変えた。

だが、人間のほうがよほどインターネットを変えている。北アメリカと西ヨーロッパでは1995年から1996年ごろ、その他の世界では2002年から2004年にかけてそれが起きた。

当時、デジタル通信チャネルの商業化は政策立案者にとってもテクノロジー会社にとっても急務だった。反体制派、テロリスト、安全な銀行取引やクレジットカード決済を可能にする強力な暗号化は2000年までに普及した。

グーグルはワールド・ワイド・ウェブに秩序をもたらすべく、スタンフォード大学に通うふたりの学生によって創業された。グーグルのコーディング担当者の強制力のもと、ほかのウェブユーザーの知恵に自分の判断を丸投げできるようになったのだ。

関心は一種の通貨となった。データもしかり。どちらもひどく簡単に現金に変換することができる。クリックひとつで、広告と商取引とをつなげるだけでいいのだ。

それ以降、ものごとは一極集中していく。２００４年、グーグルはほかのデジタルプラットフォームの開発モデルとなるふたつの概念を確立した。ひとつは広告のオークション制度で、グーグルがユーザーから見出したパターンを反映するように広告のターゲティングをおこなうもの。もうひとつは、ほかのウェブページが収益をあげるために使える広告市場の導入だった。グーグル本社のあるカリフォルニア州マウンテンビューには現金が流れこむ。その勢いは衰え知らずだ。

２０１０年ごろになると、グーグルはワールド・ワイド・ウェブと電子メールのあらゆる側面を支配した。図書館、学校、大学、政府、新聞、出版社、エンターテインメント関連企業、小売店がグーグルを成功モデルとみなした。

著作権とプライバシーの問題を持ちだしてグーグルと争った者もいたが、多くはグーグルと手を組み、自社の再建に取り組んだ。[*17]

２００７年には、アップルがiPhoneを発表した。電子メールとウェブベースの通信モバイル端末はこれまでもあったが、iPhoneはこれまでの端末のなかで、もっとも興味深く、デザインもよかった。

iPhoneと、アンドロイドのスマホの多くは、私たちをアシストし、周囲を流れるデータと常時つながっていられるようになった。スマホは私たちを巨大データベースにつなぎ、私たちの思考や行動を常に追跡している。そしてスマホを通して私たちに話しかける。

モバイル機器のもっとも重要な機能は、画像と音を記録できることだ。そして力のある企業と国家をともに利するような膨大かつグローバル規模の監視活動に私たちをさらしており、それらは、データの流れとそのデータを所有する企業に私たちをつないでいるのだ。

私たちはゲームをする。自撮り写真に犬の耳や鹿の角をつける。それにますます難しく不安定になっていく生活をスマホで管理する。さらに育児、仕事、恋愛関係、金融取引、交通、社会生活のすべてを、プラスチックとガラスからできているあの小さくて高価な塊を通じて、昼夜を問わず着信音と振動に追い立てられながらこなしていく。

グーグルが唯一実現できなかったのがソーシャル・ネットワーキングだ。友人、友人のそのまた友人、赤の他人とのつながりを追跡し促進するというコンセプトにグーグルの経営陣が気づいたときには、時すでに遅し。

シェリル・サンドバーグがグーグルを去り、フェイスブックのCOOに就任するやいなや、舵取り役の不在で利益をあげられずにいた同社は、その人気と豊富なデータ量を活かして反応が得られやすい広告を提供しはじめ、商品の品質と機能の向上に着々と投資をおこなった。

フェイスブックはモバイルプラットフォームに集中し、富の面ではおよばないにしても文化的重要性ではあっという間にグーグルと肩を並べるまでに成長した。

2004年以降、私たちの行動とコミュニケーションは、毎日顔をつきあわせる現実世界のやりとりからフェイスブックへと移行しつつある。

フェイスブック上でいまや20億超の人が政治生活を営み、関心や情熱（そして憎悪）を共有する人とつながり、アイデンティティや所属を主張している。

世界中の人々にとって、フェイスブックはますます娯楽と気晴らし、情報収集、慰めのもととなりつつある。そして、これまで見てきたように、フェイスブックは私たちの最高かつ最悪の集合的習慣のいくつかを増幅してきた。

確かにいえることがひとつある。**問題をともに考えるという能力がむしばまれたことだ。**

テクノポリ時代

グーグルとフェイスブックによる世界的な富と権力の集中は、イギリスとオランダの東インド会社が広大な領土、数百万の人々、そしてもっとも貴重な貿易ルートを支配して以来の大規模なものだ。

驚くべきことに、両社はこれを非暴力的に、しかも国家の後ろ盾を得ずにやってのけた。これが東インド会社と大きく違う点だ。

だが、東インド会社と同じく両社は世界中の熱意と憤りを宣教師精神に訴えることでかわしている。世界をよりよくしているのだからいいだろう?というわけだ。

私たちをおびきよせ、富と権力を手に入れる手段をつくらせるように仕向け、私たちの行動やアイデンティティから必要なデータを抽出し、大々的なイデオロギー運動を立ち上げた。1992年にニール・ポストマンが提唱した、当時は予測にすぎなかったそのイデオロギーは「テクノポリ」という。

「テクノポリとは文化の一状態である」とポストマンは述べる。「それはまた心の状態でもある。技術を神聖視する。それはつまり文化が技術に権限を求め、技術に充足を見出し、技術から命令を受ける状態を指す」

この技術による支配は、これまで安定していたすべての信念体系の犠牲を強いる。昔であろうといまであろうと、機関への信頼が失われるということだ。

どのような秩序、制度、伝統も疑わしいとみなされるか、単にその起源が古すぎるというだけで「崩壊」する頃合いだと決めつけられる。まるで、永続性が強さではなく弱さの証だとでもいうかのようだ。

地域ごとのアイデンティティや伝統は無価値だと切り捨てられる。再編集、パロディ、観光、タペストリー、ゲームの材料になる程度の価値であって、奥深い人類の物語やつながりを表現するためではないのだ。

学習とは没頭し、検討し、熟議するものではなく、検索とコピー・アンド・ペーストの行為になる。瞑想は趣味となり、精神や目的とつながる習慣ではなく、その時間を買える特権者だけの休日となる。

宗教は粗くてもろく、簡素化され持ち運びできるものとなり、新たなグローバル技術文化のスピードについていけないことに怒りと不安を覚える人たちにとっての正義になると過信する。誰もが数値化され、暴露され、身構え、疲れ果てる。

このイデオロギーの変化による明らかな勝者は、それを予見し指図した人、すでに特権を手にした教養のあるひと握りの人のみだ。ポストマンはこう述べている。

「テクノポリに安住するのは、技術進歩が人類最高の偉業であり、私たちの抱える深刻な矛盾を解決する手段だと信じている人たちだ。彼らは、情報が純粋な福音だとも信じており、継続的かつ無制限に生産・普及することで自由、創造性、心の平安が提供されると信じている」

2010年、わが家の近くの教会に「神はそのためのアプリを持っている」という言葉が掲げられた。ポストマンはこの言葉を見ることなくこの世を去ったが、もしそれを見たらニヤリと笑って椅子に背を預け、世界を席巻した力の名をウインクしながら教えてくれただろうに。[*18]

彼はさらに、「テクノポリは、オルダス・ハクスリーが『すばらしき新世界』で描いたまさにそのとおりに、それ以外の手段を排除していく」と書き、こうつづけている。「それらの手段を非合法化するのではない。不道徳と断ずるのでもない。人気を奪うわけでもない。ただ、それらを目に見えないもの、どうでもよいものにしてしまうのだ」

私たちはまだ本も読むし、講義に出席するし、バーや床屋で隣に座った誰かと議論する。だが、こうした行動——ポストマンいわく「思考世界」——はすべて、重要なことから順に消えていってしまうのだ。

フェイスブック上で起きていないことなら(頻度も重要度も劣るウィーチャット、ツイッター、ユーチューブ、ウェイボー、スナップチャット、インスタグラムでも起きていないことなら)、それは起きていないのだ。

テクノポリは突如生まれたわけではない、とポストマンは言う。20世紀の夜明けとともに忍び寄ってきた。

彼の考えによれば、テレビが私たちの思考と生活を支配したときがテクノポリの絶頂期だった。彼がテクノポリに関する本を出版した年、歌手のブルース・スプリングスティーンがこのテクノポリを見事に言い表している。「57チャンネルもあるのに何もやっちゃいねえ」[*19]

いまではチャンネルが増えすぎて数さえわからない。質のいい情報や信頼のおける情報源をふるいにかけてくれるはずの数少ない機関が、フェイスブックとグーグルの文化と市場を席捲する力によってゆがめられ、瀕死の状態だ。

私たちに残されているのは、怪しげで、薄っぺらい、操作された、大げさなものばかり。フェイスブックは大げさなものに見返りを与え、大げさなものがフェイスブックに見返りを与えるのだ。

もはや問題は、インターネットに関することではなく（かつてはそうだったとしても）、人間行動の効率を上げるために相互作用的に機能する一連の技術がもつ力と影響力に関することに移っている。

その技術の要素には、複雑で順応性のあるアルゴリズムを通じて膨大なデータを処理できる強力なコンピュータ、安価なデータ記憶装置、高速データ接続、モバイル機器やウェアラブル端末が含まれる。**要するに、問題は私たちの生活OSなのだ。**

抵抗と撤退

2013年、著名メディア理論家のダグラス・ラシュコフが、CNNの公式ウェブサイトのコラムで「フェイスブックをやめる」と宣言した。もうたくさんだし、フェイスブックのしくみや、フェイスブックが増強するものと隠すものがラシュコフの価値観とそぐわないからだと言う。

デジタル界の文化アナリストとして長年活躍してきたラシュコフは、デジタルプラットフォームやツールに対する自身の倫理観を明確に示すことができていた。人間の営みを補うものだけを使い、人間に制約を与える技術は排除した。

「フェイスブックはまさにそうした技術だ」とラシュコフは述べている。「私たちがそこに居もしないのに、私たちに成り代わってものごとを進める。友人たちに私自身のことを積極的に間違って伝えるだけでなく、私の友人となった人のことを間違ってまた別の誰かに伝える」

ラシュコフからすると、フェイスブックはとりわけ悪質で不誠実に映る。「友達」という言葉を使いつつも、あらゆる関係を、取引をするための単なるつながりとみなす。そのうえ私たちの労働力を搾取する。

ラシュコフは言う。「メンローパークで働く数千人のフェイスブック社員の労力など、ページを入念にいじっている数億人のユーザーに比べれば大したことはない」

ラシュコフは、私たちがつくりだしたコンテンツと私たちが自ら使うために作成したデータを、フェイスブックが再利用していることを見抜き、その再利用法をいくつも発見した。そして、この再利用の過程が、彼の主張に反するものだった。ラシュコフは、「フェイスブックはインターネットではない」と釘をさす一文でコラムを締めくくっている。

しかし2013年、すでにフェイスブックの勢いはすさまじく、フェイスブックをしない人は透明人間も同然になった。2018年になると、この考え方がほぼ世界中に広がった。

結局、この勢いを止めることはできなかった。ラシュコフは彼の信念に基づく行動でかなりの注目を集めたが、フェイスブックを大きく変えることはできなかった。彼の主張に追随したひと握りのユーザーが空けた穴を、すぐさま新規ユーザーが埋めた。

私はラシュコフを心から尊敬する。彼の言葉には説得力がある。それでも私はいまだにフェイスブックをつづけている。やめるつもりはさらさらない。[*20]

フェイスブックは、私たちの互いの見方に大きな影響を与えている。それに対して、何か対策を打てるのだろうか?

残念ながら、対策はほぼ皆無だ。本書の読者がフェイスブックのアカウントを削除しても、フェイスブックは痛くも痒くもない。しょせん、無駄な抵抗だ。

本書の読者がフェイスブックに機能を少し変えてほしいとか、世界に対する影響についてもうちょっと考えてほしいと促したところで、同社の誰かが応えてくれる可能性は低い。ユーザーは莫大で急増しつづけているため、ひと握りの意見などいちいち気にかけていられないのだ。広告会社に抗議するよう圧力をかけても立ち上がるところはない。期待するだけ無駄だ。じきにフェイスブックとグーグルが、世界の主要な広告プラットフォームを支配する日が来る。フェイスブックが生みだす収入源を切り捨てることなど企業側には損でしかない。

とはいえ、抵抗は必要である。すぐに反応がないだろうと思っても、問題の説明責任を問い、介入を求めつづけることを諦めるべきではない。時間はかかるが、公の議論の破綻と専門家や専門機関への信頼の崩壊を心配しているなら、テクノロジー原理主義者たちの幻想に挑む行動を起こさなければならない。

人の考え方、文化、イデオロギーを変えるプロセスは、決して短期間で成果を得られるものではない。長くゆっくりと、成果が出るまでに何十年、何百年とかかることもある。

本書よりも、ずっと強力な本が世に出てくると私は確信している。それらの本は私の主張をアップデートし、深い討論を求める少数のあいだでさらによい対話を生んでくれるだろう。

本書の情報源となった学識も、その価値を信じつづける人がいるかぎり、この先も生まれるし改善されていくはずだ。そしてフェイスブックへの過剰な依存がもたらす悪影響が明確になり、緊急性のある警告が増えていけば、有能な活動家が明快で実現可能な目標を掲げて立ち上がるにちがいない。

もちろん、これらは約束されたことではない。十分な関心と力をもつ人や機関が強い決意のもとに動かなければ実現しない。

それだけではない。現状を憂う学者、批評家、作家、活動家、政策立案者のコミュニティが大きく成長するかもしれない。フェイスブックがもたらし、暴露し、増幅する問題へのいちばん実り多い対応は、深く有意義な知識を生みだす機関に再投資し強化していくことだろう。

世界中の科学コミュニティ、大学、図書館、博物館を支援すること、そしてよりよいジャーナリズム、議論の場、そしてもっとも喫緊の課題に対処するための専門家委員会に公的支援を注いで熟議をはぐくむことだ。

愚かにも、私たちは失いつつあるものについて考えもせず、これらの機関から投資を引き揚げ、「イノベーション」を謳うプロジェクトにふり向けている。こんなことをつづけていてはならない。

規制と改革

いくつか政策介入をおこなえば、問題解決の暗い見通しをわずかながら改善できるだろう。それはプライバシーやデータ保護権、反トラスト（独占禁止）、競争の領域だ。いずれの領域も、EUはアメリカよりも、市民に充実したサービスを提供している。

アメリカの政策立案は、これまで企業の利益ととりわけイノベーションを重視し、潜在的な害への懸念は二の次だった。しかも、その害は明らかな金融危機に限られており、毎日多くの人が嫌がらせに苦しんでいる事実は、政策立案者が体系的に取り組む問題ではなかった。加えて、反トラスト法（ヨーロッパでは競争政策）による訴えもここ数十年ない。

私たちにできることは、ヨーロッパ式のデータ保護法を世界規模で採用することくらいだ。個人は、自分にまつわるデータ（自分が生みだしたデータ）が民間企業によってどのように利用されているかを知る権利がある。フェイスブックやグーグルのような企業がもつ全ユーザーの保存記録からデータを削除する力を人々が手に入れるべきだ。

こうした権利や力の基盤は、ヨーロッパの最新のプライバシーとデータ保護法に存在する。

フェイスブックは、EUの標準に合わせて国ごとにやりかたを変えるかもしれないし、変えないかもしれない。ブラジルやインド、オーストラリア、カナダ、メキシコ、日本、アメリカなどの国々も、EUのデータ保護法を模倣すべきだ。[*21]

権力を握るフェイスブックに立ち向かうには、強力な反トラストをくり出すのが最善策だろう。国はフェイスブックを解体すべきだ。ワッツアップ、インスタグラム、オキュラス・リフト、メッセンジャーを中核アプリと会社から分離・独立させ、労働力、資本、ユーザー、データ、広告主をめぐる競争に参加させるのだ。

将来のM&A(企業の合併・買収)しだいでは、フェイスブック(またはインスタグラムやオキュラス・リフト)の力がさらに強まり、多くのユーザーデータの悪用に関する重大な問題が生じるかもしれない。

反トラスト法では、このような企業の解体は理論上、不可能だ。いまの時代、力の集中にともなう社会的影響や政治的権力という要素よりも価格のほうが重要だ。ユーザーはサービス料を一切払わず、広告主は多くの市場プレーヤーから好きに選べるので、短期的には反トラストの出る幕はない。

フェイスブックとグーグルの台頭は、世界中の独占禁止法および競争法の精神と目的をめぐる深い検証のきっかけとなるべきだ。[*22]

その一方で、ひょっとすると私たちは、何もする必要はないのかもしれない。人は適応能力（レジリエンス）に長けた種だ。フェイスブックが生みだしたり増幅したりする以上の恥辱と略奪に耐えてきたし、いまも耐えつづけている。

生活ＯＳに関していえば、私たちはまだ赤ん坊レベルで何もわからないということを自覚すべきかもしれない。抵抗の方法、改革の計画、若干の規制について考え、あとは文化、政治、市場の力に任せればいい。

つまるところ、コンピュータ技術が生活をよりよくし、考え方を結びつけてきたこの40年ものあいだ、私たちはそうしてきたのだ。もしかすると、それほど悪くないのかもしれない。

いや、実際は悪い。ザッカーバーグも何かが大きく間違っていることに気づいているようだ。それどころか、フェイスブックが増大する脅威を後押ししたかもしれないと認めている節さえある。

悲しいことに、彼のしてきたことすべてが間違っていた。提案した対応策はいずれも不十分であったり、逆効果をもたらした。しかも、聞くことや実験することと、実際に学ぶこととをはき違えている。

２０１６年11月の大統領選直後、ザッカーバーグはニセ情報とプロパガンダの拡散にフェイスブックがひと役買ったという世間の懸念を否定した。

ところが、その事実をこれ以上無視することができなくなると、怪しいコンテンツをあぶりだすために、報道機関のサービスを登録する計画を立ち上げた。その後も信頼をとりもどす試行錯誤がつづいた。

だがユーザーが自分の気分がよくなることを好むという事実を変えようとはしなかったし、確証バイアスや自己満足と向きあい正すことも一切しなかった。ただあらゆる証拠と経験を無視して、より多くのよりよい情報がプロパガンダの影響を最小限にとどめてくれることをただただ祈った。

さらに悪いことには、ザッカーバーグは世界を窒息させていた邪悪な精神への解決策として、フェイスブックグループを強化したのだ。グループは同じ考えの持ち主が効果的かつ効率的に集まって会話することをうながす一方で、関心やイデオロギーの違う人との出会いや会話を排除してしまう。

どちらかといえば、**グループの強化は社会や国家の分断を加速させる。**地球は平らだと訴えるグループがフェイスブックには何百もある。この事実を突きつけられれば、同社経営陣でさえもグループの強化がフェイスブックの情報エコシステムの強化につながらないかもしれないと考えたはずだ。

グループはまた、私たちを分断させて弱めるおそれがある。グループが互いに思いやりをもって扱い、互いをよりよく理解する橋渡しとなるとザッカーバーグは心から信じているようだが、私たちがそれを信じる理由はどこにもない。

では、より大きなテクノロジー業界はどうなのだろう？

シリコンバレーは自ら改革することができるのだろうか？　ピア・プレッシャーでフェイスブックに影響を与えることは？

トリスタン・ハリスはそれが可能だと信じている。グーグルの元プロダクトマネジャーは会社を去ると非営利組織を立ち上げ、カジノめいた設計技術を使わず、膨大なデータ収集に頼らなくてすむよう広告慣習を見直すべきだとテクノロジー業界のトップたちに訴えた。

ハリスは、インターフェースの設計者からなるコミュニティが自らの役割や義務についてどう考えるかに影響を与えたいと考えている。

だがもどかしいことに、ハリスはフェイスブックとグーグルが世界史上類を見ないほど強力かつ収益性の高い広告会社の地位に上り詰めるために、膨大なデータを集めて流用する行為を後押ししたその動機については、口をつぐんでいる。それに、デバイス、プラットフォーム、アプリの設計者に対して、それらの依存性を減じるためのインセンティブも提供していない。

より人道的あるいは倫理的な設計へと企業が率先して動きだすべき理由があるのだろうか？

そんなことをすれば、投資と利用者が競争相手へと流れてしまい、つぶれてしまうだろう。

アテンション・エコノミーを悪用するカスタマイズ広告を、企業が放棄すべき理由があるだろうか？　ここでもやはり競争原理がはたらくだろう。そして仮にシリコンバレーのすべての企業がハリスや彼の信奉者の推す行動規範を採用したとしても、マニラ、モスクワ、ムンバイの企業がこの市場に参入するのを止めることはできない。*23

これこそ、ハリスやシリコンバレーの改革者の大半が失敗する点だ。複雑な諸問題に対する非政治的な対応策はどう考えてもうまくいかない。意識を高め、支持を呼びかけ、目標を掲げ、同盟を結ぶためには政治的運動を起こさなければならない。

そしてグローバルで、最低でも多国籍な運動でなければならず、フェイスブックを筆頭に多くの企業に対し、市場、競争、法、多角的な標準化団体を通じて圧力をかけていくことも忘れてはならない。

企業が責任をもって行動するという考えは独善的な尊大さを招く。「邪悪にはならない」と宣言することと、自分は間違ったことをしないと信じることとの差は紙一重である。企業の居住まいを正すことができるのは厳しい国家規制の脅威と力だけだ。それがあるべき姿なのだ。

私の計画もここで頓挫する。いまアメリカでは、「政策」という概念自体が悪い冗談になっている。ワシントンとすべての州議会議事堂には、政策活動に勤しむ人々が大勢いる。議会で働く者もいれば、省庁や地方議会で働く者もいるが、多くはＮＧＯやシンクタンクで働いている。あらゆる政治的信念を抱く人々が集まるこの政策部族は従来、明確な規範に従って動いてきた。

彼らの提案や主張は、権力者にその地位が客観的なもので、実証的に十分な研究に基づいており、人に害を与えるよりも恩恵をもたらすことのほうが多く、長期的にはよりよいものになるのだと教える。たとえ政策立案者がそのような議論を陰険な動機からおこなうにしても、こうした文化的期待に添うことになる。


だが、トランプ政権誕生を境にすべてが一変した。トランプは全連邦機関に、政策の規範や伝統にまともにとりあわない一団を送りこんだ。

彼らは、トランプとその支持者が出してくる議題をただただ実行するだけ。そのため連邦機関はすぐにデータプライバシー保護法を押し戻し、ネットワークの中立性の撤廃に着手した。これらは検証もせず、国民の意見も聞かず、客観的な分析や公共の利益を考慮せずに一方的におこなわれた。

トランプ政権下のワシントンは、皮肉めいているどころの話ではない。ワシントンが政策立案者と政策のプロセスを改めて尊重するようになるまでは、企業や消費者は安定と安心を享受することができない。

事の重大さを知る人ならこの問題を研究し、すべての利害関係者を考慮した提案を考え、それを慎重に導入し、結果を評価し、今後とるべき最善策について率直な議論を交わすはずだ。

こうした習慣が根づいていれば、市民の運命を真剣におもんぱかる国に自分は住んでいるのだと感じることができる。そんなものは夢物語だと重々承知している。でも、つい最近まではこうしたことから恩恵を受けていたのも事実だ。[*24]

合理的な政策が出現するという希望は、ヨーロッパ、カナダ、日本、韓国、オーストラリア、ブラジル、メキシコ、ニュージーランド、インドには残されている。だが、反合理的、権威主義的、ナショナリズムといったうねりはフェイスブックの後押しを受けてさらに勢いを増し、必要な運動と熟議の実現は早まるどころか年々遠のいている。

グローバルな立場をとって狭量な寡占化に抵抗し、情報エコシステムを改革するのであれば、すぐにとりかかったほうがいい。もうそこまで暗闇は迫っているのだから。

謝辞

ニューヨーク大学のニール・ポストマン教授のもとでの経験は、それ以降私がテクノロジーと社会について考えたり書いたりしたほぼすべてのことに影響を与えることになる人々と働く機会を与えてくれた。

最初はヘレン・ニッセンバウム。コンピュータ倫理学として知られる応用哲学の下位区分における先駆者のあいだではすでに有名な人物だ。

ヘレンは私の1年あとに学科に加わって以来、信頼のおける同僚であり相談相手でいてくれた。検索エンジンの倫理に関する彼女の研究は、私の著書『グーグル化の見えざる代償』の礎となるアイデアを提供してくれた。そして、「文脈的整合性」としてのプライバシーに関する彼女の考え方は、その本だけでなく本書にも影響を与えた。

大学におけるヘレンの存在は、私の学科にふたりの聡明な人物を引き寄せてくれた。ふたりとも、私が教えることよりもはるかに多くのことを私に教えてくれた。

マイケル・ジンマーは道徳的献身と明晰な分析力を卓越した職業倫理と組み合わせた人物で、

ニール・ポストマンとヘレン・ニッセンバウムの影響を、自身の聡明な見識と融合させている。彼の研究は、本書の全ページに貢献している。具体的にいうと、ザッカーバーグ・ファイル（マーク・ザッカーバーグの公共でのスピーチや著作物を集めたマイケルの記録保存プロジェクト）は、私の調査に欠かせなかった。あの情報なしにフェイスブック関連の本を執筆しなければならない人に同情する。ミルウォーキーのウィスコンシン大学が保管するザッカーバーグ・ファイルを通じて、私はマーク・ザッカーバーグのインタビューを読んだり彼の出演したテレビ番組を見たり、公での発言を聞いたりして何百時間も費やすことができたのだ。[*1]

アリス・マーウィックは、ワシントン大学の修士論文を携えて博士課程にやってきた。ソーシャルメディアと呼ばれるこの新現象について学術的に扱ったものを私が初めて目にしたのはこのときだ。

アリスは私の教育助手と研究助手を務め、私が不慣れな主題や知識の分野を導いてくれた。彼女は、私が出会ったなかでもっとも規律正しく想像力豊かな学者のひとりだ。

２００５年に私が『デイリー・ショー・ウィズ・ジョン・スチュアート』という番組のプロデューサーから電話を受け、番組の「シニア青年特派員」であるコメディアンのデメトリ・マーティンが手がけた悪ふざけコーナーにソーシャルメディアの「専門家」として出演しないかと打診されたとき、私は二つ返事で応じた。

だがそのあとで、自分がソーシャルメディアについて何も知らないことに気づいた。そこで私はアリスに連絡し、いくつかのアイデアをわかりやすく説明してもらった。彼女の論文も読みなおした。

おかげで私は不機嫌で皮肉屋の年老いた教授の役割を演じることができ、ソーシャルメディアについて詳しそうだという不相応な評価をもらうことができた。過去20年以上にわたり、アリスはデジタルメディア研究の分野全体を刺激し、驚かせるすばらしい研究を生みだしつづけている。

本書に最大の知的影響を与えた人物は、バークレーで博士課程を修了してデータ・アンド・ソサエティを立ち上げるためにニューヨークに引っ越すまで、ニューヨーク大学には加わっていなかった。データ・アンド・ソサエティはシンクタンクで、ネットワークとデータ、プライバシー、その他重要なことほぼすべてに対する社会的悪影響の検証を手がけている。

その人物はダナ・ボイド。マイケルとアリス同様、ダナも私が学者生活を始めてだいぶ経ったころに学究界に入ってきた。ブロガーとしての初期のころから、ダナはデジタルメディアを理解しようとしていた私のみならず、すべての人々をその機知と道義心、そして博学で魅了してきた。

私と彼女の知的関係が相互交換的だったとはとても言えない。私がデータ・アンド・ソサエティと付き合うことをダナが許してくれ、長年にわたって私の質問や要求に応えてくれたことには本当に感謝している。ニール、ヘレン、アリス、マイケルと同様、ダナのアイデアも本書のすべてに影響を与えている。

ナンシー・ベイムが２０１４年に私をマサチューセッツ州ケンブリッジのマイクロソフト・リサーチに招待し、刺激に満ちた３カ月を過ごさせてくれなかったら、本書は生まれていなかっただろう。

タールトン・ギレスピー、メアリー・グレイ、ラナ・スワルツ、ケヴィン・ドリスコル、トレッシー・マクミラン・コットム、ジェッサ・リンゲル、ケイト・ミルトナー、ジェニファー・チェイス、クリスチャン・ボーグスと時間をともに過ごし、考えを共有したことは、学科長として３年過ごしたあとで私の驚きと好奇心に再び火をつけるうえで欠かせない経験だった。

ケンブリッジで過ごした時間も、ハーバード大学のバークマン・センターにいる友人たちと連絡をとりあう機会を与えてくれた。ウルス・ガッサーとジョナサン・ジットレインには、ハーバードに歓迎してくれたことに感謝しなければならない。そしてハリー・ルイスはあの美しい街に滞在中の私に、長年してきたように、いつでも相談と同情を与えてくれた。

全面開示の義務にのっとって、私はここに断言する。フェイスブックおよびその主な競合相手も含め、ソーシャルメディアのプラットフォームを提供するいかなる企業からも、私は研究資金や直接の報酬は受けとっていない。

2014年には、マサチューセッツ州ケンブリッジに招聘されておこなった仕事に対してマイクロソフト・リサーチから支払いを受けており、そのおかげで『Intellectual Property: A Very Short Introduction（未訳書：知的財産　ごく短い導入書）』を執筆することができた。マイクロソフトは2007年、当時1・6％分に相当した2億4000万ドルをフェイスブックに投資している。以来、多くの株を売ったため、現在の投資の度合いははっきりしない。

加えて、私はどのような株式も「空売り」したことはなく、利益を得るために企業に対して批判をおこなったこともない。私の退職後の蓄えの大部分はTIAA―CREFが管理する総合株式に投資されていて、この会社は2017年の夏時点でフェイスブックの株式に250万ドル近くを投資している。私は、403（b）退職金講座以外に株式や債券の投資はおこなっていない。

これらの事柄について私に教えてくれた人々には、エステル・ハルギタイ、イアン・ボゴスト、デイヴィッド・カルプフ、フィリップ・ハワード、チャールトン・マキルウェイン、ジーナ・ネフ、エフゲニー・モロゾフ、ジョン・ノートン、ジジ・パパカリッシ、フランク・パスケール、ベン・ピータース、トレボー・ショルツ、ゼイネプ・トゥフェクチ、シェリー・タークル、ジョセフ・トゥロー、ケイト・クロフォード、ニック・カー、ガブリエラ・コールマン、リサ・ギテルマン、ジェイムス・グリンメルマン、クリスチャン・サンドヴィグ、ティム・ハイフィールド、ヘンリー・ジェンキンス、ソニア・リヴィングストン、ヴィクトル・メイヤー・ショーンバーガー、リサ・ナカムラ、ジェイ・ローゼン、ジョセフ・リーグル、モリー・ソーター、ヨチャイ・ベンクラー、ティム・ウー、イーサン・ザッカーマン、クレイ・シャーキー、エリ・パリサー、ジェイムス・フィッシュキン、チャド・ウェルモン、マーワン・クレイディ、アンナ・ローレン・ホフマン、フィル・ナポリ、ホイットニー・フィリップス、ライアン・ミルナー、ロビン・キャプラン、デイヴィッド・キャロル、キャロリン・ジャック、デイヴィッド・パリシ、アンナ・ジョビン、ジュディス・ドナス、ニコラス・ジョン、ポール・ドーリッシュが含まれる。

ジュリア・ティコナとフランチェスカ・トリポディはどちらも、私を論文審査委員会に加えてくれるという栄誉を与えてくれた。そしてその経験を通じて、携帯電話およびソーシャルメディアの社会的影響について多くを教えてくれた。

フランチェスカは、バージニア大学で博士課程の7年ほど、私の指導パートナーだった。彼女の支援と忍耐力にはいつも感謝している。一緒に仕事をするのがとても楽しい相手で、彼女がいなくなってしまうのは寂しい。

本書はまた、ふたりの優秀な研究助手ジェシー・スピアーとパトリシア・オドンネルにも助けられた。そしてジェシカ・ハッチは草稿全文を読み、意見をくれた。私が恥ずかしい間違いをしでかすのを食い止めてくれたのも彼女だ。

エリック・クリネンバーグ、ケイトリン・ザルーム、レベッカ・ソルニット、ジョエル・ディアースタイン、ガーネット・カドガン、クリス・スプリグマン、ダリア・リトウィックには、インスピレーションと助言、ハグ、ハイタッチを提供してくれたことに特に感謝したい。

私の研究が、忌憚なき社会的・文化的批判という豊かな伝統を基盤にしていればいいと願う。本書はソースティン・ヴェブレンやC・ライト・ミルズ、ジェイムズ・ボールドウィン、ジェイン・ジェイコブス、ハンナ・アーレント、リチャード・セネット、スーザン・ソンタグ、クリストファー・ラッシュ、トニー・ジャット、スーザン・ダグラス、トッド・ギトリン、パンカジュ・ミシュラらの系譜を継いでいる。彼らの著書を再読することで、私は自分の主張の枠組みをつくり、文章のペースとピッチを決めることができた。

とはいえ、本書執筆中に頭のなかにいちばん大きく響いていたのは、やはりニール・ポストマンの声だ。私たちの対話、とりわけあの初めての対話の記憶はいまも強く残っている。

第3章の大部分は、私がヘッジホッグ・レビュー誌に書いた記事にある内容だ。編集者のジェイ・トルソンは寛大にも、記事を本書に再利用することを許してくれた。

ジェイはもとの原稿を巧みに編集してくれ、私が言いたかったことの大部分を明確にする手助けをしてくれた。*2

フェイスブックやソーシャルメディアと折り合いをつけようという私の最初の活動は、アリス・マーウィック、ジーン・バージェス、トーマス・ポエルが編集した『Sage Handbook of Social Media（未訳書：賢者のためのソーシャルメディアの手引き）』の1章分を書くという仕事から始まった。

その章のために考えたことの大部分が本書に入っている。イノベーションと進歩を対比する概念について述べた結論の部分は、イーオン誌が初出だ。[*3]

2017年初頭、私はケンブリッジ大学の芸術・社会科学・人文学研究所の親切な学者たちの前で、そしてその数日後にはオックスフォード・インターネット研究所でも、本書の一部要素を発表することができた。ジョン・ノートン、ジーナ・ネフ、そしてフィリップ・ハワードは完璧な主催者で、私に貴重なフィードバックをくれた。

また、2017年秋にはシカゴのヒューマニティーズ・フェスティバルで本書に基づく講演をおこない、2017年のオバマ財団サミット初開催時には本書の主張の一部要素を紹介した。あのイベントで大統領とファースト・レディに私の考えを説明する機会を与えられたことをいまも感謝している。

本書のための調査が実現できたのは、リサとティム・ロバートソンの寛大さによる。ふたりはバージニア大学での教授職を与えてくれ、それを私はこのうえなく光栄に思っている。

また、本書は社会科学部副学部長レオナード・ショッパとバージニア大学の学芸大学および大学院学部長イアン・ボーコムの支えと励ましにも助けられた。

テレサ・サリヴァン学長は私の在職中ずっとそうしてきたように、本書執筆中も私を元気づけてくれた。メディアおよび市民権研究所のメディア研究学部にいる私の同僚たちは私の出張、執着、邪魔に長年耐えてくれた。一緒に仕事をするのに、彼ら以上に平等かつ熟達した友人たちは望むべくもない。

バーバラ・ギボンスは忍耐強く面倒見のいい友人でいてくれたこと、そして私が仕事をしたなかでもっとも優秀な大学管理者のひとりであることに特別に称賛を贈りたい。

そして、私にもっともやる気と報酬を与えてくれるのは、学生たちだ。彼らが、私の日々を楽しくしてくれている。

＊　＊　＊

本書は、私の思いつきで始まったものではない。長年、雑誌編集者を務めていて私のテキサス時代からの旧友でもあるマーク・ウォレンが、私たちの人生最悪の選挙から数週間後、ニューヨークからシャーロッツビルまではるばる車でやってきた。

彼は仲間意識、ビジョン、使命感を求めていたのだ。２０１６年にこの偉大な国にもたらされた不名誉にどう反応するべきかを知りたがっていた。

私たちは、明晰かつ冷静に考え、対話する能力や、真実と虚偽を区別する能力の崩壊に、フェイスブックがどの程度貢献しているのか疑問に思った。そして、ドナルド・トランプの選挙活動でかつてないほどの精度をもって有権者に狙いを絞るためにデータを活用させるうえで、フェイスブックがどのような役割を果たしたのかを考えた。

「きみは、フェイスブックが僕たちにしたことについて本を書くべきだよ」とマークは言った。夕食にやってきたバージニア・クォータリー・レビュー誌の編集主幹、アリソン・ライトも、すぐさま同意した。私が妻メリッサ・ヘンリクセンのほうを見ると、彼女は頷いた。

それで十分だった。翌朝、私は企画書と各章の概要を書きあげた。マーク、メリッサ、そしてアリソンがそれを磨きあげるのを手伝ってくれた。

私のすばらしいエージェント、サム・ストロフが強い興味を示して、企画書をしっかりと編集してくれた。そして、数日後には企画書を提出した。

オックスフォード大学出版局の旧友、デーヴィッド・マクブライドとニコ・プフントが私に寄せてくれた強い信頼を、とてもうれしく思う。このプロジェクトに彼らが提供してくれた支援がなければ、私はここまで大胆で野心的にはなれなかったかもしれない。

ニコはニューヨーク大学出版局を運営していた1999年に私の処女作『Copyrights and Copywrongs（未訳書：著作権とコピーロング）』を買ってくれ、私たちはしばしば、また一緒に何かできないかと考えていた。そして、このプロジェクトはぴったりに思えた。

デーヴィッドについては、私は35年以上にわたり、彼の判断力を全面的に信頼している。1983年のある日、ウィリアムスビル・イースト・ハイスクールのパリシ先生の飛び級アメリカ史の授業中、彼は私にエルヴィス・コステロの「アームド・フォーセス」が入ったカセットを渡してよこした。「お前、これ好きだと思うよ」と彼は言った。そして例によって、彼は正しかった。

本書の草稿に加えるよう頼んできたすべての変更についても、彼は正しかった。ウィリアムスビル・イースト・ハイスクールで、エレン・パリシ先生はほかの先生と同じくらい調査と作文のしかたを教えてくれた。リチャード・ホフスタッターの『アメリカの反知性主義』(みすず書房)を読むよう最初に勧めてくれたのも彼女だ。だから、あの授業は長い年月を経て私の役に立っていることになる。

マーク・ウォレンが本書の種を私にくれた翌朝、私は妻メリッサに、彼女の母アン・ヘンリクセンに謝罪しなければならないと伝えた。アンは長年、フェイスブックが私たちにとってよくない、その社会的代償が個人的価値をはるかに上回るとずっと言いつづけていたのだ。私はよく彼女に反論し、フェイスブックの総合的な影響がどんなものか断ずるにはまだ早すぎると言っていた。

もはや早すぎるということはない。アンは正しかった。義理の母の言うことは、いつだって聞くべきだ。彼女は人生の大半を小学校教師として過ごし、幼い精神に刺激を与え、訓練を施してきた。ほとんどの教師と同様、学習と行動の話になると彼女は十分にわかっていた。

いまはソーシャルメディアの批判者としての立場をとっているが、その実、私はソーシャルメディアに借りがある。妻メリッサに出会ったのは、出会い系サイトだ。21世紀初頭に次々と生まれ来る数多くのソーシャルネットワークサイトの、初期型のものだった。あのサイトの、まったく異なるプロフィールを結びつける不思議なほど鋭い能力がなければ、私たちは決して出会っていなかっただろう。

私とメリッサに共通の友人はいなかった。六次の隔たり、つまり友達の友達の友達の友達の友達までたどってもだ。ほかの状況でならつながっていたかもしれないというような、共通の趣味や活動もしていなかった。マンハッタンのまったく別々の場所で、まったく違う大学のまったく異なる分野で働いていた。普段乗る地下鉄も違った。

いまメリッサと共有しているこのすばらしい人生は、インターネット上のソーシャルネットワークサイトのおかげで実現したものだ。

娘のジャヤは、長年にわたる私たちのソーシャルメディア活用法につきあってくれた。食事中に一切の電子機器を禁止にするというルールは、彼女が言いだしたことだ——7歳のときに。

私たち夫婦のどちらかが電話に気をとられすぎていて、いまこの瞬間にちゃんと注意を払っていないとき、最初に文句を言うのも彼女だった。

ジャヤはインスタグラムとスナップチャットを使う時間を1日たった数分に制限するよう、自らを律していた。その不屈の精神がこれから訪れる思春期にも持続するかどうかはわからない。グループテキストメッセージやフェイスタイムでのチャットがもう始まっているからだ。だが、ソーシャルメディアの誘惑に抵抗するという点について、彼女は私やメリッサよりも強い。

大人に交じって自分を表現したがるジャヤの強い意志と、大事なことについての彼女の思慮深さを私はなにより誇りに思う。彼女はしばしば私に挑み、質問攻めにする。彼女の精神が私の人生のすべてに注入されているように、本書にも注入されていることを願う。

処女作と同様、本書も両親に捧げる。アメリカ最高裁判所が肌の茶色い人間も肌の白い人間と結婚できるという判決を下すより2年前の1965年、アーカンソー州リトルロックで、移民の科学者とアメリカ海軍士官の子が賭けに出た。

ふたりは外国人嫌悪や人種差別主義、愚かさに邪魔をさせなかった。人生を切り拓き、国中に対し、自分たちに追いついてみろと挑んだ。アメリカの市民権とアイデンティティにとって危機的なこの瞬間、ふたりの結束の固さはこの国が手に入れ得る最高の幸福を体現している。私の両親こそ、真の愛国者たちだ。

Springsteen, *Human Touch* (New York: Columbia, 1992) , https://www.youtube.com/watch?v=YAlDbP4tdqc.
(20)Douglas Rushkoff, "Why I'm Quitting Facebook," CNN, accessed June 8, 2017, http://www.cnn.com/2013/02/25/opinion/rushkoff-why-im-quitting-facebook/index.html.
(21)Paul De Hert et al., "The Right to Data Portability in the GDPR: Towards User-Centric Interoperability of Digital Services," *Computer Law and Security Review*, November 20, 2017, https://doi.org/10.1016/j.clsr.2017.10.003; Robert Levine,"Behind the European Privacy Ruling That's Confounding Silicon Valley," *New York Times*, October 9, 2015, http://www.nytimes.com/2015/10/11/business/international/behind-the-european-privacy-ruling-thats-confounding-silicon-valley.html; Mark Scott, "Europe Is Expected to Approve E.U.-U.S. Data Transfer Pact," *New York Times*, June 29, 2016, http://www.nytimes.com/2016/06/30/technology/europe-is-expected-to-approve-eu-us-data-transfer-pact.html; Mark Scott, "Facebook Gets Slap on the Wrist From 2 European Privacy Regulators," *New York Times*, May 16, 2017, https://www.nytimes.com/2017/05/16/technology/facebook-privacy-france-netherlands.html.
(22)Frank A. Pasquale and Siva Vaidhyanathan, "Borking Antitrust: Google Secures Its Monopoly," *Dissent*, January 4, 2013, https://www.dissentmagazine.org/blog/borking-antitrust-google-secures-its-monopoly; Aoife White and Karin Matussek, "Facebook's Small Print Might Be Next Big Antitrust Target," Bloomberg, July 3, 2017, https://www.bloomberg.com/news/articles/2017-07-03/facebook-s-small-print-might-be-antitrust-s-next-big-target; Ariel Ezrachi and Maurice E. Stucke, *Virtual Competition: The Promise and Perils of the Algorithm-Driven Economy* (Cambridge, MA: Harvard University Press, 2016); Peter Thiel, "Competition Is for Losers," *Wall Street Journal*, September 12, 2014, http://www.wsj.com/articles/peter-thiel-competition-is-for-losers-1410535536.
(23)Nicholas Thompson, "Social Media Has Hijacked Our Minds. Click Here to Fight It," *Wired*, July 26, 2017, https://www.wired.com/story/our-minds-have-been-hijacked-by-our-phones-tristan-harris-wants-to-rescue-them.
(24)Siva Vaidhyanathan, "The Mad Rush to Undo Online Privacy Rules," Bloomberg, March 29, 2017, https://www.bloomberg.com/view/articles/2017-03-29/the-mad-rush-to-undo-online-privacy-rules.

謝辞

(1)Michael Zimmer, "The Zuckerberg Files: A Digital Archive of All Public Utterances of Facebook's Founder and CEO, Mark Zuckerberg," accessed July 4, 2017, https://www.zuckerbergfiles.org.
(2)Siva Vaidhyanathan, "The Rise of the Cryptopticon," *Hedgehog Review* 17, no. 1 (Spring 2015) , http://www.iasc-culture.org/THR/THR_article_2015_Spring_Vaidhyanathan.php.
(3)Siva Vaidhyanathan, "Has 'Innovation' Supplanted the Idea of Progress?," *Aeon*, May 13, 2015, https://aeon.co/conversations/why-has-innovation-supplantedthe-idea-of-progress.

ir.lib.uwo.ca/commpub/14.

(7)Jeffrey Gettleman, "More than 1,000 Died in South Asia Floods This Summer," *New York Times*, August 29, 2017, https://www.nytimes.com/2017/08/29/world/asia/floods-south-asia-india-bangladesh-nepal-houston.html; Haroon Siddique, "South Asia Floods Kill 1,200 and Shut 1.8 Million Children out of School," *Guardian*, August 31, 2017, http://www.theguardian.com/world/2017/aug/30/mumbai-paralysed-by-floods-as-india-and-region-hit-by-worst-monsoon-rains-in-years; Steve George, "A Third of Bangladesh Under Water as Flood Devastation Widens," CNN, accessed September 6, 2017, http://www.cnn.com/2017/09/01/asia/bangladesh-south-asia-floods/index.html; "Nigeria Floods Displace More than 100,000 People," accessed September 6, 2017, http://www.aljazeera.com/news/2017/08/nigeria-floods-displace-100000-people-170831221301909.html; Stephanie Busari and Osman Mohamed Osman, "Lagos Floods: Heavy Rain, Storms Cause Havoc," CNN, July 10, 2017, http://www.cnn.com/2017/07/09/africa/lagos-flood-storms/index.html.

(8)Hannah Arendt and Margaret Canovan, *The Human Condition* (Chicago: University of Chicago Press, 1998); Elisabeth Young-Bruehl, *Why Arendt Matters* (New Haven, CT: Yale University Press, 2006) [邦訳：E・ヤング=ブルーエル著『なぜアーレントが重要なのか』矢野久美子訳、みすず書房]; Hanna Fenichel Pitkin, *The Attack of the Blob: Hannah Arendt's Concept of the Social* (Chicago: University of Chicago Press, 1998); Craig J. Calhoun and John McGowan, *Hannah Arendt and the Meaning of Politics* (Minneapolis: University of Minnesota Press, 1997); Adah Ushpiz, *Vita Activa: The Spirit of Hannah Arendt* (Zeitgeist Films, 2015).

(9)Immanuel Kant and Hans Siegbert Reiss, *Kant: Political Writings* (Cambridge, UK: Cambridge University Press, 1991); Theodor W. Adorno and Max Horkheimer, *Dialectic of Enlightenment* (London: Verso, 2016); Jürgen Habermas, *The Structural Transformation of the Public Sphere: An Inquiry into a Category of Bourgeois Society* (Cambridge, MA: MIT Press, 1991).

(10)Ian Bogost, "A Googler's Would-Be Manifesto Reveals Tech's Rotten Core," *Atlantic*, August 6, 2017, https://www.theatlantic.com/technology/archive/2017/08/whyis-tech-so-awful/536052; Jason Tanz, "The Curse of Cow Clicker: How a Cheeky Satire Became a Videogame Hit," *Wired*, December 20, 2011, https://www.wired.com/2011/12/ff_cowclicker.

(11)Clayton M. Christensen, *The Innovator's Dilemma: When New Technologies Cause Great Firms to Fail* (Boston, MA: Harvard Business School Press, 1997) [邦訳：クレイトン・クリステンセン著『イノベーションのジレンマ——技術革新が巨大企業を滅ぼすとき』伊豆原弓訳、翔泳社]; Jill Lepore, "What the Gospel of Innovation Gets Wrong," *New Yorker*, June 16, 2014, http://www.newyorker.com/magazine/2014/06/23/the-disruption-machine.

(12)"Innovation," UNICEF, accessedAugust10,2017, https://www.unicef.org/innovation.

(13)David Brion Davis, *Slavery and Human Progress* (New York: Oxford University Press, 1984).

(14)Pierre Lévy, *Collective Intelligence: Mankind's Emerging World in Cyberspace* (Cambridge, MA: Perseus Books, 1999) [邦訳：ピエール・レヴィ著『ポストメディア人類学に向けて——集合的知性』米山優他訳、水声社]; John Perry Barlow, "Declaring Independence," *Wired*, June 1, 1996, https://www.wired.com/1996/06/independence; Esther Dyson, *Release 2.0: A Design for Living in the Digital Age* (New York: Broadway Books, 1997) [邦訳：エスター・ダイソン著『未来地球からのメール——21世紀のデジタル社会を生き抜く新常識』吉岡正晴訳、集英社]; Nicholas Negroponte, *Being Digital* (New York: Knopf, 1995) [邦訳：ニコラス・ネグロポンテ著『ビーイング・デジタル——ビットの時代』福岡洋一訳、アスキー]

(15)Siva Vaidhyanathan, *The Anarchist in the Library: How the Clash Between Freedom and Control Is Hacking the Real World and Crashing the System* (New York: Basic Books, 2004).

(16)Lévy, *Collective Intelligence*, 9–10 [前掲書『ポストメディア人類学に向けて』]

(17)Siva Vaidhyanathan, *The Googlization of Everything (And Why We Should Worry)* (Berkeley: University of California Press, 2011) [前掲書『グーグル化の見えざる代償』]

(18)Neil Postman, *Technopoly: The Surrender of Culture to Technology* (New York: Knopf, 1992), 71 [邦訳：ニール・ポストマン著『技術vs人間』GS研究会訳、新樹社]

(19)Ibid., 48 [前掲書『技術vs人間』]; Bruce Springsteen, "57 Channels (And Nothin' On)," Bruce

(38)Sheera Frenkel, Nicholas Casey, and Paul Mozur, "In Some Countries, Facebook's Fiddling Has Magnified Fake News," *New York Times*, January 14, 2018, https://www.nytimes.com/2018/01/14/technology/facebook-news-feed-changes.html; Rajagopalan, "This Country's Leader Shut Down Democracy"; Stevan Dojcinovic, "Hey, Mark Zuckerberg: My Democracy Isn't Your Laboratory," *New York Times*, November 15, 2017, https://www.nytimes.com/2017/11/15/opinion/serbia-facebook-explore-feed.html.

(39)Catherine Trautwein, "Facebook Free Basics Lands in Myanmar," *Myanmar Times*, June 6, 2016, http://www.mmtimes.com/index.php/business/technology/20685-facebook-free-basics-lands-in-myanmar.html; Philip Heijmans, "The Unprecedented Explosion of Smartphones in Myanmar," Bloomberg, July 10, 2017, https://www.bloomberg.com/news/features/2017-07-10/the-unprecedented-explosion-of-smartphones-in-myanmar; Matt Schissler, "New Technologies, Established Practices: Developing Narratives of Muslim Threat in Myanmar," in *Islam and the State in Myanmar: Muslim-Buddhist Relations and the Politics of Belonging*, ed. Melissa Crouch (Oxford: Oxford University Press, 2015), https://www.academia.edu/9587031/New_Technologies_Established_Practices_Developing_Narratives_of_Muslim_Threat_in_Myanmar.

(40)Schissler, "New Technologies, Established Practices"; Michael Safi, "Aung San Suu Kyi Defends Her Handling of Myanmar Violence," *Guardian*, September 7, 2017, http://www.theguardian.com/world/2017/sep/07/aung-san-suu-kyi-defends-handling-myanmar-violence-rohingya; Michael Safi, "Aung San Suu Kyi Says 'Terrorists' Are Misinforming World About Myanmar Violence," *Guardian*, September 6, 2017, http://www.theguardian.com/world/2017/sep/06/aung-san-suu-kyi-blames-terrorists-for-misinformation-about-myanmar-violence.

おわりに

(1)John Edwin Mason, "#Charlottesville," VQR, August 24, 2017, http://www.vqronline.org/2017/08/charlottesville.

(2)Ashley Feinberg, "The Alt-Right Can't Disown Charlottesville," *Wired*, August 13, 2017, https://www.wired.com/story/alt-right-charlottesville-reddit-4chan; Taylor Hatmaker, "Tech Is Not Winning the Battle Against White Supremacy," TechCrunch, accessed September 6, 2017, http://social.techcrunch.com/2017/08/16/hatespeech-white-supremacy-nazis-social-networks; Kevin Roose, "This Was the Alt-Right's Favorite Chat App. Then Came Charlottesville," *New York Times*, August 15, 2017, https://www.nytimes.com/2017/08/15/technology/discord-chat-app-alt-right.html; George Joseph, "White Supremacists Joked About Using Cars to Run Over Opponents Before Charlottesville," ProPublica, August 28, 2017, https://www.propublica.org/article/white-supremacists-joked-about-using-cars-to-run-over-opponents-before-charlottesville.

(3)Joseph, "White Supremacists Joked About Using Cars to Run Over Opponents Before Charlottesville."

(4)Ryan Holiday, *Trust Me, I'm Lying: The Tactics and Confessions of a Media Manipulator* (New York: Portfolio, 2012); Whitney Phillips, *This Is Why We Can't Have Nice Things: Mapping the Relationship Between Online Trolling and Mainstream Culture* (Cambridge, MA: MIT Press, 2016); Whitney Phillips and Ryan M. Milner, *The Ambivalent Internet: Mischief, Oddity, and Antagonism Online* (Cambridge, UK: Polity, 2017).

(5)Siva Vaidhyanathan, "Why the Nazis Came to Charlottesville," *New York Times*, August 14, 2017, https://www.nytimes.com/2017/08/14/opinion/why-the-nazis-came-to-charlottesville.html.

(6)Tarleton Gillespie, *Custodians of the Internet: Platforms, Content Moderation, and the Hidden Decisions That Shape Social Media* (New Haven, CT: Yale University Press, 2018); Sarah T. Roberts, "Content Moderation," Department of Information Studies, University of California, Los Angeles, February 5, 2017, http://escholarship.org/uc/item/7371c1hf; Sarah Roberts, "Digital Refuse: Canadian Garbage, Commercial Content Moderation and the Global Circulation of Social Media's Waste," 2016, http://

Media," *Hindustan Times*, March 11, 2014, http://www.hindustantimes.com/india/narendramodi-how-the-bjp-leaders-popularity-soars-on-social-media/story-ionRqC51BuNZ3CuyOotmTI.html; Derek Willis, "Narendra Modi, the Social Media Politician," *New York Times*, September 25, 2014, https://www.nytimes.com/2014/09/26/upshot/narendra-modi-the-social-media-politician.html; Basharat Peer, *A Question of Order: India, Turkey, and the Return of Strongmen* (New York: Westland, 2017).

(25)Prabhat Patnaik, "The Fascism of Our Times," *Social Scientist* 21, nos. 3/4 (1993): 69–77, https://doi.org/10.2307/3517631; Raheel Dhattiwala and Michael Biggs,"The Political Logic of Ethnic Violence: The Anti-Muslim Pogrom in Gujarat, 2002," *Politics and Society* 40, no. 4 (December 1, 2012): 483–516, https://doi.org/10.1177/0032329212461125.

(26)Swati Chaturvedi, *I Am a Troll: Inside the Secret World of the BJP's Digital Army* (New Delhi: Juggernaut, 2016), 62–65.

(27)Lauren Etter, Vernon Silver, and Sarah Frier, "The Facebook Team Helping Regimes That Fight Their Opposition," Bloomberg, December 21, 2017, https://www.bloomberg.com/news/features/2017-12-21/inside-the-facebook-team-helping-regimes-that-reach-out-and-crack-down; Ankhi Das, "How 'Likes' Bring Votes—Narendra Modi's Campaign on Facebook," *Quartz*, March 21, 2018, https://qz.com/210639/how-likes-bring-votes-narendra-modis-campaign-on-facebook; Goklany, "#NarendraModi"; Derek Willis, "Narendra Modi, the Social Media Politician," *New York Times*, September 25, 2014, https://www.nytimes.com/2014/09/26/upshot/narendra-modi-the-social-media-politician.html; Sushil Aaron, "Can Narendra Modi Win Elections Using Big Data as Trump Did?," *Hindustan Times*, February 6, 2017, http://www.hindustantimes.com/analysis/can-narendra-modi-win-electionsusing-big-data-as-trump-did/story-enX2d675sYlGWBEurdmBpJ.html.

(28)Aaron, "Can Narendra Modi Win Elections"; India Today, "Social Media Gangsters: Trolls Who Ruin People's Reputations for a Price," July 20, 2016, https://www.youtube.com/watch?v=GUZzOxNWqes; Goklany, "#NarendraModi"; Peer, *A Question of Order*.

(29)Charmie Desiderio, "Facebook Offers Free Internet Access in Phl," *Philippine Star*, March 20, 2015, http://www.philstar.com/headlines/2015/03/20/1435536/facebook-offers-free-internet-access-phl.

(30)Mark Zuckerberg, "We're One Step Closer to Connecting the World as We Launched Internet.org in the Philippines Today," Facebook, March 18, 2015, https://www.facebook.com/photo.php?fbid=10101979373122191&set=a.612287952871.2204760.4&type=1&theater.

(31)Sean Williams, "Rodrigo Duterte's Army of Online Trolls," *New Republic*, January 4, 2017, https://newrepublic.com/article/138952/rodrigo-dutertes-army-online-trolls; Desiderio, "Facebook Offers Free Internet Access in Phl"; Pia Ranada, "Duterte Says Online Defenders, Trolls Hired Only During Campaign," Rappler, July 25, 2017, http://www.rappler.com/nation/176615-duterte-online-defenders-trolls-hired-campaign.

(32)Jodesz Gavilan, "Duterte's P10M Social Media Campaign: Organic, Volunteer-Driven," Rappler, June 1, 2016, http://www.rappler.com/newsbreak/richmedia/134979-rodrigo-duterte-social-media-campaign-nic-gabunada.

(33)Lauren Etter, "Rodrigo Duterte Turned Facebook into a Weapon, with a Little Help from Facebook," Bloomberg, December 7, 2017, https://www.bloomberg.com/news/features/2017-12-07/how-rodrigo-duterte-turned-facebook-into-a-weapon-with-a-little-help-from-facebook.

(34)Etter, "Rodrigo Duterte Turned Facebook into a Weapon."

(35)Sheila Coronel, "New Media Played a Role in the People's Uprising," Nieman Reports, June 15, 2002, http://niemanreports.org/articles/new-media-played-a-role-in-the-peoples-uprising; Siva Vaidhyanathan, *The Anarchist in the Library: How the Clash Between Freedom and Control Is Hacking the Real World and Crashing the System* (New York: Basic Books, 2004).

(36)Etter, "Rodrigo Duterte Turned Facebook into a Weapon"; Katia Moskvitch, "Asia Gets Its Fastest Data Cable," BBC News, August 20, 2012, http://www.bbc.com/news/technology-19275490.

(37)Megha Rajagopalan, "This Country's Leader Shut Down Democracy—with a Little Help from Facebook," BuzzFeed, January 21, 2018, https://www.buzzfeed.com/meghara/facebook-cambodia-democracy.

2017, https://www.washingtonpost.com/lifestyle/style/its-timeto-retire-the-tainted-term-fake-news/2017/01/06/a5a7516c-d375-11e6-945a-76f69a399dd5_story.html.

(17)Marc Fisher, John Woodrow Cox, and Peter Hermann, "Pizzagate: From Rumor, to Hashtag, to Gunfire in D.C.," *Washington Post*, December 6, 2016, https://www.washingtonpost.com/local/pizzagate-from-rumor-to-hashtag-to-gunfire-indc/2016/12/06/4c7def50-bbd4-11e6-94ac-3d324840106c_story.html.

(18)Jack, "Lexicon of Lies."

(19)Peter Pomerantsev, *Nothing Is True and Everything Is Possible: The Surreal Heart of the New Russia* (New York: PublicAffairs, 2015)［邦訳：ピーター・ポマランツェフ著『プーチンのユートピア：21世紀ロシアとプロパガンダ』池田年穂訳、慶應義塾大学出版会］; Ezra Klein, "Danah Boyd on Why Fake News Is So Easy to Believe," *The Ezra Klein Show*, June 27, 2017, https://soundcloud.com/ezra-klein-show/danah-boyd-on-why-fake-news-is-so-easy-tobelieve; Danah Boyd, "Did Media Literacy Backfire?," Data and Society, January 5, 2017, https://points.datasociety.net/did-media-literacy-backfire-7418c084d88d#.td2jdvf4n; Boyd, "The Information War Has Begun."

(20)Katy E. Pearce, "Democratizing Kompromat: The Affordances of Social Media for State-Sponsored Harassment," *Information, Communication and Society* 18, no. 10 (October 3, 2015) : 1158–74, https://doi.org/10.1080/1369118X.2015.1021705; Katy E. Pearce and Sarah Kendzior, "Networked Authoritarianism and Social Media in Azerbaijan," *Journal of Communication* 62, no. 2 (April 1, 2012) : 283–98, https://doi.org/10.1111/j.1460-2466.2012.01633.x; Katy E. Pearce and Jessica Vitak, "Performing Honor Online: The Affordances of Social Media for Surveillance and Impression Management in an Honor Culture," *New Media and Society* 18, no. 11 (December 1, 2016) : 2595–612, https://doi.org/10.1177/1461444815600279; Katy E. Pearce, "Two Can Play at That Game: Social Media Opportunities in Azerbaijan for Government and Opposition," accessed September 13, 2017, https://www.academia.edu/5833149/Two_Can_Play_at_that_Game_Social_Media_Opportunities_in_Azerbaijan_for_Government_and_Opposition.

(21)Seva Gunitsky, "Corrupting the Cyber-Commons: Social Media as a Tool of Autocratic Stability," October 6, 2014, 以下で閲覧可能。 Social Science Research Network, https://papers.ssrn.com/abstract=2506038.

(22)Pearce, "Democratizing Kompromat"; Gunitsky, "Corrupting the Cyber-Commons."

(23)Scott Shane, "Purged Facebook Page Tied to the Kremlin Spread Anti-Immigrant Bile," *New York Times*, September 12, 2017, https://www.nytimes.com/2017/09/12/us/politics/russia-facebook-election.html; Adrian Chen, "The Agency," *New York Times Magazine*, June 2, 2015, https://www.nytimes.com/2015/06/07/magazine/the-agency.html; Jim Rutenberg, "RT, Sputnik and Russia's New Theory of War," *New York Times Magazine*, September 13, 2017, https://www.nytimes.com/2017/09/13/magazine/rt-sputnik-and-russias-new-theory-of-war.html; Julia Carrie Wong, "Facebook Blocks Chechnya Activist Page in Latest Case of Wrongful Censorship," *Guardian*, June 6, 2017, https://www.theguardian.com/technology/2017/jun/06/facebook-chechnya-political-activist-page-deleted; Alexis C. Madrigal, "Hillary Clinton Was the First Casualty in the New Information Wars," *Atlantic*, May 31, 2017, https://www.theatlantic.com/technology/archive/2017/05/hillary-clinton- information-wars/528765; Ben Schreckinger, "How Russia Targets the U.S. Military," *Politico Magazine*, June 12, 2017, http://politi.co/2rhgLNx; Jill Dougherty, "How the Media Became One of Putin's Most Powerful Weapons," *Atlantic*, April 21, 2015, https://www.theatlantic.com/international/archive/2015/04/how-the- media-became-putins-most-powerful-weapon/391062; Masha Gessen, "Arguing the Truth with Trump and Putin," *New York Times*, December 17, 2016, https://www.nytimes.com/2016/12/17/opinion/sunday/arguing-the-truth-with-trump-and-putin.html; Parker, Landay, and Walcott, "Putin-Linked Think Tank Drew Up Plan to Sway 2016 US Election—Documents."

(24)Chris Ogden, "A Lasting Legacy: The BJP-Led National Democratic Alliance and India's Politics," *Journal of Contemporary Asia* 42, no. 1 (February 1, 2012) : 22–38, https://doi.org/10.1080/00472336.2012.634639; Tania Goklany, "#NarendraModi: How the BJP Leader's Popularity Soars on Social https://www.theguardian.com/media/2017/jun/30/germany-approves-plans-to-fine-social-media-firms-up-to-50m; "Hate Speech and Anti-Migrant Posts: Facebook's Rules," *Guardian*, May 24, 2017, http://www.theguardian.com/news/gallery/2017/may/24/hate-speech-and-anti-migrant-posts-facebooks-rules; Robert Booth, "Inquiry Launched into Targeting of UK Voters Through Social Media," *Guardian*, May 17, 2017, http://www.theguardian.com/technology/2017/may/17/inquiry-launched-into-how-uk-parties-target-voters-through-social-media.

(9)Sam Woolley and Philip N. Howard, "Computational Propaganda Worldwide: Executive Summary," Computational Propaganda Research Project, Oxford Internet Institute, June 19, 2017, http://comprop.oii.ox.ac.uk/2017/06/19/computational-propaganda-worldwide-executive-summary; 著者によるフィリップ・ハワードへの取材。Oxford, UK, 2017; Samantha Bradshaw and Philip N. Howard, "Troops, Trolls and Troublemakers: A Global Inventory of Organized Social Media Manipulation," working paper, Oxford Internet Institute, 2017, http://comprop.oii.ox.ac.uk/2017/07/17/troops-trolls-and-trouble-makers-a-global-inventory-of-organized-social-media-manipulation.

(10)Caroline Jack, "What's Propaganda Got to Do with It?," Data and Society, January 5, 2017, https://points.datasociety.net/whats-propaganda-got-to-do-with-it-5b88d78c3282#.4iz7eltzy; Caroline Jack, "Lexicon of Lies: Terms for Problematic Information," Data and Society, August 9, 2017, https://datasociety.net/output/lexicon-of-lies; Whitney Phillips and Ryan M. Milner, *The Ambivalent Internet: Mischief, Oddity, and Antagonism Online*（Cambridge, UK: Polity, 2017）; Whitney Phillips, *This Is Why We Can't Have Nice Things: Mapping the Relationship Between Online Trolling and Mainstream Culture*（Cambridge, MA: MIT Press, 2016）; Whitney Phillips, Jessica Beyer, and Gabriella Coleman, "Trolling Scholars Debunk the Idea That the Alt-Right's Shitposters Have Magic Powers," *Motherboard*, March 22, 2017, https://motherboard.vice.com/en_us/article/z4k549/trollingscholars-debunk-the-idea-that-the-alt-rights-trolls-have-magic-powers; Danah Boyd, "Hacking the Attention Economy," Data and Society, January 5, 2017, https://points.datasociety.net/hacking-the-attention-economy-9fa1daca7a37#.bnbbhk723; Danah Boyd, "The Information War Has Begun," January 27, 2017, *Apophenia*（blog）, http://www.zephoria.org/thoughts/archives/2017/01/27/the-information-war-has-begun.html.

(11)Alice E. Marwick and Rebecca Lewis, "Media Manipulation and Disinformation Online," Data and Society, May 15, 2017, https://datasociety.net/output/media-manipulation-and-disinfo-online; 著者によるアリス・マーウィックへの取材。New York, 2017; Samanth Subramanian, "Meet the Macedonian Teens Who Mastered Fake News and Corrupted the US Election," *Wired*, February 15, 2017, https://www.wired.com/2017/02/veles-macedonia-fake-news; Ryan Holiday, *Trust Me, I'm Lying: The Tactics and Confessions of a Media Manipulator*（New York: Portfolio, 2012）; Boyd, "Hacking the Attention Economy."

(12)Boyd, "Hacking the Attention Economy"; Danah Boyd, "Google and Facebook Can't Just Make Fake News Disappear," *Wired*, March 27, 2017, https://www.wired.com/2017/03/google-and-facebook-cant-just-make-fake-news-disappear.

(13)Judith Donath, "Why Fake News Stories Thrive Online," CNN, November 20, 2016, http://www.cnn.com/2016/11/20/opinions/fake-news-stories-thrive-donath/index.html.

(14)David Rowan, "How BuzzFeed Mastered Social Sharing to Become a Media Giant for a New Era," *Wired*, January 2, 2014, http://www.wired.co.uk/article/buzzfeed.

(15)Timothy P. Carney, "Study Showing 'Fake News' Beating 'Real News' Looks like Garbage," *Washington Examiner*, November 16, 2016, http://www.washingtonexaminer.com/study-showing-fake-news-beating-real-news-looks-like- garbage/article/2607626; Paul Crookston, "Report on Scourge of Fake News Turns Out to Be Faked," *National Review*, November 17, 2016, http://www.nationalreview.com/article/442291/buzzfeed-facebook-fake-news-study-methodology-questioned; Jerome Hudson, "How BuzzFeed Editor Craig Silverman Helped Generate the 'Fake News' Crisis," Breitbart, December 20, 2016, http://www.breitbart.com/big-journalism/2016/12/20/how-buzzfeed-editor-craig-silverman-helped-generate-the-fake-news-crisis.

(16)Margaret Sullivan, "It's Time to Retire the Tainted Term 'Fake News,'" *Washington Post*, January 6,

How Facebook Actually Won Trump the Presidency," *Wired*, November 15, 2016, https://www.wired.com/2016/11/facebook-won-trump-election-not-just-fake-news; Sue Halpern, "How He Used Facebook to Win," *New York Review of Books*, June 8, 2017, http://www.nybooks.com/articles/2017/06/08/how-trump-used-facebook-to-win.

(35)2017年、ニューヨークでの著者によるデービッド・キャロルへの取材。Joshua Green and Sasha Issenberg, "Inside the Trump Bunker, with Days to Go," Bloomberg, October 27, 2016, https://www.bloomberg.com/news/articles/2016-10-27/inside-the-trump-bunker-with-12-days-to-go.

(36)2017年、ニューヨークでの著者によるデービッド・キャロルへの取材。

(37)Daniel Kreiss and Shannon McGregor, "Technology Firms Shape Political Communication: The Work of Microsoft, Facebook, Twitter, and Google with Campaigns During the 2016 U.S. Presidential Cycle," *Political Communication*, published online October 26, 2017, https://doi.org/10.1080/10584609.2017.1364814.

第7章　ニセ情報のマシン

(1)Alex Stamos, "An Update on Information Operations on Facebook," Facebook Newsroom, September 6, 2017, https://newsroom.fb.com/news/2017/09/information-operations-update; Carol D. Leonnig, Tom Hamburger, and Rosalind S. Helderman, "Facebook Says It Sold Political Ads to Russian Company During 2016 Election," *Washington Post*, September 6, 2017, https://www.washingtonpost.com/politics/facebook-says-it-sold-political-ads-to-russian-company-during-2016-election/2017/09/06/32f01fd2-931e-11e7-89fa-bb822a46da5b_story.html; Craig Silverman, "Facebook's Russian Ads Disclosure Opens a New Front That Could Lead to Regulation," BuzzFeed, accessed September 7, https://www.buzzfeed.com/craigsilverman/facebooks-russian-ads-disclosure-opens-a-new-front-that.

(2)Jen Weedon, William Nuland, and Alex Stamos, "Information Operations and Facebook," April 27, 2017, 3, https://fbnewsroomus.files.wordpress.com/2017/04/facebook-and-information-operations-v1.pdf.

(3)"Facebook Unpublished Page Post Ads," Facebook for Business, accessed September 7, https://www.facebook.com/business/a/online-sales/unpublished-page-posts.

(4)Spencer Ackerman, Ben Collins, and Kevin Poulsen, "Exclusive: Russia Used Facebook Events to Organize Anti-Immigrant Rallies on U.S. Soil," *Daily Beast*, September 11, 2017, http://www.thedailybeast.com/exclusive-russia-used-facebook-events-to-organize-anti-immigrant-rallies-on-us-soil; Ned Parker, Jonathan Landay, and John Walcott, "Putin-Linked Think Tank Drew Up Plan to Sway 2016 US Election—Documents," Reuters, April 21, 2017, https://www.reuters.com/article/us-usa-russia-election-exclusive/exclusive-putin-linked-think-tank-drewup-plan-to-sway-2016-u-s-election-documents-idUSKBN17L2N3; Craig Timberg, "Russian Propaganda Effort Helped Spread 'Fake News' During Election, Experts Say," *Washington Post*, November 24, 2016, https://www.washingtonpost.com/business/economy/russian-propaganda-effort-helped-spread-fake-news-duringelection- experts-say/2016/11/24/793903b6-8a40-4ca9-b712-716af66098fe_story.html; Casey Michel, "How Russia Created the Most Popular Texas Secession Page on Facebook," Medium, September 7, 2017, https://medium.com/@cjcmichel/howrussia-created-the-most-popular-texas-secession-page-on-facebook-fd4dfd05ee5c.

(5)David Ingram, "Facebook to Keep Wraps on Political Ads Data Despite Researchers' Demands," Reuters, June 22, 2017, http://www.reuters.com/article/us-usa-politicsfacebook-idUSKBN19D1CN.

(6)Josh Constine, "Facebook Beats in Q4 with $8.81B Revenue, Slower Growth to 1.86B Users," TechCrunch, accessed September 8, 2017, http://social.techcrunch.com/2017/02/01/facebook-q4-2016-earnings.

(7)Ingram, "Facebook to Keep Wraps on Political Ads Data Despite Researchers' Demands."

(8)"Germany Approves Plans to Fine Social Media Firms up to €50m," *Guardian*, June 30, 2017,

Mainstream Media," *Observer*, February 26, 2017, http://www.theguardian.com/politics/2017/feb/26/robert-mercer-breitbart-war-on-media-steve-bannon-donald-trump-nigel-farage; *Secrets of Silicon Valley*, series 1, episode 2, "The Persuasion Machine"; "Did Cambridge Analytica Play a Role in the EU Referendum?," BBC, June 27, 2017, http://www.bbc.com/news/av/uk-40423629/did-cambridge-analytica-play-a-role-in-the-eu-referendum; Robert Booth, "Inquiry Launched into Targeting of UK Voters Through Social Media," *Guardian*, May 17, 2017, http://www.theguardian.com/technology/2017/may/17/inquiry-launched-into-how-uk-parties-target-voters-through-social-media.

(22)Siva Vaidhyanathan, "Facebook Was Letting Down Users Years Before Cambridge Analytica," *Slate*, March 20, 2018, https://slate.com/technology/2018/03/facebooks-data-practices-were-letting-down-users-years-before-cambridge-analytica.html.

(23)Lauren Etter, Vernon Silver, and Sarah Frier, "The Facebook Team Helping Regimes That Fight Their Opposition," Bloomberg, December 21, 2017, https://www.bloomberg.com/news/features/2017-12-21/inside-the-facebook-team-helping-regimes-that-reach-out-and-crack-down.

(24)Zeynep Tufekci, "Engineering the Public: Big Data, Surveillance and Computational Politics," *First Monday* 19, no. 7 (July 2, 2014), http://firstmonday.org/ojs/index.php/fm/article/view/4901; Joe McGinniss, *The Selling of the President, 1968* (New York: Trident Press, 1969); Danah Boyd and Kate Crawford, "Critical Questions for Big Data," *Information, Communication and Society* 15, no. 5 (June 1, 2012): 662–79, doi:10.1080/1369118X.2012.678878; Daniel Kreiss, *Prototype Politics: Technology-Intensive Campaigning and the Data of Democracy* (Oxford: Oxford University Press, 2016).

(25)Philip N. Howard, *New Media Campaigns and the Managed Citizen, Communication, Society, and Politics* (Cambridge, UK: Cambridge University Press, 2006), 172–79.

(26)Howard, *New Media Campaigns*, 185–86.

(27)Michael X. Delli Carpini, "Gen.com: Youth, Civic Engagement, and the New Information Environment," *Political Communication* 17, no. 4 (2000): 341–49; Michael X. Delli Carpini and Scott Keeter, *What Americans Know About Politics and Why It Matters* (New Haven, CT: Yale University Press, 1996).

(28)Zizi Papacharissi, *Affective Publics: Sentiment, Technology, and Politics* (New York: Oxford University Press, 2014); Zizi Papacharissi, *A Private Sphere: Democracy in a Digital Age* (Cambridge, UK: Polity, 2010).

(29)Karpf, "Will the Real Psychometric Targeters Please Stand Up?"; David Karpf, *The MoveOn Effect: The Unexpected Transformation of American Political Advocacy* (New York: Oxford University Press, 2012); Sasha Issenberg, *The Victory Lab: The Secret Science of Winning Campaigns* (New York: Crown, 2012); Kreiss, *Prototype Politics*; Eitan D. Hersh, *Hacking the Electorate: How Campaigns Perceive Voters* (New York: Cambridge University Press, 2015).

(30)Jonathan Zittrain, "Facebook Could Decide an Election—Without You Ever Finding Out," *New Republic*, June 1, 2014, https://newrepublic.com/article/117878/information-fiduciary-solution-facebook-digital-gerrymandering.

(31)Philip Bump, "How Facebook Plans to Become One of the Most Powerful Tools in Politics," *Washington Post*, November 26, 2014, https://www.washingtonpost.com/news/the-fix/wp/2014/11/26/how-facebook-plans-to-become-one-of-the-most-powerful-tools-in-politics.

(32)Hersh, *Hacking the Electorate*; Grassegger and Krogerus, "The Data That Turned the World Upside Down."

(33)Steven Bertoni, "Exclusive Interview: How Jared Kushner Won Trump the White House," *Forbes*, November 22, 2016, http://www.forbes.com/sites/stevenbertoni/2016/11/22/exclusive-interview-how-jared-kushner-won-trump-the-white-house.

(34)Charlie Warzel, "Trump Fundraiser: Facebook Employee Was Our 'MVP,'" BuzzFeed, November 12, 2016, https://www.buzzfeed.com/charliewarzel/trump-fundraiser-facebook-employee-was-our-mvp; Bosetta, "Donald Trump and Scott Walker's Digital Strategy on Social Media"; Issie Lapowsky, "The Man Behind Trump's Bid to Finally Take Digital Seriously," *Wired*, August 19, 2016, https://www.wired.com/2016/08/man-behind-trumps-bid-finally-take-digital-seriously; Issie Lapowsky, "This Is

Observer, March 4, 2017, http://www.theguardian.com/politics/2017/mar/04/nigel-oakes-cambridge-analytica-what-role-brexit-trump; Michael Bosetta, "#24: Donald Trump and Scott Walker's Digital Strategy on Social Media, with Matthew Oczkowski," Social Media and Politics, May 29, 2017, https://socialmediaandpolitics.simplecast.fm//24.
(7)"The Power of Big Data and Psychographics."
(8)"The Power of Big Data and Psychographics."
(9)"Cambridge Analytica Congratulates President-Elect Donald Trump and Vice President-Elect Mike Pence," November 9, 2016, http://www.prnewswire.com/news-releases/cambridge-analytica-congratulates-president-elect-donald-trump-and-vice-president-elect-mike-pence-300359987.html.
(10)Hannes Grassegger and Mikael Krogerus, "Ich Habe Nur Gezeigt, Dass Es die Bombe Gibt," *Das Magazin*, December 3, 2016, https://www.dasmagazin.ch/2016/12/03/ich-habe-nur-gezeigt-dass-es-die-bombe-gibt; Hannes Grassegger and Mikael Krogerus, "The Data That Turned the World Upside Down," *Motherboard*, January 28, 2017, https://motherboard.vice.com/en_us/article/mg9vvn/how-our-likes-helped-trump-win.
(11)Grassegger and Krogerus, "The Data That Turned the World Upside Down."
(12)Joseph Stromberg, "Watch: Why the Myers-Briggs Test Is Totally Meaningless," *Vox*, July 15, 2014, https://www.vox.com/2014/7/15/5881947/myers-briggspersonality-test-meaningless.
(13)Michal Kosinski, David Stillwell, and Thore Graepel, "Private Traits and Attributes Are Predictable from Digital Records of Human Behavior," *Proceedings of the National Academy of Sciences* 110, no. 15 (April 9, 2013): 5802–5, doi:10.1073/pnas.1218772110.
(14)Grassegger and Krogerus, "The Data That Turned the World Upside Down."
(15)Matthew Rosenberg, Nicholas Confessore, and Carole Cadwalladr, "How Trump Consultants Exploited the Facebook Data of Millions," *New York Times*, March 17, 2018, https://www.nytimes.com/2018/03/17/us/politics/cambridge-analytica-trump-campaign.html; Ryan Mac, "Cambridge Analytica Whistleblower Said He Wanted to Create 'NSA's Wet Dream," BuzzFeed, accessed March 22, 2018, https://www.buzzfeed.com/ryanmac/christopher-wylie-cambridge-analytica-scandal; Shivam Vij, "The Inside Story of What Cambridge Analytica Actually Did in India," ThePrint, March 22, 2018, https://theprint.in/politics/exclusive-insidestory-cambridge-analytica-actually-india/44012; Andy Kroll, "Cloak and Data: The Real Story Behind Cambridge Analytica's Rise and Fall," *Mother Jones*, March 23, 2018, https://www.motherjones.com/politics/2018/03/cloak-and-data-cambridge-analytica-robert-mercer; Siva Vaidhyanathan, "Don't Delete Facebook. Do Something About It," *New York Times*, March 24, 2018, https://www.nytimes.com/2018/03/24/opinion/sunday/delete-facebook-does-not-fix-problem.html.
(16)Nicholas Confessore and Danny Hakim, "Data Firm Says 'Secret Sauce' Aided Trump; Many Scoff," *New York Times*, March 6, 2017, https://www.nytimes.com/2017/03/06/us/politics/cambridge-analytica.html.
(17)David Karpf, "Will the Real Psychometric Targeters Please Stand Up?," Civic Hall, February 1, 2017, https://civichall.org/civicist/will-the-real-psychometric-targeters-please-stand-up.
(18)Jane Mayer, "The Reclusive Hedge-Fund Tycoon Behind the Trump Presidency," *New Yorker*, March 17, 2017, http://www.newyorker.com/magazine/2017/03/27/the-reclusive-hedge-fund-tycoon-behind-the-trump-presidency.
(19)Alexis C. Madrigal, "Hillary Clinton Was the First Casualty in the New Information Wars," *Atlantic*, May 31, 2017, https://www.theatlantic.com/technology/archive/2017/05/hillary-clinton-information-wars/528765.
(20)Alexander Nix, "How Big Data Got the Better of Donald Trump," *Campaign*, February 10, 2016, http://www.campaignlive.co.uk/article/big-data-better-donaldtrump/1383025; Doward and Gibbs, "Did Cambridge Analytica Influence the Brexit Vote and the US Election?"
(21)Carole Cadwalladr, "The Great British Brexit Robbery: How Our Democracy Was Hijacked," *Observer*, May 7, 2017, http://www.theguardian.com/technology/2017/may/07/the-great-british-brexit-robbery-hijacked-democracy; Carole Cadwalladr, "Robert Mercer: The Big Data Billionaire Waging War on

magazine/2010/10/04/small-change-malcolm-gladwell.

(20)Robert Mackey, "Video That Set Off Tunisia's Uprising," *The Lede* (blog), *New York Times*, January 22, 2011, https://thelede.blogs.nytimes.com/2011/01/22/video-that-triggered-tunisias-uprising; Mohamed Zayani, *Networked Publics and Digital Contention: The Politics of Everyday Life in Tunisia* (New York: Oxford University Press, 2015); Marwan M. Kraidy, *The Naked Blogger of Cairo: Creative Insurgency in the Arab World* (Cambridge, MA: Harvard University Press, 2016).

(21)Shirky, *Here Comes Everybody*［前掲書『みんな集まれ！』］; Shirky, "The Political Power of Social Media"; Bill Wasik, "Gladwell vs. Shirky: A Year Later, Scoring the Debate over Social-Media Revolutions," *Wired*, December 27, 2011, https://www.wired.com/2011/12/gladwell-vs-shirky.

(22)Shirky, "The Political Power of Social Media," 38.

(23)Shirky, "The Political Power of Social Media," 31.

(24)Shirky, "The Political Power of Social Media," 32–35.

(25)Katy E. Pearce, "Democratizing Kompromat: The Affordances of Social Media for State-Sponsored Harassment," *Information, Communication and Society* 18, no. 10 (October 3, 2015): 1158–74, https://doi.org/10.1080/1369118X.2015.1021705; Katy E. Pearce and Sarah Kendzior, "Networked Authoritarianism and Social Media in Azerbaijan," *Journal of Communication* 62, no. 2 (April 1, 2012): 283–98, https://doi.org/10.1111/j.1460-2466.2012.01633.x; Katy E. Pearce and Jessica Vitak, "Performing Honor Online: The Affordances of Social Media for Surveillance and Impression Management in an Honor Culture," *New Media and Society* 18, no. 11 (December 1, 2016): 2595–612, https://doi.org/10.1177/1461444815600279; Pearce, "Two Can Play at That Game," https://www.questia.com/library/journal/1G1-358056868/two-can-play-at-that-game-social-media-opportunities.

(26)Wael Ghonim, "Let's Design Social Media That Drives Real Change," TED Talk, December 2015, https://www.ted.com/talks/wael_ghonim_let_s_design_social_media_that_drives_real_change.

(27)Ghonim, "Let's Design Social Media."

第6章　政治のマシン

(1)Alex Hunt and Brian Wheeler, "Brexit: All You Need to Know About the UK Leaving the EU," BBC News, August 15, 2017, http://www.bbc.com/news/uk-politics-32810887; Nate Cohn, "Why the Surprise over 'Brexit'? Don't Blame the Polls," *New York Times*, June 24, 2016, https://www.nytimes.com/2016/06/25/upshot/why-the-surprise-over-brexit-dont-blame-the-polls.html.

(2)Hunt and Wheeler, "Brexit"; Michael Bosetta, "#25: The 2017 British Elections on Social Media, with Dr. Anamaria Dutceac Segesten," Social Media and Politics, June 15, 2017, https://socialmediaandpolitics.simplecast.fm//25.

(3)"2016 Election Results: State Maps, Live Updates," accessed August 19, 2017,http://www.cnn.com/election/results; "Presidential Election Results: Donald J. Trump Wins," *New York Times*, accessed August 19, 2017, http://www.nytimes.com/elections/results/president.

(4)"2016 Election Results"; "Presidential Election Results."

(5)"The Power of Big Data and Psychographics," Concordia Summit, 2016, https://www.youtube.com/watch?v=n8Dd5aVXLCc.

(6)*Secrets of Silicon Valley*, series 1, episode 2, "The Persuasion Machine," BBC, accessed August 15, 2017, http://www.bbc.co.uk/iplayer/episode/b091zhtk/secretsof-silicon-valley-series-1-2-the-persuasion-machine; Jamie Bartlett, "Tonight—8pm on BBC2. I Get Inside Trump Digital HQ to Understand How He Won. #SecretsOfSiliconValley https://T.co/xnIdT7kod6," August 13, 2017, https://twitter.com/JamieJBartlett/status/896794978072092672; Sasha Issenberg, "Cruz-Connected Data Miner Aims to Get Inside U.S. Voters' Heads," Bloomberg, November 12, 2015, https://www.bloomberg.com/news/features/2015-11-12/is-the-republican-party-s-killer-data-app-for-real-; Jamie Doward and Alice Gibbs, "Did Cambridge Analytica Influence the Brexit Vote and the US Election?,"

(4)Sam Gustin, "Social Media Sparked, Accelerated Egypt's Revolutionary Fire," *Wired*, February 11, 2011, https://www.wired.com/2011/02/egypts-revolutionary-fire.

(5)Zeynep Tufekci, *Twitter and Tear Gas: The Power and Fragility of Networked Protest* (New Haven, CT: Yale University Press, 2017)［邦訳：ゼイナップ・トゥフェックチー著『ツイッターと催涙ガス——ネット時代の政治運動における強さと脆さ』中林敦子訳、Pヴァイン］

(6)Ghonim, "Inside the Egyptian Revolution."

(7)"We Are All Khaled Said."

(8)Tufekci, *Twitter and Tear Gas*［前掲書『ツイッターと催涙ガス』］

(9)Vaidhyanathan, *The Googlization of Everything*, 121–24［前掲書『グーグル化の見えざる代償』］.

(10)Andrew Shapiro, *The Control Revolution: How the Internet Is Putting Individuals in Charge and Changing the World We Know* (New York: PublicAffairs, 1999), 6–7. 以下も参照。Gladys Ganley, *Unglued Empire: The Soviet Experience with Communications Technologies* (Norwood, NJ: Ablex, 1996).

(11)Marshall McLuhan, *The Gutenberg Galaxy: The Making of Typographic Man* (Toronto: University of Toronto Press, 1962)［邦訳：マーシャル・マクルーハン著『グーテンベルクの銀河系——活字人間の形成』森常治訳、みすず書房］; Marshall McLuhan, *Understanding Media: The Extensions of Man* (New York: Routledge, 2008)［邦訳：マーシャル・マクルーハン著『メディア論——人間の拡張の諸相』栗原裕・河本仲聖共訳、みすず書房］; Elizabeth Eisenstein, *The Printing Press as an Agent of Change: Communications and Cultural Transformations in Early Modern Europe* (Cambridge, UK: Cambridge University Press, 1979); Elizabeth L. Eisenstein, "An Unacknowledged Revolution Revisited," *American Historical Review* 107, no. 1 (February 2002): 87–105, http://www.jstor.org/stable/2692544; Bernard Bailyn, *The Ideological Origins of the American Revolution*, enlarged ed. (Cambridge, MA: Belknap Press of Harvard University Press, 1992).

(12)Gordon Wood, *The Radicalism of the American Revolution* (New York: Knopf, 1992); Adrian Johns, "How to Acknowledge a Revolution," *American Historical Review* 107, no. 1 (February 2002): 106–25, http://www.jstor.org/stable/2692545; Adrian Johns, *The Nature of the Book: Print and Knowledge in the Making* (Chicago: University of Chicago Press, 1998).

(13)Tony Judt, *Postwar: A History of Europe Since 1945* (New York: Penguin, 2005), 628–29［邦訳：トニー・ジャット著『ヨーロッパ戦後史』(上下巻)森本醇訳、みすず書房］.以下も参照。 Brian Hanrahan, "How Tiananmen Shook Europe," BBC, June 5, 2009, http://news.bbc.co.uk/2/hi/asia-pacific/8077883.stm.

(14)Judt, *Postwar*, 585–605［前掲書『ヨーロッパ戦後史』］

(15)Rebecca MacKinnon, *Consent of the Networked: The World-Wide Struggle for Internet Freedom* (New York: Basic Books, 2012); Evgeny Morozov, *The Net Delusion: The Dark Side of Internet Freedom* (New York: PublicAffairs, 2011); Marc Lynch, "The Internet Freedom Agenda," *Foreign Policy*, January 22, 2010, https://foreignpolicy.com/2010/01/22/the-internet-freedom-agenda.

(16)"Twitter Revolution in Iran," CNN, June 18, 2009, https://youtu.be/OpQC-DJL_Ho; "Lessons from the 'Twitter Revolution,'" CNN, February 15, 2011, https://youtu.be/OktVofgzoOo.

(17)Tufekci, *Twitter and Tear Gas*［前掲書『ツイッターと催涙ガス』］

(18)Clay Shirky, *Here Comes Everybody: The Power of Organizing Without Organizations* (New York: Penguin, 2008)［前掲書『みんな集まれ！』］; Clay Shirky, "The Political Power of Social Media: Technology, the Public Sphere, and Political Change," *Foreign Affairs* 90, no. 1 (2011): 28–41, http://www.jstor.org/stable/25800379; Tufekci, *Twitter and Tear Gas*［前掲書『ツイッターと催涙ガス』］; Siva Vaidhyanathan, *The Anarchist in the Library: How the Clash Between Freedom and Control Is Hacking the Real World and Crashing the System* (New York: Basic Books, 2004); Mary Jordan, "Going Mobile: Text Messages Guide Filipino Protesters," *Washington Post*, August 25, 2006, http://www.washingtonpost.com/wp-dyn/content/article/2006/08/24/AR2006082401379.html; Daniel Trottier and Christian Fuchs, *Social Media, Politics and the State: Protests, Revolutions, Riots, Crime and Policing in the Age of Facebook, Twitter and YouTube* (New York: Routledge, 2015); Gunning and Baron, *Why Occupy a Square?*

(19)Malcolm Gladwell, "Small Change," *New Yorker*, September 27, 2010, https://www.newyorker.com/

Normative Implications," in *The Logical Foundation of Constitutional Liberty*, vol. 1 of *The Collected Works of James M. Buchanan* (Indianapolis, IN: Liberty Fund, 1999); James M. Buchanan and Gordon Tullock, *The Calculus of Consent: Logical Foundations of Constitutional Democracy* (Ann Arbor: University of Michigan Press, 1965)[邦訳：J・M・ブキャナン&G・タロック著『公共選択の理論』宇田川璋仁監訳、東洋経済新報社]; James M. Buchanan and Robert D. Tollison, *Theory of Public Choice; Political Applications of Economics* (Ann Arbor: University of Michigan Press, 1972); Hugh Stretton and Lionel Orchard, *Public Goods, Public Enterprise, Public Choice: Theoretical Foundations of the Contemporary Attack on Government* (New York: St. Martin's Press, 1994); Lars Udehn, *The Limits of Public Choice: A Sociological Critique of the Economic Theory of Politics* (London; Routledge, 1996); Anthony Downs, *An Economic Theory of Democracy* (New York: Harper, 1957)[邦訳：アンソニー・ダウンズ著『民主主義の経済理論』古田精司監訳、成文堂]; Mancur Olson, *The Logic of Collective Action; Public Goods and the Theory of Groups* (Cambridge, MA: Harvard University Press, 1971)[邦訳：マンサー・オルソン著『集合行為論――公共財と集団理論』依田博、森脇俊雅訳、ミネルヴァ書房]

(25)Udehn, *The Limits of Public Choice*[前掲書『民主主義の経済理論』]; Vaidhyanathan, *The Googlization of Everything*[前掲書『グーグル化の見えざる代償』].

(26)Aguinis and Glavas, "What We Know and Don't Know About Corporate Social Responsibility"; Banerjee, *Corporate Social Responsibility*; Bidyut Chakrabarty, *Corporate Social Responsibility in India* (Abingdon, Oxon: Routledge, 2011); Crane, *The Oxford Handbook of Corporate Social Responsibility*; Econostats, "Unilever and the Failure of Corporate Social Responsibility"; Jean-Pascal Gond and Jeremy Moon, eds., *Corporate Social Responsibility*, 4 vols. (London: Routledge, 2012); André Habisch, *Corporate Social Responsibility Across Europe* (Berlin: Springer, 2005); Hemingway, *Corporate Social Entrepreneurship*; Hemingway, "Personal Values as a Catalyst for Corporate Social Entrepreneurship"; David Henderson, *Misguided Virtue: False Notions of Corporate Social Responsibility* (London: Institute of Economic Affairs, 2001); Steve May, George Cheney, and Juliet Roper, *The Debate over Corporate Social Responsibility* (Oxford: Oxford University Press, 2007); Abagail McWilliams and Donald Siegel, "Corporate Social Responsibility: A Theory of the Firm Perspective," *Academy of Management Review* 26, no. 1 (January 1, 2001): 117–27, https://doi.org/10.5465/AMR.2001.4011987; Moon, *Corporate Social Responsibility*; Vogel, *The Market for Virtue*.

(27)Clay Shirky, *Here Comes Everybody: The Power of Organizing Without Organizations* (New York: Penguin, 2008)[邦訳：クレイ・シャーキー著『みんな集まれ！――ネットワークが世界を動かす』岩下慶一訳、筑摩書房]; Clay Shirky, "The Political Power of Social Media: Technology, the Public Sphere, and Political Change," *Foreign Affairs* 90, no. 1 (2011): 28–41, http://www.jstor.org/stable/25800379.

(28)Zuckerberg, "Mark Zuckerberg's Letter to Investors."

第5章　抗議するマシン

(1)"We Are All Khaled Said," accessed December 3, https://www.facebook.com/elshaheeed.co.uk; Jennifer Preston, "Facebook and YouTube Fuel the Egyptian Protests," *New York Times*, February 5, 2011, https://www.nytimes.com/2011/02/06/world/middleeast/06face.html.

(2)Wael Ghonim, "Inside the Egyptian Revolution," TED Talk, March 2011, https://www.ted.com/talks/wael_ghonim_inside_the_egyptian_revolution.

(3)Michael Slackman and Mona El-Naggar, "Egyptian Forces Beat Back Demonstration for Judges," *New York Times*, May 11, 2006, https://www.nytimes.com/2006/05/11/world/middleeast/11cnd-egypt.html; Preston, "Facebook and YouTube Fuel the Egyptian Protests"; Adham Hamed, *Revolution as a Process: The Case of the Egyptian Uprising*, Contemporary Studies on the MENA Region (Vienna: Wiener Verlag für Sozialforschung, 2014); Jeroen Gunning and Ilan Zvi Baron, *Why Occupy a Square? People, Protests, and Movements in the Egyptian Revolution* (Oxford: Oxford University Press, 2014); Wael Ghonim, *Revolution 2.0: The Power of the People Is Greater than the People in Power: A Memoir* (Boston: Houghton Mifflin Harcourt, 2012); Ghonim, "Inside the Egyptian Revolution."

Capitalism: Liberating the Heroic Spirit of Business (Boston, MA: Harvard Business Review Press, 2013).［邦訳：ジョン・マッキー&ラジェンドラ・シソーディア著『世界でいちばん大切にしたい会社』鈴木立哉訳、翔泳社］; Herman Aguinis and Ante Glavas, "What We Know and Don't Know About Corporate Social Responsibility: A Review and Research Agenda," *Journal of Management*, March 1, 2012, https://doi.org/10.1177/0149206311436079; "The Inside Story of Starbucks's Race Together Campaign, No Foam," *Fast Company*, June 15, 2015, https://www.fastcompany.com/3046890/the-inside-story-of-starbuckss-race-together-campaign-no-foam; Howard Schultz and Rajiv Chandrasekaran, *For Love of Country: What Our Veterans Can Teach Us About Citizenship, Heroism, and Sacrifice* (New York: Knopf, 2014); Howard Schultz and Dori Jones Yang, *Pour Your Heart into It: How Starbucks Built a Company One Cup at a Time* (New York: Hyperion, 1997)［邦訳：ハワード・シュルツ&ドリー・ジョーンズ・ヤング著『スターバックス成功物語』小幡照雄、大川修二訳、日経BP社］; Howard Schultz and Joanne Gordon, *Onward: How Starbucks Fought for Its Life Without Losing Its Soul* (New York: Rodale, 2011)［邦訳：ハワード・シュルツ&ジョアンヌ・ゴードン著『スターバックス再生物語――つながりを育む経営』月沢李歌子訳、徳間書店］; David Bollier, *Aiming Higher: 25 Stories of How Companies Prosper by Combining Sound Management and Social Vision* (New York: Amacom, 1996)［邦訳：デイビッド・ボリエー著『ニッチ市場の覇者たち――社会に貢献することで事業を成功させた25社』佐藤洋一訳、トッパン］; Siva Vaidhyanathan, "Starbucks's Race to the Center of Civic Life," *Baffler*, March 18, 2015, https://thebaffler.com/latest/starbucks-race-together; John Seabrook, "Snacks for a Fat Planet," *New Yorker*, May 9, 2011, https://www.newyorker.com/magazine/2011/05/16/snacks-for-a-fat-planet; Econostats, "Unilever and the Failure of Corporate Social Responsibility," *Forbes*, March 15, 2017, https://www.forbes.com/sites/econostats/2017/03/15/unilever-and-the-failure-of-corporate-social-responsibility; Vivienne Walt, "Unilever's Paul Polman Shares His Plans to Save the World," *Fortune*, February 17, 2017, http://fortune.com/2017/02/17/unilever-paul-polman-responsibility-growth.

(21)Milton Friedman, John Mackey, and T. J. Rodgers, "Rethinking the Social Responsibility of Business," *Reason*, October 2005, http://reason.com/ archives/2005/10/01/rethinking-the-social-responsi.

(22)"Largest Companies by Market Cap Today," Dogs of the Dow, October 23, 2017, http://dogsofthedow.com/largest-companies-by-market-cap.htm.

(23)Christine A. Hemingway, *Corporate Social Entrepreneurship: Integrity Within* (Cambridge, UK: Cambridge University Press, 2013); Christine A. Hemingway, "Personal Values as a Catalyst for Corporate Social Entrepreneurship," *Journal of Business Ethics* 60, no. 3 (September 2005): 233–49, https://doi.org/10.1007/s10551-005-0132-5; Jeremy Moon, *Corporate Social Responsibility: A Very Short Introduction* (Oxford: Oxford University Press, 2014); Barry Smart, "Good for Business, Good Without Reservation? Veblen's Critique of Business Enterprise and Pecuniary Culture," *Journal of Classical Sociology* 15, no. 3 (August 1, 2015): 253–69, https://doi.org/10.1177/1468795X14558767; Subhabrata Bobby Banerjee, *Corporate Social Responsibility: The Good, the Bad and the Ugly* (Cheltenham, UK: Edward Elgar, 2009); Nicholas Thompson, "Instagram's CEO Wants to Clean Up the Internet—But Is That a Good @&#ing Idea?," *Wired*, September 2017, https://www.wired.com/2017/08/instagram-kevin-systrom-wants-to-clean-up-the-internet; Zuckerberg, "Mark Zuckerberg on Facebook's Social Good Forum"; Andrew Palmer, *Smart Money: How High-Stakes Financial Innovation Is Reshaping Our World—for the Better* (New York: Basic Books, 2015); Stephanie Strom, "To Be Good Citizens, Report Says, Companies Should Just Focus on Bottom Line," *New York Times*, June 14, 2011, http://www.nytimes.com/2011/06/15/business/15charity.html; Robert H. Frank, *What Price the Moral High Ground? Ethical Dilemmas in Competitive Environments* (Princeton, NJ: Princeton University Press, 2004); Vogel, *The Market for Virtue*［前掲書『企業の社会的責任（CSR）の徹底研究』］; Andrew Crane, *The Oxford Handbook of Corporate Social Responsibility* (Oxford: Oxford University Press, 2008); Brad Stone and Mark Bergen, "Everyone's Mad at Google and Sundar Pichai Has to Fix It," Bloomberg, October 19, 2017, https://www.bloomberg.com/news/features/2017-10-19/everyone-s-mad-at-google-and-sundar-pichai-has-to-fix-it.

(24)James Buchanan, "Politics Without Romance: A Sketch of Positive Public Choice Theory and Its

(9)Mark Zuckerberg, "Mark Zuckerberg on Connecting the World with Internet.org," Zuckerberg Transcripts 175, February 19, 2015, http://dc.uwm.edu/zuckerberg_files_transcripts/175; Mark Zuckerberg, "Video on Expansion of Internet.org," Zuckerberg Transcripts 258, May 4, 2015, http://dc.uwm.edu/zuckerberg_files_transcripts/258; Mark Zuckerberg, "Facebook's Mark Zuckerberg's Townhall in Delhi," Zuckerberg Transcripts 168, October 28, 2015, http://dc.uwm.edu/zuckerberg_files_transcripts/168; Mark Zuckerberg, "Free Basics Protects Net Neutrality," *Times of India*, December 28, 2015, http://blogs.timesofindia.indiatimes.com/toi-edit-page/free-basics-protects-net-neutrality; "India Blocks Zuckerberg's Free Net App," BBC News, February 8, 2016, http://www.bbc.com/news/technology-35522899; "Facebook Campaigns to Defend 'Free Basics,'" *Hindu*, December 23, 2015, http://www.thehindu.com/business/Industry/facebook-campaigns-to-defend-freebasics/article8022408.ece; "India Puts Brakes on Facebook's Free Basics Scheme," BBC News, December 23, 2015, http://www.bbc.com/news/technology-35169226; "TRAI Supports Net Neutrality, Effectively Bans Free Basics: All That Happened in This Debate," *Indian Express*, February 9, 2016, http://indianexpress.com/article/technology/tech-news-technology/facebook-free-basics-ban-net-neutrality-all-you-need-to-know.

(10)Bhatia, "The Inside Story of Facebook's Biggest Setback."

(11)Bhatia, "The Inside Story of Facebook's Biggest Setback."

(12)Bhatia, "The Inside Story of Facebook's Biggest Setback."

(13)Sheryl Sandberg, "Sheryl Sandberg Writes: Empowering Women Economically Is Good for Everyone," *Indian Express*, December 8, 2015, http://indianexpress.com/ article/opinion/columns/the-internet-gender-gap-widening-the-global-developmentgap-needs-to-be-bridged.

(14)Adi Narayan, "Andreessen Regrets India Tweets; Zuckerberg Laments Comments," Bloomberg, February 10, 2016, http://www.bloomberg.com/news/articles/2016-02-10/marc-andreessen-pro-colonialism-tweet-riles-up-india-tech-world.

(15)A. A. Berle, "Corporate Powers as Powers in Trust," *Harvard Law Review* 44, no. 7 (1931): 1049–74, https://doi.org/10.2307/1331341; Adolf A. Berle et al., *The Modern Corporation and Private Property* (New York: Macmillan, 1933).[邦訳：A・A・バーリ&G・C・ミーンズ著『現代株式会社と私有財産』森杲訳、北海道大学出版会]

(16)E. Merrick Dodd, "For Whom Are Corporate Managers Trustees?," *Harvard Law Review* 45, no. 7 (1932): 1153; Adolf A. Berle, *The 20th Century Capitalist Revolution* (New York: Harcourt, Brace, 1954).

(17)Thomas Frank, *The Conquest of Cool: Business Culture, Counterculture, and the Rise of Hip Consumerism* (Chicago: University of Chicago Press, 1997); Gavin Wright, *Sharing the Prize: The Economics of the Civil Rights Revolution in the American South* (Cambridge, MA: Belknap Press of Harvard University Press, 2013); Frederick Allen, *Secret Formula: How Brilliant Marketing and Relentless Salesmanship Made Coca-Cola the Best-Known Product in the World* (New York: HarperBusiness, 1994).

(18)Milton Friedman, "The Social Responsibility of Business Is to Increase Its Profits," *New York Times*, September 13, 1970, https://www.nytimes.com/1970/09/13/archives/article-15-no-title.html; Milton Friedman and Rose D. Friedman, *Capitalism and Freedom* (Chicago: University of Chicago Press, 2002).[邦訳：ミルトン・フリードマン著『資本主義と自由』村井章子訳、日経BP社]

(19)Lynn A. Stout, *The Shareholder Value Myth: How Putting Shareholders First Harms Investors, Corporations, and the Public* (San Francisco: Berrett-Koehler, 2012).

(20)R. Edward Freeman and John McVea, "A Stakeholder Approach to Strategic Management," 2001.以下で閲覧可能。Social Science Research Network, http://papers.ssrn.com/sol3/papers.cfm?abstract_id=263511; R. Edward Freeman, *Environmentalism and the New Logic of Business: How Firms Can Be Profitable and Leave Our Children a Living Planet* (New York: Oxford University Press, 2000); R. Edward Freeman, *Managing for Stakeholders: Survival, Reputation, and Success* (New Haven, CT: Yale University Press, 2007).[邦訳：R・E・フリーマン&J・S・ハリソン&A・C・ウィックス著『利害関係者志向の経営――存続・世評・成功』中村瑞穂訳、白桃書房]; John Mackey and Rajendra Sisodia, *Conscious*

2017): 71–79, https://doi.org/10.1186/s12911-017-0470-0; Shuai Yang, Sixing Chen, and Bin Li, "The Role of Business and Friendships on WeChat Business: An Emerging Business Model in China," *Journal of Global Marketing* 29, no. 4 (September 2016): 174–87, https://doi.org/10.1080/08911762.2016.1184363; Xiaoming Yang, Sunny Li Sun, and Ruby P. Lee, "Micro-Innovation Strategy: The Case of WeChat," *Asian Case Research Journal* 20, no. 2 (December 1, 2016): 401–27, https://doi.org/10.1142/S0218927516500152; Yuan Pingfang and Wang Rong, "On the Spreading of 'Rumors' in WeChat and It's [*sic*] Regulating Model Building: Taking the 'Rumors' Preventing in WeChat Official Account as an Example," *China Media Report Overseas* 11, no. 1 (January 2015): 17–23.

(33)Henry Jenkins, *Convergence Culture: Where Old and New Media Collide* (New York: New York University Press, 2008); Henry Jenkins, Sam Ford, and Joshua Green, *Spreadable Media: Creating Value and Meaning in a Networked Culture* (New York: New York University Press, 2013).

(34)Olivia Solon, "Facebook's Oculus Reveals Stand-Alone Virtual Reality Headset," *Guardian*, October 11, 2017, http://www.theguardian.com/technology/2017/oct/11/oculus-go-virtual-reality-facebook; "How Virtual Reality Facilitates Social Connection," Facebook IQ, January 9, 2017, https://www.facebook.com/iq/articles/how-virtual-reality-facilitates-social-connection; Mark Zuckerberg, "Zuckerberg Facebook Post About Virtual Reality Demo at Oculus Connect—2016-10-6," Zuckerberg Transcripts 207, October 6, 2016, http://dc.uwm.edu/zuckerberg_files_transcripts/207.

第4章　善意のマシン

(1)Mark Zuckerberg, "Mark Zuckerberg on Facebook's Social Good Forum," Zuckerberg Transcripts 251, November 17, 2016, http://dc.uwm.edu/zuckerberg_files_transcripts/251.

(2)Vaidhyanathan, *The Googlization of Everything*[前掲書『グーグル化の見えざる代償』]

(3)Mark Zuckerberg, "Mark Zuckerberg's Letter to Investors: 'The Hacker Way,'" *Wired*, February 1, 2012, http://www.wired.com/2012/02/zuck-letter.

(4)Zuckerberg, "Mark Zuckerberg's Letter to Investors"; Ben Agger, *Oversharing: Presentations of Self in the Internet Age* (New York: Routledge, 2015); Nicholas A. John, *The Age of Sharing* (London: Polity Press, 2017).

(5)Zuckerberg, "Mark Zuckerberg's Letter to Investors."

(6)David Vogel, *The Market for Virtue: The Potential and Limits of Corporate Social Responsibility* (Washington, DC: Brookings Institution Press, 2005).[邦訳：デービッド・ボーゲル著『企業の社会的責任(CSR)の徹底研究――利益の追求と美徳のバランス　その事例による検証』小松由紀子ほか訳、一灯舎]

(7)Peter Nowak, "Zero Rating: How ISPs Give Some Customers Preferential Treatment," CBC News, April 7, 2015, http://www.cbc.ca/news/business/why-zero-rating-is-the-new-battleground-in-net-neutrality-debate-1.3015070; "Zero Rating: What It Is and Why You Should Care," Electronic Frontier Foundation, February 18, 2016, https://www.eff.org/deeplinks/2016/02/zero-rating-what-it-is-why-you-should-care.

(8)Rahul Bhatia, "The Inside Story of Facebook's Biggest Setback," *Guardian*, May 12, 2016, https://www.theguardian.com/technology/2016/may/12/facebook-free-basics-india-zuckerberg. 2017年10月時点でFree Basicsを立ち上げた60カ国は以下のとおり。アフリカと中東：アンゴラ、ベナン、カーボベルデ、チャド、コンゴ民主共和国、ガボン、ガーナ、ギニア、ギニアビサウ、イラク、ヨルダン、ケニア、リベリア、マダガスカル、マラウィ、モーリタニア、モザンビーク、ニジェール、ナイジェリア、コンゴ共和国、ルワンダ、セネガル、セイシェル諸島、南アフリカ、タンザニア、ザンビア。アジアとオセアニア：バングラデシュ、カンボジア、インドネシア、モルディヴ、モンゴル、パキスタン、フィリピン、タイ、東ティモール、バヌアツ、ベトナム。南米：アンギラ島、アンティグア・バーブーダ、アルバ、バルバドス、イギリス領バージン諸島、ボネール島、コロンビア、キュラソー島、ドミニカ、エルサルバドル、グレナダ、グアテマラ、ホンジュラス、ジャマイカ、メキシコ、モントセラト島、パナマ、ペルー、セントクリストファー・ネービス、セントルシア、セントビンセントおよびグレナディーン諸島、スリナム、タークス・カイコス諸島。

lifestyle-entertainment-or-google-tech-business-sports; Efrat Nechushtai, "Could Digital Platforms Capture the Media Through Infrastructure?," *Journalism*, August 15, 2017, 1464884917725163, https://doi.org/10.1177/1464884917725163; Pablo J. Boczkowski and Eugenia Mitchelstein, *The News Gap: When the Information Preferences of the Media and the Public Diverge* (Cambridge, MA: MIT Press, 2013).

(29)ビング、グーグル、グーグルプラス、フェイスブックのように垣根を越えた競争は、うわべだけの努力以上のレベルにはなっていない。マイクロソフトとグーグルは企業や組織にサーバーと付随サービスを提供しているので、アマゾンの高収益事業と競合している。だがグーグルにとってもマイクロソフトにとっても、サーバー事業は大きな収入源ではない。ウェイボー、アリババ、ヤンデックス、フコンタクテ(VK)、テンセント、その他グーグルとフェイスブックが市場を確立するのに苦労している中国やロシアのような場所における強力かつ重要なソーシャルメディアおよびウェブ検索会社は、ここでは除外した。私たちの生活OSになるためにデータフローを活用しようという努力には、小規模な会社も含まれる。ソフトバンク、ウーバー、パランティア・テクノロジーズの活動にも注目しておくことをお勧めする。

(30)Philip N. Howard, *Pax Technica: How the Internet of Things May Set Us Free or Lock Us Up* (New Haven, CT: Yale University Press, 2015); Ian Bogost, "The Internet of Things You Don't Really Need," *Atlantic*, June 23, 2015, https://www.theatlantic.com/technology/archive/2015/06/the-internet-of-things-you-dont-really-need/396485.

(31)Frank Pasquale, *The Black Box Society: The Secret Algorithms That Control Money and Information* (Cambridge, MA: Harvard University Press, 2015).

(32)フェイスブックのメッセンジャーは、ウィーチャットに対するフェイスブック最強の対応だ。メッセンジャーのユーザー基盤は、ウィーチャットのそれよりも小さいものの着実に拡大している。定期的に機能を追加してもいる。無料で動画通話し、仲間内で動画やテキストメッセージを共有し、位置情報を教えあい、送金し、ドロップボックスなどのファイル管理システムにつながっていればファイルを共有することもできる。ウーバーかリフトで車を手配でき、QRコードをスキャンし、一部の会社のカスタマーサポートを利用することもできる。さらにフェイスブックは、メッセンジャーを使って独自のバーチャルアシスタントを導入する計画も立てている。このバーチャルアシスタントは音声による指示に反応し、フェイスブックのデータとそのおそるべきAIイニシアチブを活用するものだ。フェイスブックは、アップルのSiriに相当するこの機能を「M」と呼んでいる。ウィーチャットが中国人ディアスポラのあいだで人気を高めつつあり、したがって世界中で影響力を強めつつある一方、フェイスブックはウィーチャットを手本としつつも脅威とも見ている。ザッカーバーグが中国でフェイスブックのサービスを再び展開する方法を模索している理由のひとつだ。だが、これほど多くの機能がたったひとつのアプリでおこなえるというこの便利さに慣れた人々をふり向かせるのは、いかにフェイスブックといえども苦労するだろう。Connie Chan, "When One App Rules Them All: The Case of WeChat and Mobile in China," Andreessen Horowitz, August 6, 2015, http://a16z.com/2015/08/06/wechat-china-mobile-first; "WeChat's World: China's WeChat Shows the Way to Social Media's Future," *Economist*, August 6, 2018, https://www.economist.com/news/business/21703428-chinas-wechat-shows-way-social-medias-future-wechats-world; "From Weibo to WeChat," *Economist*, January 18, 2014, http://www.economist.com/news/china/21594296-after-crackdown-microblogs-sensitive-online-discussion-has-shifted-weibo-wechat; Che Hui Lien and Yang Cao, "Examining WeChat Users' Motivations, Trust, Attitudes, and Positive Word-of-Mouth: Evidence from China," *Computers in Human Behavior* 41 (December 1, 2014): 104–11, https://doi.org/10.1016/j.chb.2014.08.013; Xiaobo Wang and Baotong Gu, "The Communication Design of WeChat: Ideological as Well as Technical Aspects of Social Media," *Communication Design Quarterly Review* 4, no. 1 (November 2016): 23–35, https://doi.org/10.1145/2875501.2875503; Yang Wang, Yao Li, and Jian Tang, "Dwelling and Fleeting Encounters: Exploring Why People Use WeChat—A Mobile Instant Messenger," in *Proceedings of the 33rd Annual ACM Conference Extended Abstracts on Human Factors in Computing Systems* (New York: ACM, 2015), 1543–48, https://doi.org/10.1145/2702613.2732762; Qunyi Wei and Yang Yang, "WeChat Library: A New Mode of Mobile Library Service," *Electronic Library* 35, no. 1 (January 2017): 198–208, https://doi.org/10.1108/EL-12-2015-0248; Xingting Zhang et al., "How the Public Uses Social Media WeChat to Obtain Health Information in China: A Survey Study," *BMC Medical Informatics and Decision Making* 17 (July 5,

15, 2017, 1940161217740695, https://doi.org/10.1177/1940161217740695; Gallup Inc., "Confidence in Institutions," June 13, 2016, http://www.gallup.com/poll/1597/Confidence-Institutions.aspx; Gallup Inc., "Americans' Confidence in Institutions Stays Low," June 13, 2016, http://www.gallup.com/poll/192581/americans-confidence-institutions-stays-low.aspx.

(20)Cass R. Sunstein, *Republic.com* (Princeton, NJ: Princeton University Press, 2001).[邦訳:キャス・サンスティーン著『インターネットは民主主義の敵か』石川幸憲訳、毎日新聞社]

(21)Sunstein, *Republic.com*[前掲書『インターネットは民主主義の敵か』]; Cass R. Sunstein, *Republic.com 2.0* (Princeton, NJ: Princeton University Press, 2007); Cass R. Sunstein, *Infotopia: How Many Minds Produce Knowledge* (Oxford: Oxford University Press, 2006); Cass R. Sunstein, *Going to Extremes: How Like Minds Unite and Divide* (Oxford: Oxford University Press, 2009); Cass R. Sunstein, *#Republic: Divided Democracy in the Age of Social Media* (Princeton, NJ: Princeton University Press, 2017).[邦訳:キャス・サンスティーン著『#リパブリック――インターネットは民主主義になにをもたらすのか』伊達尚美訳、勁草書房]

(22)Eszter Hargittai, Jason Gallo, and Matthew Kane, "Cross-Ideological Discussions Among Conservative and Liberal Bloggers," *Public Choice* 134, nos. 1–2 (2008): 67–86.

(23)Daniel Drezner and Henry Farrell, "Web of Influence," *Foreign Policy*, October 26, 2009, https://foreignpolicy.com/2009/10/26/web-of-influence; Henry Farrell, Eric Lawrence, and John Sides, "Self-Segregation or Deliberation? Blog Readership, Participation and Polarization in American Politics," July 1, 2008, 以下で閲覧可能。Social Science Research Network, https://papers.ssrn.com/abstract=1151490.

(24)Vaidhyanathan, *The Googlization of Everything*.[前掲書『グーグル化の見えざる代償』]

(25)Eric Alterman, "Out of Print," *New Yorker*, March 24, 2008, https://www.newyorker.com/magazine/2008/03/31/out-of-print.

(26)Jonah Peretti, "How Andrew Breitbart Helped Launch Huffington Post," BuzzFeed, March 1, 2012, https://www.buzzfeed.com/buzzfeedpolitics/how-andrew-breitbart-helped-launch-huffington-post.

(27)David Rowan, "How BuzzFeed Mastered Social Sharing to Become a Media Giant for a New Era," *Wired*, January 2, 2014, http://www.wired.co.uk/article/buzzfeed; Amol Sharma and Lukas I. Alpert, "BuzzFeed Set to Miss Revenue Target, Signaling Turbulence in Media," *Wall Street Journal*, November 16, 2017, https://www.wsj.com/articles/buzzfeed-set-to-miss-revenue-target-signaling-turbulence-in-media-1510861771.

(28)Elisa Shearer and Jeffrey Gottfried, "News Use Across Social Media Platforms 2017," Pew Research Center: Journalism and Media, September 7, 2017, http://www.journalism.org/2017/09/07/news-use-across-social-media-platforms-2017; Michael Barthel et al., "The Evolving Role of News on Twitter and Facebook," Pew Research Center: Journalism and Media, July 14, 2015, http://www.journalism.org/2015/07/14/the-evolving-role-of-news-on-twitter-and-facebook; Jeffrey Gottfried and Elisa Shearer, "News Use Across Social Media Platforms 2016," Pew Research Center: Journalism and Media, May 26, 2016, http://www.journalism.org/2016/05/26/news-use-across-social-media-platforms-2016; Shannon Greenwood, Andrew Perrin, and Maeve Duggan, "Social Media Update 2016," Pew Research Center: Internet and Technology, November 11, 2016, http://www.pewinternet.org/2016/11/11/social-media-update-2016; Emily Bell, "Facebook Is Eating the World," *Columbia Journalism Review*, March 7, 2016, http://www.cjr.org/analysis/facebook_and_media.php; Fidji Simo, "Introducing: The Facebook Journalism Project," Facebook Media, January 11, 2017, https://media.fb.com/2017/01/11/facebook-journalismproject; Benjamin Mullin, "Seeking to Deepen Ties with Publishers, Facebook Rolls Out Journalism Program," Poynter, January 11, 2017, https://www.poynter.org/2017/seeking-to-deepen-ties-with-publishers-facebook-rolls-out-journalism-program/445020; Peter Kafka, "Facebook Says It's Going to Try to Help Journalism 'Thrive,'" Recode, January 11, 2017, https://www.recode.net/2017/1/11/14237118/facebook-journalism-project; Shan Wang, "Who's Really Driving Traffic to Articles? Depends on the Subject: Facebook (Lifestyle, Entertainment) or Google (Tech, Business, Sports)," Nieman Lab, May 23, 2017, http://www.niemanlab.org/2017/05/whos-really-driving-traffic-to-articles-depends-on-the-subject-facebook-

(17)Eli Pariser, *The Filter Bubble: What the Internet Is Hiding from You* (New York: Penguin, 2011).［前掲書『フィルターバブル』］; Brian Feldman, "What Happens When Facebook Controls the News," Select All, October 25, 2017, http://nymag.com/selectall/2017/10/what-happens-when-facebook-controls-the-news.html; Tom Chivers, "How Online Filter Bubbles Are Making Parents of Autistic Children Targets for Fake 'Cures,'" BuzzFeed, August 28, 2017, https://www.buzzfeed.com/tomchivers/how-online-filter-bubbles-are-making-parents-of-autistic; Drake Baer, "The 'Filter Bubble' Explains Why Trump Won and You Didn't See It Coming," Science of Us, November 9, 2016, http://nymag.com/scienceofus/2016/11/how-facebook-and-the-filter-bubble-pushed-trump-to-victory.html; Vaidhyanathan, *The Googlization of Everything*.［前掲書『グーグル化の見えざる代償』］; Miranda Neubauer, "Worth Watching: Pariser, Vaidhyanathan, Morozov and Weisberg on Whether the Internet Is Closing Our Minds," TechPresident, April 18, 2012, http://techpresident.com/news/22074/pariser-convinces-debate-audience-internet-narrowing-points-view; Katy Waldman, "The Web Is Turning Us into Narrow-Minded Drones," *Slate*, April 18, 2012, http://www.slate.com/articles/news_and_politics/intelligence_squared/2012/04/yes_the_internet_is_closing_our_minds_who_won_the_slate_intelligence_squared_debate_on_april_17_and_how_.html; Bas Hofstra et al., "Sources of Segregation in Social Networks: A Novel Approach Using Facebook," *American Sociological Review* 82, no. 3 (June 1, 2017) : 625–56, https://doi.org/10.1177/0003122417705656; Motahhare Eslami et al., "'I Always Assumed That I Wasn't Really That Close to [Her]': Reasoning About Invisible Algorithms in News Feeds," in *Proceedings of the 33rd Annual ACM Conference on Human Factors in Computing Systems* (New York: ACM, 2015) , 153–62, https://doi.org/10.1145/2702123.2702556; Levi Boxell, Matthew Gentzkow, and Jesse M. Shapiro, "Is the Internet Causing Political Polarization? Evidence from Demographics," working paper, National Bureau of Economic Research, March 2017, https://doi.org/10.3386/w23258; Richard Fletcher and Rasmus Kleis Nielsen, "Using Social Media Appears to Diversify Your News Diet, Not Narrow It," Nieman Lab, June 21, 2017, http://www.niemanlab.org/2017/06/using-social-media-appears-to-diversify-your-news-diet-not-narrow-it; Rasmus Kleis Nielsen, "Social Media and Bullshit," *Social Media + Society* 1, no. 1 (April 29, 2015) : 2056305115580335, https://doi.org/10.1177/2056305115580335; Boxell, Gentzkow, and Shapiro, "Is the Internet Causing Political Polarization?"; R. Kelly Garrett, "Facebook's Problem Is More Complicated than Fake News," *Scientific American*, November 17, 2016, https://www.scientificamerican.com/article/facebook-s-problem-is-more-complicated-than-fake-news; Dimitar Nikolov et al., "Measuring Online Social Bubbles," *PeerJ Computer Science* 1 (December 2, 2015) : e38, https://doi.org/10.7717/peerj-cs.38. ツイッター上の現象を調べるのはずっと簡単だ。アカウントの多くは投稿を一般公開するように設定されているため、データはたいした制限もなく「スクラップ」できる。したがって、フィルターバブルの影響についての研究はツイッターや一般的な意見調査のデータに頼っているが、フェイスブックのデータは使っていない。一部の研究は、まるですべてのサービスが同じように機能すると思っているかのごとく、「ソーシャルメディア」の一般的な利用について検証している。ツイッターは、フェイスブックよりもずっとアルゴリズム的編集の度合いが少ない。ユーザーごとに所有しているデータも少ない。そして、測定するエンゲージメントの指標も少ない。つまり、ユーザー一人ひとりが目にする投稿の流れを、フェイスブックほど強力に操作することはできないのだ。ツイッターでは大体において、特定の人をフォローするという選択をすることで誰の投稿を多く目にするかを決めている。ユーザーの絶対数もはるかに少ないツイッターは研究するのは簡単だが、あらゆる面でフェイスブックよりも重要度が低い。

(18)Eytan Bakshy et al., "Social Influence in Social Advertising: Evidence from Field Experiments," in *Proceedings of the 13th ACM Conference on Electronic Commerce* (New York: ACM, 2012) , 146–61, https://doi.org/10.1145/2229012.2229027; Eytan Bakshy, Solomon Messing, and Lada Adamic, "Exposure to Ideologically Diverse News and Opinion on Facebook," *Science*, May 7, 2015, aaa1160, https://doi.org/10.1126/science.aaa1160; Eli Pariser, "Did Facebook's Big Study Kill My Filter Bubble Thesis?," *Wired*, May 7, 2015, https://www.wired.com/2015/05/did-facebooks-big-study-kill-my-filter-bubble-thesis.

(19)Thomas Hanitzsch, Arjen Van Dalen, and Nina Steindl, "Caught in the Nexus: A Comparative and Longitudinal Analysis of Public Trust in the Press," *International Journal of Press/Politics*, November

index.php/fm/article/view/4858.
(9)Mara Einstein, *Advertising: What Everyone Needs to Know* (New York: Oxford University Press, 2017) ; Mara Einstein, *Black Ops Advertising: Native Ads, Content Marketing, and the Covert World of the Digital Sell* (New York: OR Books, 2016) ; C. Edwin Baker, *Advertising and a Democratic Press* (Princeton, NJ: Princeton University Press, 1993) ; Winston Fletcher, *Advertising: A Very Short Introduction* (Oxford: Oxford University Press, 2010) ; Michael Schudson, *Advertising, the Uneasy Persuasion: Its Dubious Impact on American Society* (New York: Basic Books, 1986); Nir Eyal, *Hooked: How to Build Habit-Forming Products* (New York: Portfolio/Penguin, 2014).［邦訳：ニール・イヤール、ライアン・フーバー著『ハマるしかけ』Hooked翻訳チーム訳、翔泳社］; Joseph Turow, *Niche Envy: Marketing Discrimination in the Digital Age* (Cambridge, MA: MIT Press, 2006) ; Thomas Frank, *The Conquest of Cool: Business Culture, Counterculture, and the Rise of Hip Consumerism* (Chicago: University of Chicago Press, 1997) ; Joseph Turow, *The Daily You: How the New Advertising Industry Is Defining Your Identity and Your World* (New Haven, CT: Yale University Press, 2011) ; Joe McGinniss, *The Selling of the President, 1968* (New York: Trident Press, 1969) ; Susan J. Douglas, *Where the Girls Are: Growing Up Female with the Mass Media* (New York: Times Books, 1994) ; Matthew P. McAllister and Emily West, *The Routledge Companion to Advertising and Promotional Culture* (New York: Routledge, 2015) ; Tim Wu, *The Attention Merchants: The Epic Scramble to Get Inside Our Heads* (New York: Knopf, 2016).
(10)Wu, *The Attention Merchants*, 3–5.
(11)Wu, *The Attention Merchants*.
(12)Wu, *The Attention Merchants*, 170–76.
(13)Einstein, *Advertising*.
(14)Vaidhyanathan, *The Googlization of Everything*［前掲書『グーグル化の見えざる代償』］; Wu, *The Attention Merchants*; Fred Turner, *From Counterculture to Cyberculture: Stewart Brand, the Whole Earth Network, and the Rise of Digital Utopianism* (Chicago: University of Chicago Press, 2006) ; Fred Turner, *The Democratic Surround: Multimedia and American Liberalism from World War II to the Psychedelic Sixties* (Chicago: University of Chicago Press, 2013).
(15)Mike Isaac and Scott Shane, "Facebook's Russia-Linked Ads Came in Many Disguises," *New York Times*, October 2, 2017, https://www.nytimes.com/2017/10/02/technology/facebook-russia-ads-.html; Scott Shane, "On Facebook and Twitter, a Hunt for Russia's Meddling Hand," *New York Times*, September 7, 2017, https://www.nytimes.com/2017/09/07/us/politics/russia-facebook-twitter-election.html; Scott Shane, "Purged Facebook Page Tied to the Kremlin Spread Anti-Immigrant Bile," *New York Times*, September 12, 2017, https://www.nytimes.com/2017/09/12/us/politics/russia-facebook-election.html; Mike Isaac and Daisuke Wakabayashi, "Russian Influence Reached 126 Million Through Facebook Alone," *New York Times*, October 30, 2017, https://www.nytimes.com/2017/10/30/technology/facebook-google-russia.html; Colin Stretch, "Letter from Colin Stretch, General Counsel for Facebook, to Senator Richard Burr," January 8, 2018, https://www.intelligence.senate.gov/sites/default/files/documents/Facebook%20Response%20to%20Committee%20QFRs.pdf; Craig Timberg, "Russians Got Tens of Thousands of Americans to RSVP for Their Phony Political Events on Facebook," *Washington Post*, January 25, 2018, https://www.washingtonpost.com/news/the-switch/wp/2018/01/25/russians-got-tens-of-thousands-of-americans-to-rsvp-for-their-phony-political-events-on-facebook.
(16)Julia Angwin, Noam Scheiber, and Ariana Tobin, "Facebook Job Ads Raise Concerns About Age Discrimination," *New York Times*, December 20, 2017, https://www.nytimes.com/2017/12/20/business/facebook-job-ads.html; Julia Angwin, Ariana Tobin, and Madeleine Varner, "Facebook (Still) Letting Housing Advertisers Exclude Users by Race," ProPublica, November 21, 2017, https://www.propublica.org/article/facebook-advertising-discrimination-housing-race-sex-national-origin; Madeleine Varner and Julia Angwin, "Facebook Enabled Advertisers to Reach 'Jew Haters,'" ProPublica, September 14, 2017, https://www.propublica.org/article/facebook-enabled-advertisers-to-reach-jew-haters.

Photos," *Slate*, November 8, 2017, http://www.slate.com/blogs/future_tense/2017/11/08/facebook_wants_victims_of_revenge_porn_to_upload_a_nude_photo_to_prevent.html.

第3章　関心を引くマシン

(1)Sumathi Reddy, "How the Ice-Bucket Challenge Got Its Start," *Wall Street Journal*, August 14, 2014, http://www.wsj.com/articles/how-the-ice-bucket-challenge-got-its-start-1408049557; Josh Levin, "Who Invented the Ice Bucket Challenge?," *Slate*, August 22, 2014, http://www.slate.com/technology/2014/08/who_invented_the_ice_bucket_challenge_a_slate_investigation.single.html.

(2)Lucy Townsend, "How Much Has the Ice Bucket Challenge Achieved?," BBC News, September 2, 2014, http://www.bbc.com/news/magazine-29013707; Ian Sample and Nicky Woolf, "How the Ice Bucket Challenge Led to an ALS Research Breakthrough," *Guardian*, July 27, 2016, http://www.theguardian.com/science/2016/jul/27/how-the-ice-bucket-challenge-led-to-an-als-research-breakthrough; Emily Steel, "'Ice Bucket Challenge' Has Raised Millions for ALS Association," *New York Times*, August 17, 2014, https://www.nytimes.com/2014/08/18/business/ice-bucket-challenge-has-raised-millions-for-als-association.html; "New Ice Bucket Challenge? Gazans Launch 'Rubble Bucket Challenge,'" NBC News, August 25, 2014, https://www.nbcnews.com/storyline/middle-east-unrest/new-ice-bucket-challenge-gazans-launch-rubble-bucket-challenge-n188191; Diksha Madhok, "The Story Behind India's Rice Bucket Challenge," *Quartz*, August 25, 2014, https://qz.com/254910/india-adapts-the-ice-bucket-challenge-to-suit-local-conditions-meet-the-rice-bucket-challenge; Julia Belluz, "The Truth About the Ice Bucket Challenge," Vox, August 20, 2014, https://www.vox.com/2014/8/20/6040435/als-ice-bucket-challenge-and-why-we-give-to-charity-donate; Rick Cohen, "Throwing Cold Water on Ice Bucket Philanthropy," *Nonprofit Quarterly*, August 19, 2014, https://nonprofitquarterly.org/2014/08/19/throwing-cold-water-on-ice-bucket-philanthropy.

(3)Sander van der Linden, "The Nature of Viral Altruism and How to Make It Stick," *Nature Human Behaviour* 1, no. 3 (February 13, 2017): s41562-016-0041-016, https://doi.org/10.1038/s41562-016-0041.

(4)Nausicaa Renner, "Empathy vs. Rationality: The Ice Bucket Challenge," *Boston Review*, September 4, 2014, http://bostonreview.net/blog/andrew-mayersohnals-ice-bucket-challenge-empathy-viral-activism; Belluz, "The Truth About the Ice Bucket Challenge"; Cohen, "Throwing Cold Water on Ice Bucket Philanthropy."

(5)Tim Wu, "Blind Spot: The Attention Economy and the Law," March 26, 2017, 以下で閲覧可能。Social Science Research Network, https://papers.ssrn.com/abstract=2941094.

(6)Wu, "Blind Spot."

(7)Alice Emily Marwick, *Status Update: Celebrity, Publicity, and Branding in the Social Media Age* (New Haven, CT: Yale University Press, 2013).

(8)Judith Donath, "Why Fake News Stories Thrive Online," CNN, November 20, 2016, http://www.cnn.com/2016/11/20/opinions/fake-news-stories-thrive-donath/index.html; Ben Agger, *Oversharing: Presentations of Self in the Internet Age* (New York: Routledge, 2015); Amy L. Gonzales and Jeffrey T. Hancock, "Mirror, Mirror on My Facebook Wall: Effects of Exposure to Facebook on Self-Esteem," *Cyberpsychology, Behavior, and Social Networking* 14, nos. 1–2 (June 24, 2010): 79–83, https://doi.org/10.1089/cyber.2009.0411; Stuart Hall, *Representation: Cultural Representations and Signifying Practices* (London: Sage, 1997); Ashwini Nadkarni and Stefan G. Hofmann, "Why Do People Use Facebook?," *Personality and Individual Differences* 52, no. 3 (2012): 243–49, http://dx.doi.org/10.1016/j.paid.2011.11.007; Zizi Papacharissi, *A Networked Self: Identity, Community and Culture on Social Network Sites* (New York: Routledge, 2011); Erving Goffman, *The Presentation of Self in Everyday Life* (London: Penguin, 1990).［邦訳：E・ゴッフマン著『ゴッフマンの社会学』石黒毅訳、誠信書房］; D. E. Wittkower, "Facebook and Dramauthentic Identity: A Post-Goffmanian Theory of Identity Performance on SNS," *First Monday* 19, no. 4 (April 2, 2014), http://journals.uic.edu/ojs/

technology_and_privacy_.html.

(25)Charles Arthur, "Google Glass: Is It a Threat to Our Privacy?," *Guardian*, March 6, 2013, http://www.guardian.co.uk/technology/2013/mar/06/google-glass-threat-to-our-privacy.

(26)Solove, *The Future of Reputation*.

(27)Helen Nissenbaum, "Protecting Privacy in an Information Age: The Problem of Privacy in Public," *Law and Philosophy* 17, nos. 5/6 (1998): 559–96, http://www.jstor.org/stable/3505189.

(28)boyd, *It's Complicated*.［前掲書『つながりっぱなしの日常を生きる』］

(29)James B. Rule, *Private Lives and Public Surveillance: Social Control in the Computer Age* (New York: Schocken Books, 1974); Rule, *Privacy in Peril*; Fred Turner, *From Counterculture to Cyberculture: Stewart Brand, the Whole Earth Network, and the Rise of Digital Utopianism* (Chicago: University of Chicago Press, 2006).

(30)Mark Zuckerberg, "From Facebook, Answering Privacy Concerns with New Settings," *Washington Post*, May 24, 2010, http://www.washingtonpost.com/wp-dyn/content/article/2010/05/23/AR2010052303828.html.

(31)Michael Zimmer, "Mark Zuckerberg's Theory of Privacy," *Washington Post*, February 3, 2014, https://www.washingtonpost.com/lifestyle/style/mark-zuckerbergs-theory-of-privacy/2014/02/03/2c1d780a-8cea-11e3-95dd-36ff657a4dae_story.html; Michael Zimmer and Anna Lauren Hoffmann, "Privacy and Control in Mark Zuckerberg's Discourse on Facebook," *AoIR Selected Papers of Internet Research* 4, no. 0 (2014), http://spir.aoir.org/index.php/spir/article/view/1004; Michael Zimmer, "The Zuckerberg Files: A Digital Archive of All Public Utterances of Facebook's Founder and CEO, Mark Zuckerberg," accessed July 4, 2017, https://www.zuckerbergfiles.org.

(32)Vaidhyanathan, *The Googlization of Everything*［前掲書『グーグル化の見えざる代償』］; Helen Nissenbaum, *Privacy in Context Technology, Policy, and the Integrity of Social Life* (Stanford, CA: Stanford University Press, 2010); Nancy K. Baym, *Personal Connections in the Digital Age* (Cambridge, UK: Polity, 2010).

(33)Alice E. Marwick and danah boyd, "I Tweet Honestly, I Tweet Passionately: Twitter Users, Context Collapse, and the Imagined Audience," *New Media and Society* 13, no. 1 (February 1, 2011): 114–33, https://doi.org/10.1177/1461444810365313; boyd, *It's Complicated*.［前掲書『つながりっぱなしの日常を生きる』］; danah boyd, "Privacy and Publicity in the Context of Big Data," talk presented April 29, 2010, http://www.danah.org/papers/talks/2010/WWW2010.html; boyd and Marwick, "Social Privacy in Networked Publics"; author interview with Alice Marwick, New York, 2017; Alice Emily Marwick, *Status Update: Celebrity, Publicity, and Branding in the Social Media Age* (New Haven, CT: Yale University Press, 2013); Zimmer and Hoffmann, "Privacy and Control in Mark Zuckerberg's Discourse on Facebook."

(34)Olivia Solon, "Facebook Asks Users for Nude Photos in Project to Combat Revenge Porn," *Guardian*, November 7, 2017, http://www.theguardian.com/technology/2017/nov/07/facebook-revenge-porn-nude-photos; Nick Statt, "Facebook's Unorthodox New Revenge Porn Defense Is to Upload Nudes to Facebook," The Verge, November 7, 2017, https://www.theverge.com/2017/11/7/16619690/facebook-revenge-porn-defense-strategy-test-australia; Danielle Keats Citron, *Hate Crimes in Cyberspace* (Cambridge, MA: Harvard University Press, 2014).

(35)Tarleton Gillespie, *Custodians of the Internet: Platforms, Content Moderation, and the Hidden Decisions That Shape Social Media* (New Haven, CT: Yale University Press, 2018); Tarleton Gillespie, "Facebook Can't Moderate in Secret Any More," Data & Society: Points, May 24, 2017, https://points.datasociety.net/facebook-cant-moderate-in-secret-any-more-ca2dbcd9d2; Sarah T. Roberts, "Content Moderation," February 5, 2017, http://escholarship.org/uc/item/7371c1hf; Sarah T. Roberts, "Social Media's Silent Filter," *Atlantic*, March 8, 2017, https://www.theatlantic.com/technology/archive/2017/03/commercial-content-moderation/518796/?utm_source=atltw; Adrian Chen, "The Laborers Who Keep Dick Pics and Beheadings out of Your Facebook Feed," *Wired*, October 23, 2014, http://www.wired.com/2014/10/content-moderation.

(36)April Glaser, "Facebook's Tone-Deaf Plan to Tackle Revenge Porn by Having Victims Upload Nude

Guardian, November 1, 2013, http://www.theguardian.com/world/interactive/2013/nov/01/snowden-nsa-files-surveillance-revelations-decoded; James Risen and Laura Poitras, "N.S.A. Gathers Data on Social Connections of U.S. Citizens," *New York Times*, September 28, 2013, http://www.nytimes.com/2013/09/29/us/nsa-examines-social-networks-of-us-citizens.html; Shane Harris, *The Watchers: The Rise of America's Surveillance State* (New York: Penguin, 2010) ; Randolph Lewis, *Under Surveillance: Being Watched in Modern America* (Austin: University of Texas Press, 2017) ; Scott Nover and Nikki Usher, "Why Haven't Reporters Mass-Adopted Secure Tools for Communicating with Sources?," *Slate*, July 12, 2017, http://www.slate.com/articles/technology/future_tense/2017/07/women_young_people_experience_the_chilling_effects_of_surveillance_at_higher.html.

⑿Francis Ford Coppola et al., *The Conversation* (Hollywood, CA: Paramount Pictures, 2000) [フランシス・F・コッポラ監督『カンバセーション…盗聴…』]; Tony Scott et al., *Enemy of the State* (Burbank, CA: Touchstone Home Entertainment, 1999) [トニー・スコット監督『エネミー・オブ・アメリカ』]

⒀Julie E. Cohen, *Configuring the Networked Self: Law, Code, and the Play of Everyday Practice* (New Haven, CT: Yale University Press, 2012).

⒁Samuel D. Warren and Louis D. Brandeis, "The Right to Privacy," *Harvard Law Review* 4, no. 5 (December 15, 1890) : 193–220, doi:10.2307/1321160. 以下も参照。Robert Post, "Rereading Warren and Brandeis: Privacy, Property, and Appropriation," Faculty Scholarship Series, Yale University Law School, January 1, 1991, http://digitalcommons.law.yale.edu/fss_papers/206.

⒂Jim Miller, *The Passion of Michel Foucault* (New York: Simon & Schuster, 1993) , 222–23 [邦訳：ジェイムズ・ミラー著『ミシェル・フーコー／情熱と受苦』田村俶ほか訳、筑摩書房]; Michel Foucault, *Discipline and Punish: The Birth of the Prison* (New York: Vintage Books, 1995). [邦訳：ミシェル・フーコー著『監獄の誕生——監視と処罰』田村俶訳、新潮社]

⒃Timothy Garton Ash, *The File: A Personal History* (New York: Random House, 1997).

⒄この現象について当初私は「ノンオプティコン」と言っていた。以下サイトを参照のこと。Siva Vaidhyanathan, "Naked in the 'Nonopticon': Surveillance and Marketing Combine to Strip Away Our Privacy," *Chronicle of Higher Education*, February 15, 2008, http://chronicle.com/free/v54/i23/23b00701.htm. これは的外れだし不正確だった。のちに友人のビル・パグスリーが「クリプトプティコン」なら私の意図を正確にとらえていると提案してくれた。その提案には感謝している。のちに以下の著書で「クリプトプティコン」を採用した。Vaidhyanathan, *The Googlization of Everything.* [前掲書『グーグル化の見えざる代償』]

⒅Vaidhyanathan, *The Googlization of Everything.* [前掲書『グーグル化の見えざる代償』]

⒆Joseph Turow, *Niche Envy: Marketing Discrimination in the Digital Age* (Cambridge, MA: MIT Press, 2006) ; Chris Anderson, *The Long Tail: Why the Future of Business Is Selling Less of More* (New York: Hyperion, 2006). [邦訳：クリス・アンダーソン著『ロングテール』篠森ゆりこ訳、早川書房]

⒇Quirin Berg et al., *The Lives of Others* (Culver City, CA: Sony Pictures Home Entertainment, 2007). [フロリアン・ヘンケル・フォン・ドナースマルク監督『善き人のためのソナタ』]

(21)Vaidhyanathan, *The Googlization of Everything* [前掲書『グーグル化の見えざる代償』]; Fred Vogelstein, "Great Wall of Facebook: The Social Network's Plan to Dominate the Internet," *Wired*, July 2009, http://www.wired.com/techbiz/it/magazine/17-07/ff_facebookwall?currentPage=all; Michael Agger, "Google and Facebook Battle for Your Friends," *Slate*, January 14, 2009, http://www.slate.com/id/2208676/pagenum/all/#p2.

(22)Jack M. Balkin, "The Constitution in the National Surveillance State," *Minnesota Law Review* 93, no. 1 (2008) , http://ssrn.com/paper=1141524; James X. Dempsey and Lara M. Flint, "Commercial Data and National Security," *George Washington Law Review* 72 (2003–4) : 1459; Chris Jay Hoofnagle, "Big Brother's Little Helpers: How ChoicePoint and Other Commercial Data Brokers Collect and Package Your Data for Law Enforcement," *North Carolina Journal of International Law and Commercial Regulation* 29 (2003–4): 595.

(23)James Rule, *Privacy in Peril* (Oxford: Oxford University Press, 2007).

(24)Dahlia Lithwick, "Alito vs. Scalia," *Slate*, January 23, 2012, http://www.slate.com/articles/news_and_politics/jurisprudence/2012/01/u_s_v_jones_supreme_court_justices_alito_and_scalia_brawl_over_

Martínez, *Chaos Monkeys: Obscene Fortune and Random Failure in Silicon Valley* (New York: Harper, 2016)［邦訳：アントニオ・ガルシア・マルティネス著『サルたちの狂宴――シリコンバレー修業篇』(上下巻) 石垣賀子訳、早川書房］

(6)García Martínez, *Chaos Monkeys*［前掲書『サルたちの狂宴』］; Joseph Turow, *The Aisles Have Eyes: How Retailers Track Your Shopping, Strip Your Privacy, and Define Your Power* (New Haven, CT: Yale University Press, 2017) ; Joseph Turow, *The Daily You: How the New Advertising Industry Is Defining Your Identity and Your World* (New Haven, CT: Yale University Press, 2011) ; Joseph Turow, *Niche Envy: Marketing Discrimination in the Digital Age* (Cambridge, MA: MIT Press, 2006); Tim Peterson, "How Facebook's Custom Audiences Won Over Adland," *Ad Age*, March 23, 2015, http://adage.com/article/digital/facebook-s-custom-audiences-won-adland/297700; Tim Wu, *The Attention Merchants: The Epic Scramble to Get Inside Our Heads* (New York: Knopf, 2016) ; Casandra Campbell, "The Beginner's Guide to Facebook Custom Audiences," *Shopify's Ecommerce Blog—Ecommerce News, Online Store Tips and More*, October 6, 2015, https://www.shopify.com/blog/56441413-the-beginners-guide-to-facebook-custom-audiences.

(7)"Using the Graph API—Documentation," Facebook for Developers , accessed July 6, 2017, https://developers.facebook.com/docs/graph-api/using-graph-api;"Graph API—Documentation," Facebook for Developers, accessed November 12, 2017, https://developers.facebook.com/docs/graph-api; Josh Constine, "Facebook Is Done Giving Its Precious Social Graph to Competitors," TechCrunch, accessed November 12, 2017,http://social.techcrunch.com/2013/01/24/my-precious-social-graph; Angela M. Cirucci, "Facebook's Affordances, Visible Culture, and AntiAnonymity," in *Proceedings of the 2015 International Conference on Social Media and Society* (New York: ACM, 2015) , 11:1–11:5, https://doi.org/10.1145/2789187.2789202; Anne Shields, "ID Graph Is a New Feature for Oracle's Marketing Cloud This Spring," Market Realist, April 14, 2015, http://marketrealist.com/2015/04/id-graph-new-feature-oracles-marketing-cloud-spring; Boonsri Dickinson, "So What the Heck Is the 'Social Graph' Facebook Keeps Talking About?," Business Insider , accessed November 12, 2017, http://www.businessinsider.com/explainer-what-exactly-is-the-social-graph-2012-3.

(8)Julia Angwin, Terry Parris, and Surya Mattu, "Facebook Doesn't Tell Users Everything It Really Knows About Them," ProPublica, December 27, 2016, https://www.propublica.org/article/facebook-doesnt-tell-users-everything-it-really-knows-about-them; "How Does Facebook Work with Data Providers?," Facebook Help Center, accessed November 12, 2017, https://www.facebook.com/help/494750870625830?helpref=uf_permalink.

(9)Daniel J. Solove, *The Future of Reputation: Gossip, Rumor, and Privacy on the Internet* (New Haven, CT: Yale University Press, 2007) ; Queenie Wong, "Twitter, Facebook Users Name and Shame White Nationalists in Charlottesville Rally," *Mercury News*, August 15, 2017, http://www.mercurynews.com/2017/08/14/twitter-facebook-users-name-and-shame-white-nationalists-in-charlottesville-rally; Sarah Jeong, *The Internet of Garbage* (Forbes Media, 2015), Kindle ed.

(10)Kashmir Hill, "Facebook Figured Out My Family Secrets, and It Won't Tell Me How," Gizmodo, August 25, 2017, http://gizmodo.com/facebook-figured-out-my-family-secrets-and-it-wont-tel-1797696163; Kashmir Hill, "How Facebook Figures Out Everyone You've Ever Met," Gizmodo, November 7, 2017, https://gizmodo.com/how-facebook-figures-out-everyone-youve-ever-met-1819822691.

(11)Katy E. Pearce, "Democratizing Kompromat: The Affordances of Social Media for State-Sponsored Harassment," *Information, Communication and Society* 18, no. 10 (October 3, 2015): 1158–74, https://doi.org/10.1080/1369118X.2015.1021705; Katy E. Pearce and Sarah Kendzior, "Networked Authoritarianism and Social Media in Azerbaijan," *Journal of Communication* 62, no. 2 (April 1, 2012) : 283–98, https://doi.org/10.1111/j.1460-2466.2012.01633.x; Julia Angwin, *Dragnet Nation: A Quest for Privacy, Security, and Freedom in a World of Relentless Surveillance* (New York: Times Books, 2015)［邦訳：ジュリア・アングウィン著『ドラグネット監視網社会』三浦和子訳、祥伝社］; Christian Fuchs, *Internet and Surveillance: The Challenges of Web 2.0 and Social Media* (New York: Routledge, 2012) ; Ewen MacAskill et al., "NSA Files Decoded: Edward Snowden's Surveillance Revelations Explained,"

Any More," Data and Society: Points, May 24, 2017, https://points.datasociety.net/facebook-cant-moderate-in-secret-any-more-ca2dbcd9d2.

(19)Sontag, *On Photography*, 8–10.［前掲書『写真論』］; Rose Eveleth, "How Many Photographs of You Are Out There in the World?," *Atlantic*, November 2, 2015, https://www.theatlantic.com/technology/archive/2015/11/how-many-photographs-of-you-are-out-there-in-the-world/413389.

(20)Sontag, *On Photography*, 14.［前掲書『写真論』］

(21)David Kirkpatrick, *The Facebook Effect: The Inside Story of the Company That Is Connecting the World* (New York: Simon & Schuster, 2010), 20–31.［邦訳：デビッド・カークパトリック著『フェイスブック　若き天才の野望——5億人をつなぐソーシャルネットワークはこう生まれた』滑川海彦・高橋信夫訳、日経BP社］

(22)Aristotle, *The Basic Works of Aristotle*, ed. Richard McKeon (New York: Random House, 1941), 1060–61.

(23)Aristotle, *Basic Works*, 1058.

(24)Jonathan Barnes, *Aristotle: A Very Short Introduction* (Oxford: Oxford University Press, 2000); Aristotle, *Basic Works; Aristotle, The Politics*, ed. Carnes Lord (Chicago: University of Chicago Press, 1985); Aristotle, *The Politics of Aristotle*, ed. Ernest Barker (Oxford: Clarendon Press, 1952); Anthony Grafton, Glenn W. Most, and Salvatore Settis, eds., *The Classical Tradition* (Cambridge, MA: Harvard University Press, 2010); Alan Ryan, *On Politics: A History of Political Thought from Herodotus to the Present* (New York: Liveright, 2012).

(25)Ryan, *On Politics*, 76–77.

(26)Judith Donath, "Why Fake News Stories Thrive Online," CNN, November 20, 2016, http://www.cnn.com/2016/11/20/opinions/fake-news-stories-thrive-donath/index.html.

第2章　監視するマシン

(1)Elliot Ackerman, "Screen Shot," *Esquire*, August 2017, http://classic.esquire.com/screen-shot.

(2)Amanda Lenhart, Michele Ybarra, and Myeshia Price-Feeney, "Nonconsensual Image Sharing," Data and Society, December 13, 2016, https://datasociety.net/pubs/oh/Nonconsensual_Image_Sharing_2016.pdf.

(3)Andy Kroll, "Cloak and Data: The Real Story Behind Cambridge Analytica's Rise and Fall," *Mother Jones*, March 23, 2018, https://www.motherjones.com/politics/2018/03/cloak-and-data-cambridge-analytica-robert-mercer; Ryan Mac, "Cambridge Analytica Whistleblower Said He Wanted to Create NSA's 'Wet Dream,'" BuzzFeed, March 22, 2018, https://www.buzzfeed.com/ryanmac/christopher-wylie-cambridge-analytica-scandal; Siva Vaidhyanathan, "Facebook Was Letting Down Users Years Before Cambridge Analytica," *Slate*, March 20, 2018, https://slate.com/technology/2018/03/facebooks-data-practices-were-letting-down-users-years-before-cambridge-analytica.html; Siva Vaidhyanathan, "Don't Delete Facebook. Do Something About It," *New York Times*, March 24, 2018, https://www.nytimes.com/2018/03/24/opinion/sunday/delete-facebook-does-not-fix-problem.html.

(4)Julia Angwin, *Stealing MySpace: The Battle to Control the Most Popular Website in America* (New York: Random House, 2009); danah boyd, *It's Complicated: The Social Lives of Networked Teens* (New Haven, CT: Yale University Press, 2014)［邦訳：ダナ・ボイド著『つながりっぱなしの日常を生きる——ソーシャルメディアが若者にもたらしたもの』野中モモ訳、草思社］; danah boyd, "Social Media: A Phenomenon to Be Analyzed," *Social Media + Society* 1, no. 1 (April 29, 2015): 2056305115580148, https://doi.org/10.1177/2056305115580148; danah boyd and Alice E. Marwick, "Social Privacy in Networked Publics: Teens' Attitudes, Practices, and Strategies," September 22, 2011, 以下で閲覧可能。Social Science Research Network, http://papers.ssrn.com/abstract=1925128.

(5)David Kirkpatrick, *The Facebook Effect: The Inside Story of the Company That Is Connecting the World* (New York: Simon & Schuster, 2010)［前掲書『フェイスブック　若き天才の野望』］; Computer History Museum, "The Facebook Effect (Interview with Zuckerberg and Kirkpatrick)," Zuckerberg Transcripts 30, July 25, 2010, http://dc.uwm.edu/zuckerberg_files_transcripts/30; Antonio García

American Journal of Epidemiology 185, no. 3 (February 1, 2017): 203–11, https://doi.org/10.1093/aje/kww189.

(2)Donna Freitas, *The Happiness Effect: How Social Media Is Driving a Generation to Appear Perfect at Any Cost* (Oxford: Oxford University Press, 2016); Deirdre N. McCloskey, "Happyism," *New Republic*, June 8, 2012, https://newrepublic.com/article/103952/happyism-deirdre-mccloskey-economics-happiness; Deirdre N. McCloskey, "Not by P Alone: A Virtuous Economy," *Review of Political Economy* 20, no. 2 (April 1, 2008): 181–97, https://doi.org/10.1080/09538250701819636; Adam D. I. Kramer, Jamie E. Guillory, and Jeffrey T. Hancock, "Experimental Evidence of Massive-Scale Emotional Contagion Through Social Networks," *Proceedings of the National Academy of Sciences* 111, no. 24 (June 17, 2014): 8788–90, https://doi.org/10.1073/pnas.1320040111.

(3)Michael Moss, "The Extraordinary Science of Addictive Junk Food," *New York Times*, February 20, 2013, https://www.nytimes.com/2013/02/24/magazine/the-extraordinary-science-of-junk-food.html.

(4)TEDxObserver—Cory Doctorow, March 22, 2011, https://www.youtube.com/watch?v=RAGjNe1YhMA.

(5)B. F. Skinner, *The Behavior of Organisms: An Experimental Analysis* (New York: D. Appleton-Century, 1938).

(6)Bill Davidow, "Skinner Marketing: We're the Rats, and Facebook Likes Are the Reward," *Atlantic*, June 10, 2013, https://www.theatlantic.com/technology/archive/2013/06/skinner-marketing-were-the-rats-and-facebook-likes-are-the-reward/276613.

(7)Natasha Dow Schüll, *Addiction by Design: Machine Gambling in Las Vegas* (Princeton, NJ: Princeton University Press, 2012), 92.［邦訳：ナターシャ・ダウ・シュール著『デザインされたギャンブル依存症』日暮雅通訳、青土社］

(8)Schüll, *Addiction by Design*, 2.［前掲書『デザインされたギャンブル依存症』］

(9)Bill Allison and John McCormick, "Casino Billionaires, NFL Owners Fueled Trump's Record Inaugural Fundraising," Bloomberg, April 19, 2017, https://www.bloomberg.com/news/articles/2017-04-19/billionaires-and-corporations-push-trump-to-record-inaugural.

(10)Schüll, *Addiction by Design*, 5.［前掲書『デザインされたギャンブル依存症』］

(11)Evelyn M. Rusli, "Facebook Buys Instagram for $1 Billion," *Dealbook* (blog), New York Times, April 9, 2012, https://dealbook.nytimes.com/2012/04/09/facebook-buys-instagram-for-1-billion.

(12)Adam L. Alter, *Irresistible: The Rise of Addictive Technology and the Business of Keeping Us Hooked* (New York: Penguin, 2017), 214–20.

(13)"Hot or Not," Wikipedia, May 29, 2017, https://en.wikipedia.org/w/index.php?title=Hot_or_Not&oldid=782779787.

(14)Bari M. Schwartz, "Hot or Not? Website Briefly Judges Looks," *Harvard Crimson*, November 4, 2003, http://www.thecrimson.com/article/2003/11/4/hot-or-not-website-briefly-judges/?page=single.

(15)Alter, *Irresistible*, 214–26.

(16)Sarah Smarsh, "Working-Class Women Are Too Busy for Gender Theory—but They're Still Feminists," *Guardian*, June 25, 2017, https://www.theguardian.com/world/2017/jun/25/feminism-working-class-women-gender-theory-dolly-parton.

(17)Neil Postman, *Amusing Ourselves to Death: Public Discourse in the Age of Show Business* (New York: Penguin, 2006), 70.［前掲書『愉しみながら死んでいく』］

(18)Sam Levin, Julia Carrie Wong, and Luke Harding, "Facebook Backs Down from 'Napalm Girl' Censorship and Reinstates Photo," *Guardian*, September 9, 2016, https://www.theguardian.com/technology/2016/sep/09/facebook-reinstates-napalm-girl-photo; "Facebook's Sheryl Sandberg on 'Napalm Girl' Photo: 'We Don't Always Get It Right,'" *Guardian*, September 12, 2016, https://www.theguardian.com/technology/2016/sep/12/facebook-mistake-napalm-girl-photo-sheryl-sandberg-apologizes; Tarleton Gillespie, "Platforms Intervene," *Social Media + Society* 1, no. 1 (April 29, 2015): 2056305115580479, https://doi.org/10.1177/2056305115580479; Tarleton Gillespie, *Custodians of the Internet: Platforms, Content Moderation, and the Hidden Decisions That Shape Social Media* (New Haven, CT: Yale University Press, 2018); Tarleton Gillespie, "Facebook Can't Moderate in Secret

などないかのようだ。

(27)Andrew Feenberg and Alastair Hannay, *Technology and the Politics of Knowledge* (Bloomington: Indiana University Press, 1995); Andrew Feenberg, *Questioning Technology* (London: Routledge, 1999)[邦訳:アンドリュー・フィーンバーグ著『技術への問い』直江清隆訳、岩波書店]; Andrew Feenberg, *Transforming Technology: A Critical Theory Revisited* (New York: Oxford University Press, 2002); Wiebe E. Bijker et al., *The Social Construction of Technological Systems: New Directions in the Sociology and History of Technology* (Cambridge, MA: MIT Press, 2012); Donald A. MacKenzie and Judy Wajcman, *The Social Shaping of Technology* (Buckingham, UK: Open University Press, 1999); Sheila Jasanoff, *Handbook of Science and Technology Studies* (Thousand Oaks, CA: Sage Publications, 1995); Edward J. Hackett, *The Handbook of Science and Technology Studies* (Cambridge, MA: MIT Press, 2008); Eric Higgs, Andrew Light, and David Strong, *Technology and the Good Life?* (Chicago: University of Chicago Press, 2000); Pablo J. Boczkowski, "The Mutual Shaping of Technology and Society in Videotex Newspapers: Beyond the Diffusion and Social Shaping Perspectives," *Information Society* 20, no. 4 (2004): 255–67.

(28)Andrew Postman, "Eulogy for Neil Postman," October 10, 2003, http://www.faculty.rsu.edu/users/f/felwell/www/Theorists/Postman/Articles/Neil%20Postman,%201931-2003%20Andrew%20Postman.htm. 2003年10月のニールの葬儀で、息子のアンドリューが感動的な弔辞を述べた。その話はニールの人物像を垣間見せただけでなく、彼の思考をものぞかせてくれた。「父は単にその寛大さで比類ないだけではありませんでした。本当にカネに頓着しない人でした。私たちも本来はそうあるべきだと思います。ETCが誕生する前の過ぎ去りし時代、家族旅行に出かけて高速道路の料金所を通過する際に、父はしばしば後ろを走る、見ず知らずの人の料金まで支払っていました。その幸運な車は料金所の係員にそのまま行っていいと合図され、うちの車に追いついて横に並ぶと、その車に乗っている全員が目をこらし、謎の慈善家がどこかで会ったことのある人かどうかを見定めようとするのです。そうするとマデラインとマークと私の3人兄弟、それに両親はばかみたいににこにこ笑って手を振りつづけ、ついに相手の車の人たちも——なんということか——とっても奇妙な経験をして50セント得をしただけだということに気づいて手を振りかえします。ちなみに、いま私には父の声が聞こえます。『ETCはどんな問題に対する答えだと思う?』。もちろん、父は言うでしょう。料金所で列に並ぶ時間が短縮されると。でも、すべての最新技術と同様、そこには悪魔との契約が存在します。ETCを使うことで、料金所を通過するという平凡な旅を他人と触れ合うチャンスに変えるという楽しみを二度と知ることができなくなるのです」

(29)Bari M. Schwartz, "Hot or Not? Website Briefly Judges Looks," *Harvard Crimson*, November 4, 2003, http://www.thecrimson.com/article/2003/11/4/hot-or-not-website-briefly-judges/?page=single.

(30)Alan J. Tabak, "Hundreds Register for New Facebook," *Harvard Crimson*, February 9, 2004, http://www.thecrimson.com/article/2004/2/9/hundreds-register-for-new-facebook-website/?page=single.

(31)David Fincher, *The Social Network*, DVD (Culver City, CA: Sony Pictures Home Entertainment, 2011).[デヴィッド・フィンチャー監督『ソーシャル・ネットワーク』]

第1章　喜びを生むマシン

(1)David Ginsberg and Moira Burke, "Hard Questions: Is Spending Time on Social Media Bad for Us?," Facebook Newsroom, December 15, 2017, https://newsroom.fb.com/news/2017/12/hard-questions-is-spending-time-on-social-media-bad-for-us; Mark Zuckerberg, "Continuing Our Focus for 2018 to Make Sure the Time We All Spend on Facebook Is Time Well Spent," Facebook, January 19, 2018, https:// www.facebook.com/zuck/posts/10104445245963251?pnref=story; Royal Society for Public Health, "Social Media and Young People's Mental Health and Wellbeing," May 2017, http://www.rsph.org.uk/our-work/policy/social-media-and-young-people-s-mental-health-and-wellbeing.html; Moira Burke and Robert E. Kraut, "The Relationship Between Facebook Use and Well-Being Depends on Communication Type and Tie Strength," *Journal of Computer-Mediated Communication* 21, no. 4 (July 1, 2016): 265–81, https://doi.org/10.1111/jcc4.12162; Holly B. Shakya and Nicholas A. Christakis, "Association of Facebook Use with Compromised Well-Being: A Longitudinal Study,"

Institute, March 20, 2017, https://www.americanpressinstitute.org/publications/reports/survey-research/trust-social-media; Michela Del Vicario, Alessandro Bessi, Fabiana Zollo, Fabio Petroni, Antonio Scala, Guido Caldarelli, H. Eugene Stanley, and Walter Quattrociocchi, "The Spreading of Misinformation Online," *Proceedings of the National Academy of Sciences* 113, no. 3 (January 19, 2016): 554–59, doi:10.1073/pnas.1517441113.

(19)Siva Vaidhyanathan, *The Googlization of Everything (And Why We Should Worry)* (Berkeley: University of California Press, 2012).[邦訳:シヴァ・ヴァイディアナサン著『グーグル化の見えざる代償——ウェブ・書籍・知識・記憶の変容』久保儀明訳、インプレスジャパン]

(20)Naomi Oreskes and Erik M. Conway, *Merchants of Doubt: How a Handful of Scientists Obscured the Truth on Issues from Tobacco Smoke to Global Warming* (New York: Bloomsbury, 2010).[邦訳:ナオミ・オレスケス、エリック・M・コンウェイ著『世界を騙しつづける科学者たち』福岡洋一訳、楽工社]

(21)2011年、私はグーグルが善かれ悪しかれ私たちの暮らしをどう変えたかについて説明した。『グーグル化の見えざる代償』の執筆後、グーグルは私が予想していた以上に多くの領域をグーグル化し、多くの心配のタネをまいてきた。そろそろ、フェイスブックについて考える時期だ。

(22)Andrew Postman, "My Dad Predicted Trump in 1985—It's Not Orwell, He Warned, It's Brave New World," *Guardian*, February 2, 2017, https://www.theguardian.com/media/2017/feb/02/amusing-ourselves-to-death-neil-postman-trump-orwell-huxley.

(23)Neil Postman, *Amusing Ourselves to Death: Public Discourse in the Age of Show Business* (New York: Penguin, 2006), 78–79.[邦訳:ニール・ポストマン著『愉しみながら死んでいく——思考停止をもたらすテレビの恐怖』今井幹晴訳、三一書房]

(24)Postman, *Amusing Ourselves to Death*, 79.[前掲書『愉しみながら死んでいく』]

(25)Walter J. Ong, *Orality and Literacy: The Technologizing of the Word* (London: Routledge, 1990).[邦訳:W・J・オング著『声の文化と文字の文化』桜井直文他訳、藤原書店]; Neil Postman, *Technopoly: The Surrender of Culture to Technology* (New York: Knopf, 1992).[邦訳:ニール・ポストマン著『技術vs人間』GS研究会訳、新樹社]; Marshall McLuhan and Eric McLuhan, *Laws of Media: The New Science* (Toronto: University of Toronto Press, 1988).[邦訳:マーシャル・マクルーハン&エリック・マクルーハン著『メディアの法則』高山宏監修、中澤豊訳、NTT]; Marshall McLuhan, *The Gutenberg Galaxy: The Making of Typographic Man* (New York: New American Library, 1969).[邦訳:マーシャル・マクルーハン著『グーテンベルクの銀河系 ——活字人間の形成』森常治訳、みすず書房]; Marshall McLuhan and Lewis H. Lapham, *Understanding Media: The Extensions of Man* , 1994.[邦訳:マーシャル・マクルーハン著、『人間拡張の原理——メディアの理解』後藤和彦・高儀進訳、竹内書店]; Nicholas G. Carr, *The Shallows: What the Internet Is Doing to Our Brains* (New York: W. W. Norton, 2010).[邦訳:ニコラス・G・カー著『ネット・バカ——インターネットがわたしたちの脳にしていること』篠儀直子訳、青土社]; Postman, *Amusing Ourselves to Death*, 27.[前掲書『愉しみながら死んでいく』]

(26)Clay Shirky, *Here Comes Everybody: The Power of Organizing Without Organizations* (New York: Penguin, 2008).[邦訳:クレイ・シャーキー著『みんな集まれ! ——ネットワークが世界を動かす』岩下慶一訳、筑摩書房]; Carr, *The Shallows*[前掲書『ネット・バカ』]; Nicholas G. Carr, *The Glass Cage: Automation and Us* (New York: W. W. Norton, 2014)[邦訳:ニコラス・G・カー著『オートメーション・バカ』篠儀直子訳、青土社]; Elizabeth L. Eisenstein, *The Printing Press as an Agent of Change: Communications and Cultural Transformations in Early Modern Europe* (Cambridge, UK: Cambridge University Press, 1979); Elizabeth L. Eisenstein, "[How to Acknowledge a Revolution]: Reply," *American Historical Review* 107, no. 1 (2002): 126–28, doi:10.1086/532100; Elizabeth L. Eisenstein, "An Unacknowledged Revolution Revisited," *American Historical Review* 107, no. 1 (2002): 87–105, doi:10.1086/532098; Anthony Grafton, "How Revolutionary Was the Printing Revolution: Introduction," *American Historical Review* 107 (2002): 84–128; Adrian Johns, "How to Acknowledge a Revolution," *American Historical Review* 107, no. 1 (2002): 106–25, doi:10.1086/532099. 歴史学者エリザベス・アイゼンステインは多大な影響を与えた学術書『*The Printing Press as an Agent of Change* (未訳書:変化の一要因としての印刷機)』でざっくりとした単純な技術的決定論を展開するという過ちを犯した。デジタルメディアについて書いた作家の多くが、アイゼンステインを好意的に引用することでその過ちを増幅させている。まるで、より賢明な歴史家たちによって厳しく、そして説得力をもって挑戦されたこと

http://www.theguardian.com/technology/2017/nov/14/social-media-influence-election-countries-armies-of-opinion-shapers-manipulate-democracy-fake-news; Sanja Kelly et al., "Freedom on the Net 2017: Manipulating Social Media to Undermine Democracy," October 27, 2017, https://freedomhouse.org/report/freedom-net/freedom-net-2017; Derek Willis, "Narendra Modi, the Social Media Politician," *New York Times*, September 25, 2014, https://www.nytimes.com/2014/09/26/upshot/narendra-modi-the-social-media-politician.html; Katy E. Pearce and Sarah Kendzior, "Networked Authoritarianism and Social Media in Azerbaijan," *Journal of Communication* 62, no. 2 (April 1, 2012): 283–98, https://doi.org/10.1111/j.1460-2466.2012.01633.x; Bilge Yesil, *Media in New Turkey: The Origins of an Authoritarian Neoliberal State* (Urbana: University of Illinois Press, 2016).

(6)Zuckerberg, "Building Global Community."

(7)Zuckerberg, "Mark Zuckerberg's Letter to Investors."

(8)Kerry Jones, Kelsey Libert, and Kristin Tynski, "The Emotional Combinations That Make Stories Go Viral," *Harvard Business Review*, May 23, 2016, https://hbr.org/2016/05/research-the-link-between-feeling-in-control-and-viral-content.

(9)Eli Pariser, *The Filter Bubble: What the Internet Is Hiding from You* (New York: Penguin, 2011).［邦訳:イーライ・パリサー著『フィルターバブル――インターネットが隠していること』井口耕二訳、早川書房］

(10)Zuckerberg, "Building Global Community."

(11)Sandy Parakilas, "We Can't Trust Facebook to Regulate Itself," *New York Times*, November 19, 2017, https://www.nytimes.com/2017/11/19/opinion/facebook-regulation-incentive.html.

(12)Lynn Neary, "Classic Novel '1984' Sales Are Up in the Era of 'Alternative Facts,'" NPR, January 25, 2017, http://www.npr.org/sections/thetwo-way/2017/01/25/511671118/classic-novel-1984-sales-are-up-in-the-era-of-alternative-facts; Travis M. Andrews, "Sales of Orwell's '1984' Spike After Kellyanne Conway's 'Alternative Facts,'" *Washington Post*, January 25, 2017, https://www.washingtonpost.com/news/morning-mix/wp/2017/01/25/sales-of-orwells-1984-spike-after-kellyanneconways-alternative-facts.

(13)Masha Gessen, "Arguing the Truth with Trump and Putin," *New York Times*, December 17, 2016, https://www.nytimes.com/2016/12/17/opinion/sunday/arguing- the-truth-with-trump-and-putin.html.

(14)Masha Gessen, "The Autocrat's Language," *New York Review of Books*, May 13, 2007, http://www.nybooks.com/daily/2017/05/13/the-autocrats-language. "Using words to lie destroys language," Gessen wrote. "Using words to cover up lies, however subtly, destroys language. Validating incomprehensible drivel with polite reaction also destroys language. This isn't merely a question of the prestige of the writing art or the credibility of the journalistic trade: it is about the basic survival of the public sphere."

(15)Thomas M. Nichols, *The Death of Expertise: The Campaign Against Established Knowledge and Why It Matters* (New York: Oxford University Press, 2017).

(16)Gallup Inc., "Americans' Confidence in Institutions Stays Low," June 13, 2016, http://www.gallup.com/poll/192581/americans-confidence-institutions-stayslow.aspx; Gallup Inc., "Confidence in Institutions," June 13, 2016, http://www.gallup.com/poll/1597/Confidence-Institutions.aspx.

(17)Jessica Taylor, "Americans Say Civility Has Worsened Under Trump; Trust in Institutions Down," NPR, July 3, 2017, http://www.npr.org/2017/07/03/535044005/americans-say-civility-has-worsened-under-trump-trust-in-institutions-down.

(18)Adam Epstein, "People Trust Google for Their News More than the Actual News," *Quartz*, January 18, 2017, https://qz.com/596956/people-trust-google-for-their-news-more-than-the-actual-news; Kimberlee Morrison, "Nearly Half of Social Media Users Trust Facebook Friends for Financial Advice (Infographic)," *Ad Week*, February 22, 2016, http://www.adweek.com/digital/nearly-half-of-social-media-users-trust-facebook-friends-for-financial-advice-infographic; Jesse Singal, "People Spread Fake News Because They Believe Anything Their Friends Post," Select All, March 21, 2017, http://nymag.com/selectall/2017/03/fake-news-spreads-because-people-trust-their-friends-too-much.html; "'Who Shared It?' How Americans Decide What News to Trust on Social Media," American Press

巻末注

はじめに

(1)Mark Zuckerberg, "As of This Morning, the Facebook Community Is Now Officially 2 Billion People!," Facebook, June 27, 2017, https://www.facebook.com/zuck/posts/10103831654565331.

(2)Mark Zuckerberg, "Building Global Community," Facebook, February 16, 2017, https://www.facebook.com/notes/mark-zuckerberg/building-globalcommunity/10154544292806634; Mark Zuckerberg, "Building Jarvis," Zuckerberg Transcripts 269, December 19, 2016, http://dc.uwm.edu/zuckerberg_files_transcripts/269; Mark Zuckerberg, "F8 2017 Keynote," Zuckerberg Transcripts 271, April 18, 2017, http://dc.uwm.edu/zuckerberg_files_transcripts/271; Mark Zuckerberg, "Facebook Post on 'Bringing the World Together,'" Zuckerberg Transcripts 281, June 22, 2017, http://dc.uwm.edu/zuckerberg_files_transcripts/281; Mark Zuckerberg, "Facebook's Mark Zuckerberg's Townhall in Delhi," Zuckerberg Transcripts 168, October 28, 2015, http://dc.uwm.edu/zuckerberg_files_transcripts/168; Mark Zuckerberg, "Free Basics Protects Net Neutrality," *Times of India*, December 28, 2015, http://blogs.timesofindia.indiatimes.com/toi-edit-page/free-basics-protects-net-neutrality; Mark Zuckerberg, "From Facebook, Answering Privacy Concerns with New Settings," *Washington Post*, May 24, 2010, http://www.washingtonpost.com/wp-dyn/content/article/2010/05/23/AR2010052303828.html; Mark Zuckerberg, "I Want to Respond to President Trump's Tweet This Morning Claiming Facebook Has Always Been Against Him," Facebook, September 27, 2017, https://www.facebook.com/zuck/posts/10104067130714241; Mark Zuckerberg, "Live from the Facebook Communities Summit in Chicago," Zuckerberg Transcripts 280, June 22, 2017, http://dc.uwm.edu/zuckerberg_files_transcripts/280; Kathleen Chaykowski, "Mark Zuckerberg: 2 Billion Users Means Facebook's 'Responsibility Is Expanding,'" *Forbes*, June 27, 2017, https://www.forbes.com/sites/kathleenchaykowski/2017/06/27/facebook-officially-hits-2-billion-users; Mark Zuckerberg, "Mark Zuckerberg on Connecting the World with Internet.org," Zuckerberg Transcripts 175, February 19, 2015, http://dc.uwm.edu/zuckerberg_files_transcripts/175; Mark Zuckerberg, "Mark Zuckerberg on Facebook's Social Good Forum," Zuckerberg Transcripts 251, November 17, 2016, http://dc.uwm.edu/zuckerberg_files_transcripts/251; Mark Zuckerberg, "Mark Zuckerberg's Letter to Investors: 'The Hacker Way,'" *Wired*, February 1, 2012, http://www.wired.com/2012/02/zuck-letter; Mark Zuckerberg, "Video on Expansion of Internet.org," Zuckerberg Transcripts 258, May 4, 2015, http://dc.uwm.edu/zuckerberg_files_transcripts/258; Richard Feloni, "Why Mark Zuckerberg Wants Everyone to Read a Book That Claims Human Potential Is Infinite," *Business Insider*, December 28, 2015, http://www.businessinsider.com/why-mark-zuckerberg-is-reading-the-beginning-of-infinity-2015-12; Nitasha Tiku, "Why People Can't Stop Talking About Zuckerberg 2020," *Wired*, August 6, 2017, https://www.wired.com/story/mark-zuckerberg-america-travels; Steven Levy, "Zuckerberg Explains Facebook's Plan to Get Entire Planet Online," *Wired*, August 26, 2013, in Zuckerberg Transcripts 101, http://dc.uwm.edu/zuckerberg_files_transcripts/101; CNBC, "Zuckerberg One-on-One (September 2011)," Zuckerberg Transcripts 68, September 22, 2011, http://dc.uwm.edu/zuckerberg_files_transcripts/68.

(3)Zuckerberg, "Building Global Community."

(4)Zuckerberg, "Building Global Community."

(5)William Easterly, "Democracy Is Dying as Technocrats Watch," *Foreign Policy*, December 23, 2016, https://foreignpolicy.com/2016/12/23/democracy-is-dying-as-technocrats-watch; Siva Vaidhyanathan, "Facebook Wins, Democracy Loses," *New York Times*, September 8, 2017, https://www.nytimes.com/2017/09/08/opinion/facebook-wins-democracy-loses.html; Alex Hern, "Thirty Countries Use 'Armies of Opinion Shapers' to Manipulate Democracy—Report," *Guardian*, November 14, 2017,